STUART SAFİRİ

YAYIN NO: 276

STUART SAFİRİ
Alanna Knight

Özgün Adı: *The Stuart Sapphire*

© Alanna Knight
Nurcihan Kesim Telif Hakları Ajansı aracılığıyla;
© Bilge Kültür Sanat Yayın Dağıtım San. ve Tic. Ltd. Şti.
Sertifika No: 0507-34-008622

1. Basım; Temmuz, 2008
ISBN: 978 - 9944 - 425 - 76 - 6

Yayın Yönetmeni	:	*Ahmet Nuri Yüksel*
Yayına Hazırlayan	:	*Nurten Hatırnaz*
Baskı	:	*Özener Matbaacılık*
Kapak Baskı	:	*Trichrome Matbaacılık*
Cilt	:	*Yedigün Mücellithanesi*

BİLGE KÜLTÜR SANAT

Nuruosmaniye Cad. Kardeşler Han No: 3 Kat: 1 34110 Cağaloğlu / İSTANBUL
Tel: (0212) 520 72 53 - 513 85 04   Fax: (0212) 511 47 74
bilge@bilgeyayincilik.com   www.bilgeyayincilik.com

STUART SAFİRİ

Alanna Knight

Çeviren
Gökçe Özdemir

BİLGE
KÜLTÜR
SANAT

ALANNA KNIGHT, 1969'da ilk kitabının basımından bu yana, on beşten fazla roman (bunların içinde on dört başarılı Dedektif Faro serisi vardır), dört kurgusal olmayan eser, sayısız kısa öykü ve iki oyun yazmıştır. Tyneside'da doğmuş ve orada öğrenim görmüştür. Şu an Edinburg'da yaşayan yazar, İskoç Yazarları Birliği'nin kurucu üyesi, Edinburg Yazarları Kulübü'nün fahri başkanı, Suç Yazarları Birliği'nin İskoç temsilciliğinde toplantı başkanıdır.

Alanna Knight'ın web sitesini ziyaret ederek hakkında daha fazla bilgi edinebilirsiniz:
www.alannaknight.com

Bir

Sesler...

Onların sesleriydi, nefeslerinin pis kokusu ve vücudunu saran ter... Bağlantıyı kurmuştu.

"Botlar... Tanrım. Şunlara bakın. Hem de yeniler!"

"Üstündeki gömleği görüyor musun, kaliteli keten."

"Ya pantolonu. Deriden... hepsini üstünden çıkaracağız."

Kaba kaba kahkahalar. "Gittiği yerde onlara ihtiyacı olmayacak!"

Ölü müydü? Geçiş sırasında ölmüş müydü, öyle miydi? Kaba eller botlarını çekiştiriyor; hissetti. Yaşıyordu, etraftaki bu iğrenç koku yeterince gerçekti. Yarı karanlıkta kalmış yüzü onları pek ilgilendirmiyordu, dikkatlice gözlerini açtı.

Aşağıda bir yerlerden çığlıklar, iniltiler geliyordu. Yer hareket ediyor, keresteler gıcırdıyor...

Başka bir koku daha mı? Bu deniz kokusu! Bir gemideydi!

Zaman yolculuğunda bir şeyler cidden ters gitmişti.

Adamlar küfrediyor, elbiselerini çıkarmak için onu yukarı doğru sürüklüyorlardı.

Şu an hangi zamanda ve nerede olduğu onun için pek mühim değildi. Ne olursa buradan kaçmalıydı. Zaten onu burada tutanlar yirmi üçüncü yüzyılın Tam Eildor'unun 1811 yılında yaşayan tüm insanlardan daha hızlı hareket edebileceğinin farkında değildiler. Gelecek bilimi zaman ve mekâna, mekânla birlikte yerçekimi ve ağırlığa da hükmediyordu.

Ayakları bağlıydı. Zaptiyeleri kendilerine gelmeden önce zaten iyice şapşallaşmış olan kafalarını birbirine tokuşturdu. Onlar inleyip küfrederek yere yuvarlanana kadar, o çoktan ayaklarını çözüp kaçmaya başlamıştı. Bu iğrenç gemide aşağıdaki bölmelere indirilmediği için şükrediyordu.

Koşuyor, bir yandan da kaçış planı yapıyordu. Bildiğinden emin olduğu tek şey ömründe ilk defa bir gemiye bindiğiydi. Daha tehlikesiz durumlarda, buna keşfedilecek yeni bir tecrübe gözüyle bakıp tadını çıkarabilirdi. Ama bu durumda imkânsızdı.

Firarını bir an için durdurup kafasının üzerinde nazikçe salınan direklere baktı. Bu yelkensiz garip gemi, çok uzun zamandır denizlerdeymiş gibi yaşlı görünmüyordu. Güverteyse hiç ilgilenilmemiş, savsaklanmış olduğunu belli eden, pislik içindeki bakımsız hali ve çürümüş kerestleriyle şüphelerini doğruluyordu.

Dikkatlice, paslı demirlerden aşağı doğru eğilip baktı. Çöken karanlıktaki irili ufaklı ışık tanecikleri karanın göründüğüne işaret ediyordu. Bu yelkensiz dev gemi demir atmış halde bekliyordu. Ufukta görünen kara parçasının yüzerek gidilecek mesafede olması Tam'ı rahatlattı.

Arkasında salınıp duran güvertede hâlâ kimsecikler yoktu. Belli ki zaptiyeleri henüz kendilerine gelememişti.

Ama aşağıdan gelen çığlık ve iniltileri hâlâ duyabiliyordu ve içinde bulunduğu durumun korkunçluğu, etraftaki pis kokuyla birlikte midesine kramplar sokuyordu.

Ayarlarda gerçekten büyük bir hata yapmıştı. Ciddi bir yanlış hesaplama sonucu doğru zamana ancak yanlış yere iniş yapmıştı. Varması gereken yer olan Brighton hükümdarlığı yerine, İngiltere'nin güney sahillerinde denizin ortasındaki korkunç bir gemiye iniş yapmıştı. Tahminince, mahkûmların kolonilere ya da Von Diemen Adası'na taşındığı bir gemiydi bu.

Geminin tırabzanlarına dikkatlice tutunarak, hızlıca ilerliyordu. Botları için üzgündü, ama eğer yüzmesi gerekirse onlar olmadan daha rahat yüzerdi. Biraz ötede, suyun altındaki çapaya bağlı kalın halat duruyordu, ona bağlı bir de filika vardı. Büyük ihtimalle, mahkûmları kıyı ışıklarının ötesinde kendilerini bekleyen muhteşem(!) kaderlerine doğru taşımak için kullanılıyordu.

Onu da taşıyabilirdi. Yükselen kızgın sesler, aceleyle yaklaşan ayak sesleri zaptiyelerinin kendine geldiğini ve derhal alarma geçtiklerini gösteriyordu.

Kaybedecek zaman yok. Tam halata asılıp filikaya atlamak üzereyken, yanında çömelmiş duran ufaklığı fark etti. Küçük çocuk ona bakıyordu, çok korktuğu yüzünden belliydi, ama kız mı yoksa erkek mi olduğunu anlayamadı. Bir an ayırt eder gibi oldu. Sonra bu his kayboldu.

"Lütfen bana yardım edin efendim, beni burada bırakmayın, öldürecekler beni," dedi çocuk.

Anladığı bir dil duyunca rahatladı. O halde, bu çocuk bir tutukluysa hesaplamaları doğruydu. Uzakta, o puslu grilik içinde görünen yer İngiltere sahilleriydi.

Ayak sesleri daha yakından geliyordu artık ve sesler daha kızgındı.

"Gel öyleyse," dedi çocuğa.

On iki yaşlarında, kısa pantolonu, kendine birkaç beden büyük gelen çirkin kazağı, karmakarışık kahverengi bukleleriyle ufak bir oğlan çocuğuydu bu. Titreyerek ayağa kalktı.

Tam aşağıyı işaret ederek, "Aşağıdaki filikayı görüyor musun, işte gideceğimiz yer orası," dedi.

Çocuk titreyerek geri çekildi. "Ben, ben yüzemem ki!"

Sesler artık durup rahatça beklenmeyecek kadar yakından geliyordu. Bir dakika daha beklerse, onları göreceklerdi ve bu olursa zaptiyelerinin onlara neler yapacağını aklından bile geçirmek istemiyordu.

Sabırsızca, "Asıl bana, aşağı atlayacağım," dedi.

"Hayır!"

"Pekâlâ, burada kal da öldürsünler seni."

Özenerek usulca aşağı inmeye çalışmak için zaman yoktu. Çocuktan çıkan boğuk sesten kabul ettiği anlamını çıkardı. Bu kuş tüyü kadar hafif yükünü kucakladığı gibi suya atladı.

Nefes nefese sudan kafalarını çıkardılar. Demir atmış geminin birkaç metre aşağısında, boynuna sarılı çocukla birlikte duruyordu. Filikanın arkasına, yukarıdakilerin göremeyeceği tarafa saklandılar. Onlar da gelmiş, demirlerden sarkıp aşağı bakıyor, Tam ve çocuğu arıyorlardı.

Çocuk yanında sessizce ağlıyordu. Tam, "Sessiz ol, kafanı aşağıda tut," diye fısıldadı. "Ben gidip ipi çözünceye kadar bekle, sonra güvende olacağız." (Tabii ki bu bir yalandı, ama başında mızmızlanıp duran bu çocuğa söylenecek daha iyi bir şey yoktu.)

Neyse ki halat göründüğü kadar sıkı bağlanmamıştı. Hemen çözüp çocuğun yanına geldi.

"Her şey yolunda mı? Kaçabileceğiz, değil mi?" diye sordu çocuk.

Tam'ın söyleyebildiği tek şey, "Umarım" oldu ki bunu hissetmese de çocuğu rahatlatmak için söylemişti.

Çocuk rahatladı, tam filikaya tırmanmak üzereydi ki Tam, "Hayır," dedi, "beklemeliyiz."

"Beklemek mi?" diye feryat etti çocuk. "Donuyorum."

"Donmak ölmekten iyidir!" dedi Tam. "Hava tamamen kararana kadar beklemeliyiz."

"Neden? Ne zaman kararacak peki?"

"İlginç bir soru," demiş olmasına rağmen, Tam da günün hangi saatinde oldukları hakkında bir fikre sahip değildi ve kafalarının üzerindeki kara bulutların yaklaşan gecenin mi yoksa şiddetli bir fırtınanın mı habercisi olduğunu merak ediyordu.

"Eğer filikanın hareket ettiğini görürlerse, içinde bizim olduğumuzu anlarlar," diye devam etti sabırla. "Ve o zaman ya yeniden yakalanır ya da vuruluruz. Hangisini tercih edersin?"

Tek cevap boğuk bir hıçkırık oldu.

Tam dikkatlice geminin tırabzanlarını kontrol ediyordu. Herkes gitmişti. Zaptiyeleri onları aramak için geminin diğer taraflarına doğru yola koyulmuştu.

"Çok iyi. Sen şimdi filikaya çıkabilirsin, küçüksün muşambanın altına saklanabilirsin."

"Ama..."

Tam'ın sabrı taşıyordu. "Benimle tartışmayı kes ve ne diyorsam onu yap!"

Çocuk filikaya tırmandı ve aşağıdaki Tam'a gözlerini dikti. "Sen ne olacaksın? Nereye gidiyorsun? Beni burada bırakmıyorsun, değil mi?"

Tam bunu yapabilmeyi bütün kalbiyle istiyordu aslında ama yapamazdı. Hava iyice kararmış olsa bile kaçmaları kolay olmayacaktı. Tam kaçırdıkları filikanın yokluğunun ertesi sabaha kadar fark edilmeyeceğini umuyor, buna güveniyordu.

Tek başına olsa her şeyin üstesinden gelebilirdi. Ama korkmuş bir çocuk vardı yanında ve her şey aleyhineydi. "Hemen burada elinin altında olacağım," dedi.

"Suyun içinde? Donacaksın!" dedi çocuk.

Tam tartışmamaya karar verdi, çünkü filikanın içine girdiği anda yeniden yakalanacağının farkındaydı. Suyun içinde, yüzebilirdi, hâlâ bir şansı vardı ve havayı teneffüs edebilmek bile cesaret veriyordu. En azından doğru mevsime iniş yapmıştı. Su hâlâ sıcaktı, bu karada sıcak bir yaz günü yaşandığını gösteriyordu. Oldukça rahattı ve çocuğun suyun soğukluğu hakkındaki düşüncelerine katılmıyordu.

Gökyüzünde ay olmadığına şükrediyordu. Eğer hesaplamaları doğruysa, birazdan hava tamamen kararacak, karaya doğru güvenle yol alabileceklerdi.

Beklerken, bir sonraki adımın ne olacağını ve hatayı nerde yaptığını düşünmeye koyuldu. Yaşadığı yüzyılda, geçmiş zaman haritaları mükemmel hazırlanmıştı ama kıyı aşınmasını dikkate almamışlar, Brighton kıyı şeridinin bir mil kadarı ya da deniz ölçümü her nasılsa o kadarı, deniz suları altında kalmıştı.

Bir sonraki adımına karar vermeye çalışırken, korktuğu başına geldi ve durum dramatik bir şekilde değişti. Etraftaki karanlık yalnızca yaklaşan gizleyici gecenin değil, aynı zamanda yaklaşan daha kötü, daha tehlikeli bir şeylerin habercisiydi. Ağır yağmur damlaları ve uzaklardan duyulan gök gürültüsü, geminin hızla yaklaşan bir fırtınanın eşiğinde olduğunu gösteriyordu.

Biraz önce, bir çarşaf gibi durgun olan deniz, yaklaşan işaretleri hemen tanıdı ve sanki hemen saygı dolu bir karşılık vermesi gerekiyormuşçasına dalgalanıp, girdaplar oluşturmaya başladı.

"Yukarı gelsen iyi olacak," dedi filikadaki küçük beyaz yüzlü arkadaşı kafasını muşambanın altından çıkarıp. "Çok ıslanıyorsun."

Tam, yukarı baktı; şimşekler gökyüzünü yarıyor, dev gemiyi aydınlatıp sanki ona hayat veriyor, geminin keresteleri gıcırdıyor, etrafa sular sıçratıp bütün denizi çalkalandırıyordu. Şimdi filikaya asılıp beklemeye bir de gemi tarafına fırlatılma tehlikesi eklenmişti.

Tekrar yukarı baktı. Güverte terk edilmiş gibiydi. Kuşkusuz, zaptiyeleri ya da oralarda volta atanlar her kimse, fırtınadan kaçmış ve geminin iç bölmelerine çekilmişlerdi. Çocuğun tavsiyesine uymaya karar verdi.

Korkudan ve soğuktan titreyerek filikaya tırmandı. Çadırın altında, zafer kazanmış edasıyla, "Bak işte şimdi de sen donuyorsun. Şu oturaktaki ceketi görüyor musun, benim için çok büyük, onu giymelisin," dedi çocuk. Tam gerçekten üşüdüğünün farkına şimdi vardı. Denizden çok, buz gibi yağan yağmur üşütmüştü onu.

Bir çeşit denizci üniforması olan bu şeyle idare edecekti. Ter kokuyordu ama o kadar da kötü değildi. İçine girmeye uğraşırken, bir yandan da acaba bu küçük filikada niye bırakılmış diye merak ediyordu. Kuşkusuz, adice niyetlerle, belki de bir Fransız casusa satmak için çalınmıştı.

"Şimdi gidiyor muyuz?" diye sordu çocuk üzüntüyle, büyük gemi üstlerinde ürkütücü bir şekilde sallanıyordu.

"Nereye?"

"Hava kararınca yola çıkacağımızı, kaçacağımızı söylememiş miydin?" diye suçlarmışçasına fısıldadı çocuk.

"Tamam, hava karardı ama fırtına konusunda bir anlaşma yapmamıştık sanırım."

"Bizi bu fırtınada görmezler, güvende olacağız," dedi çocuk cesaret vermek istercesine.

"Sen delirdin mi? Fırtına dinene kadar beklemek zorundayız. Sen kürek çekebilir misin?"

Çocuk biraz düşündükten sonra, "Sanırım," diyebildi.

"Umarım. Çünkü kıyıya ulaşmak için ikimizin de küreklere asılması gerek," dedi Tam.

Çocuk korkuyorsa bile şu an korkusunu kontrol altına almıştı. Bir sonraki adımına karar vermek gitgide zorlaşıyordu. Zaman ayarlarında gerekli olan şeyleri hatırlamaya çalışırken, kafası karıştı. Seçtiği zaman dilimiyle bağlantı kurunca, şu an içinde bulunduğu zaman dilimine ait hafızasıyla, kendi yaşadığı yüzyıldaki hafızası arasındaki bağ zayıflıyordu.

Yakın zamanda kendi tanıdık dünyasına ait son parçalar da yok olacak, onu kendisinin seçip yalnızca ziyaret için geldiği bu geçmiş zaman diliminde bırakacak ve kendi dünyasına ait olan tek şey üzerindeki kıyafetler olacaktı. Tek bağlantı sağlayıcısı ve son an kurtarıcısı, bileğindeki küçük mikroçipti.

Birden, yanında sessizce duran çocuğu merak etti, fırtınanın sesini bastırmak istercesine bir sesle "Burada, gemide ne işin vardı?" diye sordu.

Çocuk önce içini çekti. Sonra dönüp bir zamanların güzel savaş gemisine, gururlu savaş gazisine bakıp fısıltıyla,

"Bu o hurda gemilerden... bir mahkûm gemisi," dedi, "bilirsin."

"Bilmiyorum, anlat bakalım!"

"Kolonilere götürülmek üzere bekliyorduk."

"Peki, bu cezayı hak edecek ne yaptın?"

"Ben... ekmek çaldım. Açlıktan ölüyordum."

Şimdi her şey açığa çıkıyordu. Geçmişe olan büyük ilgisinden, çok okurdu. Bu mahkûm gemileri hakkında da çok şey okumuştu. Ama bir tanesinin içine düşmeyi aklının ucundan bile geçirmemişti. Yukarıda güvertede geçirdiği birkaç dakika ona gösteriyordu ki ne kadar yanlış yere iniş yapmış olsa da en azından doğru yüzyıldaydı.

Öyle bir zamandı ki bu, Londra'da suçlu oranı suçsuz oranını aşmış, suçla mücadele edecek bir polis kuvveti oluşturulamamış; hapishaneler, küçük borçları sebebiyle tutuklanmış, kadın erkek ayırt edilmeden aynı yere konulmuş insanlarla dolup taşmıştı. Ve önünde duran bu küçük çocuk gibi birçok çocuk da –bir parça ekmek çaldıkları için– hapsedilmişti.

İngiltere hapishane sistemine inanmıyordu. Tek istedikleri darağacından kurtulmayı başarmış bütün mahkûmları denizaşırı yerlere taşıyıp onlardan kurtulmaktı. Çöplük alanları aslında Virjinya ve diğer Amerikan kolonilerinin ekinlerinin olduğu topraklardı. Bağımsızlık savaşı sırasında bütün gemiler işgal edilmişti ve birisi mahkûmları hazırda bekleyen gemilere kapatıp Botani Körfezi'ne ya da dönüşü olmayan korkunç yer Narfolk Adası'na taşımayı akıl etmişti. Bunu

Thames'de demirlemiş iki hurda gemiyle yapacaklar ve mahkûmlar gölün kum, toprak ve çakıldan temizlenmesi işinde çalıştırılacak ve bunu "gemiciliğin yararına" yapacaklardı.

Artık denizde bir işe yaramayacak hurda gemileri, kaba hapishanelere çevirme fikri oldukça ilgi gördü; çünkü yeni hapis inşa etmekten daha masrafsızdı. Bu fikir o kadar çok beğenildi ki Londra'nın dışına daha güney sahillere kadar ulaştı ve buralarda Fransız askerleri ile savaş suçlusu olan gemicilere de ev oldu bu hurda gemiler.

Şartlar anlatılamayacak kadar korkunçtu; gemiler o çürümüş havayı teneffüs eden, kadın erkek birlikte kapatılmış, aylardır yıkanmamış insanlarla doluydu. Geceleri kapaklar kapatılır, mahkûmlar karanlığa terk edilirdi. Yeni gelenler cehennem çukuruna –en alt bölmelere böyle deniyordu– atılmadan önce üstlerinde ne varsa çıkarılır, kendilerine ait bütün eşyaları alınırdı.

Zaman içerisinde hastalanmaz da sağ kalırlarsa bir üst bölmeye, hastalıklı insanların kaldığı yere, terfi ediyorlardı. Ve sonunda hâlâ sağsalar, ya bir yerlere taşınmak ya da kalıp sadece imkânsız af mucizesinin gerçekleşmesi için dua etmek üzere bir üst bölmeye gidiyorlardı.

İşte tam da burası Tam ve küçük çocuğun karşılaştığı yerdi. Hapishanecilerin elbiselerini çıkarmaya çalışması, onu yeni gelenlerden sandıklarını ve hemen soyup en alt bölmeye göndermek istediklerini gösteriyordu. Çocuk da onların bu acımasız davranışlarına maruz kalmak üzere bekliyor olmalıydı.

Tam bunu doğrulaması için, hiç de hoş gelmeyen yol arkadaşına soracaktı ki, fırtınanın dindiğini, denizin artık kızgın bir deniz tanrısının kocaman parmaklarını andıran dev dalgalardan kurtulduğunu fark etti.

"Artık hareket etme vakti geldi. Hazır mısın?" deyip geminin güvertesine son bir bakış attıktan sonra, yavaşça öne doğru hareket etti, birkaç endişeli dakikadan sonra, filikayı gemiye bağlayan halatı çözmeyi başardı. Üstlerindeki çadırı bir tarafa itip, çocuğa küreği işaret etti.

"Al şunu!"

"Deneyeceğim," dedi çocuk kuşkuyla, "çok ağır."

"Bir kere hareket ettik mi gerisi kolay, akıntı ilerlememize yardım edecektir," dedi Tam, aslında kendinin de hissetmediği bir rahatlıkla.

Dinen fırtına, ufacık bir karanlık bile bırakmamış, aksine uzun yaz akşamlarında olduğu gibi mavimsi bir alacakaranlık oluşturmuştu. Eğer biri güvertede gezintiye çıkmaya karar verse, onları hemen görürdü ve bu da kaçışlarını daha da tehlikeli hale getirirdi.

Ama yukarı bölmedeki kamaralardan gelen mum ışığı, sarhoş kahkahalarının baygın seslerini de beraberinde getirdi. Bu zaptiyelerin görev başında olmadığını, kendi gürültülü eğlenceleriyle oldukça meşgul olduklarını ve aşağıdan gelecek herhangi bir gürültüyü duymaya kadir olamayacaklarını gösteriyordu.

Tam, kürekle savaşan çocuğa baktı. "İdare et, az kaldı, birazdan güvende olacağız. Senin adın ne evlat?"

"Jem, efendim. Daha çok var mı?"

Tam, doğruca kıyıya doğru gidip karaya ulaşmanın kolay olacağını sanmıştı. Ama mesafe aldatıcıydı. Görünen beyaz tepeler tahmin ettiğinden çok daha uzaktaydı.

Çocuk tekrar, "Daha çok var mı?" diye seslendi.

Cevap vermesi zor bir soruydu. Çocuğun moralini bozmamak ve aslında pek etkisi olmayan kürek çekişini etkilememek için uygun bir cevap arıyordu ki, çocuk bir çığlık attı ve küreği düşürdü.

Küreğin suyun içinde kayboluşunu gören Tam çocuğa ağız dolusu küfretti.

"Neden bıraktın? Neden yaptın bunu?"

"Ellerim, yaralı. Şu yaralara bir bak!"

Tam'ın çocuğun yaralarını görmeye pek niyeti yoktu. Çocuğun boğazını sıkıp acılarına acı katabilirdi. Ama daha önemli bir sorunları vardı: Bu esinti tek kürekle kıyıya ulaşmalarına yardım edebilecek miydi?

Birden, sanki dualara mucizevî bir cevap geldi. Artık ufuk bomboş değildi, görünürde yaklaşan bir gemi vardı. Üç direkli bir kurtarma gemisi hızla onlara doğru geliyordu. Çocuk filikanın dengesini bozacağını düşünmeden ayağa kalktı ve bağırmaya başladı.

"İmdat! Yardım edin!"

"Otur yerine seni ahmak! Seni duyamazlar, ikimize de denizin dibini boylatacaksın. Ne diyorsam onu yap."

Çocuk küskün bir şekilde yerine oturdu, ellerine bakıp sessizce hıçkırıyordu.

"Kes şunu, yaklaştıklarında kalkıp bağırırsın, o zaman bizi görebilir ve duyabilirler."

Bundan Tam da kesin emin değildi. Keşke bir fener ya da herhangi bir ışık kaynakları olsaydı da gemiye yerlerini gösterebilselerdi.

Gemi hızlıca üzerlerine doğru geliyordu. Korkmaya başladılar. Bu artık kendi limanına giden bir filika değil, hasarlı, her tarafı çürümüş, direkleri sallanan, yelkenleri yırtık hurda bir gemiydi. Dalgaların ve rüzgârın onu kıyıya sürüklemesine rağmen, Tam fark etti ki kırılan kerestelerin çarpışmaları geminin hızla battığını gösteriyordu.

İki

Kanala giden yolda ilerleyen küçük ticaret gemisinin kaptanının teleskopunu büyük bir hünerle kullanması sayesinde, Brighton'daki balıkçılar, İskoç firkateyni *'Soylu Stuart'* ın karaya doğru sürüklenen kendi haline bırakılmış durumuna karşı uyarılmışlardı.

Bu eğlence vadeden olay, Galler Prensi, deli babası III. George'un üzüntü verici düşüşünden sonra kral vekili prens olarak anılmaya başlayan George'u, son zaferi olarak gördüğü Creeve Markizi Sarah'nın kollarından alıp buraya getirmeyi başarmıştı. Sarah az önce tatmin edilmiş, prensin yatağında uykudaydı.

Prens, rastgele seçtiği harikulade denizci üniformalarından birinin içinde bu solgun yaz güneşi altında, sahile, soyluları halkın rahatsız edici bakışlarından korumak için yapılan gölgeliğin altındaki diğer izleyicilere katıldı.

Bu önlem aynı zamanda, Brighton'ın sürekli büyüyen yeraltı dünyasını ele geçirmiş hırsızlardan da korunma sağlıyordu. Bu hırsızlar bir köpekteki pireler gibi Marine Pavilion'un etrafını saran alana rahatça yerleşmişlerdi.

Görkemli saray halkı, görkemli bir mal varlığı demekti. Alacakaranlık, hırsızların dostuydu. Kimse görmeden sıvışıp uzaklaşabilmeleri için bu meraklı izleyici topluluğu içinde yeteri kadar ışık ve yine yeteri kadar karanlık vardı. Hepsi yakalanmanın bedelini biliyordu. Bu şehrin orta yerindeki darağaçlarında sallandırılmaktı; başarısızlığın bedeli bu dehşet verici sondu.

Soylu saraylılara gelince, batan bir gemi manzarasını izlemek onlar için heyecan verici bir işti. Geminin ne kadar sürede tamamen batıp dalgalar arasında kaybolacağı ya da kurtulan olup olmayacağı, en önemlisi karaya kaç kişinin sağ salim ulaşabileceği üzerine bahislere tutuşuyorlardı. Bu tavukların ve diğer hayvanların birbirini parçalamasını ya da daha kanlı olan ölümcül boks maçlarını izlemekten çok daha eğlenceli ve heyecan vericiydi. Evet, doğru, ikincisinin saray kadınlarının çoğu için belirli gizli bir cazibesi vardı. Bu onlar için, günlük sıkıcı tuvalet giyip çıkarma işlerinden ya da sarayda dönen dedikodulardan daha cezp edici bir tecrübeydi.

Orada gerçek bir yenilik vardı, bu yeni bir eğlence tarzıydı; hayatı tehlikede olan birçok insan, etrafta hüküm süren heyecan atmosferi ve önüne gelen her şey üzerine bahse girmeye bağımlı hale gelmiş insanlar için bir yazıcı çoktan arabasına kurulmuş, oldukça meşgul bir halde bahisleri not ediyordu. En coşkulular arasındaki Prens George, Beau Brummell'e meydan okuyup bahse davet ediyordu: "Geminin önümüzdeki yarım saat içinde batacağı iddiasına 100 gine koyuyorum."

Cevap, "Sağ çıkan olursa size 200 gine veririm," oldu.

Majestelerinin spor zevki on beş yaşındaki kızı Prenses Charlotte tarafından paylaşılmıyordu. Babasının yanında şikâyetlerini geveleyip duruyordu.

"Ben... ben... Sizce ben baba... bu... bu gibi şeylerle ilgileniyor muyum..?" diyordu.

Prens George, bu tek yasal çocuğu olan kıza, İngiltere tahtının vârisine, hoşnutsuzlukla baktı. Onu daha doğduğu ilk günden beri sevmiyordu. Bu kocaman kızın görüntüsü bile iticiydi. Düşüncelerini hafızası kuvvetli tanıkların önünde de ifade etmişti: "Bir oğlumuz olmasını isterdik," demişti.

Geçen yıllar boyunca içini kemirip duran buydu. Bu büyük bir adaletsizlikti. Kralların ilahî hükmünün gücü bile bir oğul dünyaya getirtmeye, İngiltere krallığının geleceğini koruma altına almaya yetmiyordu.

On altı yaşında genç bir delikanlı olduğu zamandan bu yana birlikte olduğu kadınlar gözünün önünden film şeridi gibi geçerken, bıkkınlık içinde Charlotte'a arkasını döndü. En sonuncusu olan şehvet düşkünü Sarah Creeve, aynı zamanda küçük kardeşi, York Dükü Frederick'in de metresiydi, bu ilişkilerine ekstra heyecan katıyordu. Onu en son yavaşça dışarı süzülürken yatağında, horuldar halde bırakmıştı. Onu şişman bir tekir kediden çok bir 'yavru kedi'ye (çekik yeşil gözlerinden dolayı böyle söylüyordu) benzetiyordu. Çıplaklığını zenginleştirmek adına da müthiş bir mücevher tutkusu vardı.

İçini çekti; en fakir köylü bile onun zevkine hitap edebilirdi. Şehvetini tatmin edip gururunu okşamak için çok fazla güzel olmasa bile iri göğüslü bir kadın yeterliydi: "Parıldayan bir fahişe, temiz bir vücut," yani.

Kaderin böylesine zalim olması adaletsizlikti. Birçok olayda Charlotte'a yakından baktığında, şimdiye dek saçtığı spermlerin küçük bir şehri doldurmaya yetecek kadar, yasal olarak tanınmayan (ama sonsuza

dek parıldayacak) güzel ve sağlıklı oğullar doğurtma-
ya yeteceğini biliyordu.

Bu kızın kendi sperminden döllenmediğini kanıtla-
mayı çok isterdi. Evliliklerinden beri geçen on altı yıl
içinde, karısı sefil Galler Prensesi Caroline'in kaç âşı-
ğını yatağına aldığını yalnız Tanrı bilirdi. Ama yan
yana durup kızın aynadaki yansımasına baktıklarında
gördüğü yüz, kızın yasallığı konusunda hiç kuşku bı-
rakmıyordu. Bu kız hiç yanlışsız kendi kızıydı.

Bu, kendinden gizli plânlanmış evliliğinin mucizevî
ürünü, o kirli ve berbat kokulu karısıyla sadece iki bir-
leşme sonrasında olan bir kızdı. Birincisi, büyük oranda
şarabın etkisiyle, evliliklerinin ilk gecesinde olmuştu.
Gerdek odalarının penceresinde şafak ağır ağır söker-
ken uyuduğu döşemeden kalkmış, çarşaflar arasından
yavaşça süzülüp soy sürdürme görevini icra etmişti. Ve
birkaç gün sonra yine aynı isteksizlikle, bu prenseslerin
en çirkini yumurtlandığında, bir kez daha olmuştu.

Doğumdan sonra, bu gelinin yıkanmayan vücudu-
na karşı duyduğu mide bulantısını yine engelleyebilir-
di, bunun için çalışmalıydı: "Ön ve arka tarafı tarif
edilemeyecek kadar pis," diye fısıldıyordu yakın arka-
daşlarına. Normalde erkekliğinin kalkması garantiydi,
gerektiğinde hazır ve istekli olmasına rağmen, büyük
miktarda uyarıcıyla uyarılsa bile, yasal karısının ya da
onun tabiriyle "korkunç" karısının yatağında hep gev-
şek ve sarkık kalıyordu.

Charlotte koluna asılıyor, şikâyetlerini geveleme-
ye devam ediyor, üşüdüğü için sızlanıyor, içeri gitmek
istediğini söylüyordu. Prens, kızın dadısına işaret etti,
onun da eğilip selamlayışı kızın davranışlarını onayla-
madığını gösteren bakışlarını gizleyemiyordu.

Pavilion'a doğru gidişlerini seyredip derin bir nefes aldı. Hiç gecikmeden bu kızı evlendirmeliydi. Avrupa'da, geleceğin İngiltere kraliçesiyle bağ kurmak için görüşmeler yapmaya can atan birçok soylu aile vardı.

Orange'lı William gibi soylu bir prensle, planlanmış bir evliliğin prens için çok cazip yönleri vardı. Dürüst olmak gerekirse kiminle olacağı pek umurunda değildi. Charlotte'un yıllar boyu evlenmeyeceği, zamanı gelince kocasını kendisinin seçeceği yönündeki karşı çıkmalarını dinlemeye hiç niyeti yoktu. Onun geleceği, mutlu olup olmayacağı onu hiç ilgilendirmiyordu. Acele etmesinin tek sebebi, erkek çocuk umuduydu. Tahtı güvence altına alma amacına kendi soyundan bir torunla da ulaşabilirdi.

"Batıyor, efendim. Sadece dakikalar kaldı…"

"Dibe gidiyor…"

Yazıcının arabasına doğru heyecan dolu bir koşuşturma oldu. Havadaki eller büyük bir istekle bahis kâğıtlarını sallıyordu. Prens kazanmıştı. Onun neşe içindeki tatmin olmuş yüz ifadesine cevaben, biraz önce 100 gine kaybeden Brummell'den sahte ve soğuk bir gülümseme geldi. Pavilion'a dönmesi için izin verildi.

Yatağa geri mi dönecekti? Merakla dönüşünü bekleyen Sarah'nın mücevherlerle süslenmiş çıplak vücudunun sabah güneşi altındaki bayağı görüntüsünü hatırlayınca, düşünceleri isteksizlikle yön değiştirdi.

İçini çekti, duyduğu bağlılık ihtiyacı yüzünden acı içindeydi ama Bayan Fitzherbert'in evi olan Steine Malikânesi'nden böyle bir talep yoktu. Üst kat penceresinde mum ışıklarının parıltısı vardı. Maria Fitzherbert, kentli, Roma Katoliği, iki kez boşanmış, Prensin 1785'de gizlice evlendiği, hâlâ yasal karısı olarak gördüğü, bitmeyen bir sevgi ancak bitmiş bir sadakatle bağlı olduğu kadındı. Maria hiçbir zaman ona kızmamıştı, kraliyet soyunun sürmesi için soylular arası bir evliliğin şart olduğunun her zaman farkındaydı. O da şehevî duyguların tatmin edilmesi gerektiği, bunun prensin gerçek aşkını engellemeyeceği şeklindeki sözlerini anlamaya, en azından anlamış gibi yapmaya çalışıyordu.

O davetkâr mum ışıklarına bir kere daha bakınca, dayanamayıp uşağına seslendi, üniformasının üstüne pelerinini aldı. Arabası, Steine Malikânesi'ne doğru yol alırken hâlâ batan gemiyle ilgili seslerin yankılarını duyabiliyordu.

* * *

"Batıyor," diye bağırdı çocuk.

Gerçekten öyleydi. Tam bağırdı: "Sıkı tutun, neye olursa!"

Kıyıya bir mil vardı. Ölümcül tehlikenin farkında olan Tam, kalan tek küreklerini kullanarak küçük filikalarını batan geminin yolundan çıkarmaya uğraşıyordu.

Çok yakındılar. Eğer onlara çarparsa sonları gelirdi. Onunla birlikte dibi boylardılar. Uzaklaşmalıydılar, battığında oluşturacağı dalga onların zayıf filikalarını kibrit çöpü gibi savurur, onları denizin dibine götürürdü.

Geminin mürettebatı neredeydi? Ölmüş ya da batmışlardı, çünkü güvertede hayat belirtisi yoktu. Sonra, bir devin feryatları gibi kulakları tırmalayan bir sesle, yelkenleri yırtıldı, kertseler parçalandı, direkler yerlerinden koptu.

Gemi enkazı dalgalar arasında kaybolurken, Tam ve çocuk ümitsizce beklediler. Sanki bir deniz canavarının avuçları içindeymişlercesine, çaresizce havaya kaldırıldılar; dev bir dalganın kendilerine yaklaştığını gördüler. Dalga filikayı havaya kaldırdı, tepede asılı kaldılar ve sonra onları tekrar denizin içine fırlattı.

Önce, nefes nefese kalan Tam su yüzüne çıktı, gözleri çocuğu aradı. Beyaz bir yüz ve bir kol gördü. Hemen kolu kaptı.

"Sıkı tutun," dedi.

Güçlü ve sağlam bir direk parçası yüzeye çıkmış onlara doğru sapmıştı.

"Yakala," dedi Tam.

Çocuk dediğini yaptığında, Tam'ın en çok korktuğu şey başlarına gelmişti.

Geminin batma anındaki hızından kaynaklanan bu kaynayan köpük denizi, onları kıyıdan daha da uzağa taşımıştı. Öyle ki, küçük ışık noktacıkları bile artık zar zor görülüyordu.

Bir tek çare vardı. "Öne doğru yüz, yüzebilirsin biliyorum," dedi Tam. Cevabın evet mi hayır mı olduğundan emin değildi. O yüzden bağırdı: "Direğe asıl, seni taşıyabilir, çok uzakta değil," diye ekledi.

"Bak, başka bir gemi daha var!" diye bağırdı çocuk.

Tam yüzünü kıyıdan çevirince geminin battığı noktaya doğru dalgaları yararak gelen küçük bir filika gördü.

"Kurtulduk!" diye çığlıklar atan çocuk, ellerini sallayıp yardım etmeleri için bağırmaya başladı.

Tam filikanın içindekileri görebiliyordu; eğiliyor, onları izliyorlardı. Kesinlikle onların olduğu tarafa doğru bakıyorlardı.

Bir gemici teknesiydi bu —ne şans ama diye düşündü Tam, onlara doğru döndüğünü görünce.

"Kurtulduk," diye hıçkırıklara boğuldu çocuk. Tekne üzerlerinde belirince, Tam çocuğun güvende olacağına sevindi ama aklının büyük bir bölümü hâlâ rahat değildi, şimdi ne olacaktı?

Onu o korkunç hurda gemiden kurtarmıştı ama karaya ayak bastıklarında, bu çocuğu kendi talihinin ellerine bırakmaya gönlü hiç kuşku duymadan razı olabilecek miydi? Tam, üzülerek Jem'in karanlık bir gelecekten kurtulamayacağının tüm sinyallerini verdiğine karar verdi.

Aynı zamanda, bu zaman yolculuğunda isteyeceği ya da ihtiyaç duyacağı son şey küçük korkak bir veledin ona yapışıp kalmasıydı. Pelerinlerine sarınmış adamlar onlara doğru eğilip, çocuğu yukarı çekmek için küreklerini uzattıklarında, bunları düşünüyordu.

Onu yukarı çektiklerinde gülerek "Teşekkür ederiz, efendim, çok teşekkür ederiz, hayatımızı kurtardınız," dedi. Üzerinden sular damlıyordu ama o terbiyesinden ödün vermemeye devam ediyordu. Dönüp, merakla Tam'a baktı. Tam direk parçasını bir tarafa itip küreği tuttu. Yukarı çekilmeyi umarak elini uzattı.

Eli görmezden gelinmişti.

"Sadece çocuk, o gelmesin. Üniformasına baksanıza, bu bir vergi memuru," dedi adam, "atın onu denize."

"Daha fazlasını yapacağız."

Kaba bir gülüşün ardından: "İcabına bakın. Bir tane daha eksilsin."

Hayat kurtarıcısı olan kürek, elinden çekip alındı. Kafasının bir tarafına şiddetli bir darbe aldığında içgüdüsel olarak kafasını eğdi. Duyduğu ani sızıyla beraber her yer kararmış, içinde artık çok geçmeyen parlayan ışık, kurtarıcılarının balıkçı olmadığını anlamasını sağlamıştı.

Bunlar kaçakçıydı, gemi kalıntılarında değerli ne var ne yoksa toplayan leş arayıcılarıydı.

Onu yutmaya can atan dalgalar arasında bir kez daha batarken, son düşüncesi, onun bir devlet adamı olduğunu sanmalarına sebep olan bu üniformanın kefeni olacağıydı.

Üç

Sabah saat beşte iki isimsiz araba krallık ahırlarından çıkıp Steine Malikânesi'ne giden kısa yolu katetti. Kapı açıldı, sarıp sarmalanmış şişman, kim olduğu anlaşılmayan, kibar bir bey merdivenlerden inip ilk arabaya bindi ve sahilin ayrılmış bir bölümüne doğru yola koyuldular. Brighton'da, sabahın o erken saatinde etrafta çok az araba vardı. Buna rağmen bu müthiş bir gizlilik içinde yapılan bir yolculuktu. Ama kral vekili olan prensin Maria Fitzherbert'i ziyaret edip Steine Malikânesi'nde geçirdiği gecelerin sabahında hep bunlar yaşanırdı; kural buydu.

Bu krallık hizmetkârları arasında bastırılmaya çalışılan bir neşeye ve yüzlerinde alaycı ifadelere sebep olan bir kuraldı. Krallıktaki bölünmeden sonra Prenses Caroline kalıcı olarak Londra'ya yerleşmişti. Onun birlikte olduklarını fark etme tehlikesi söz konusu bile değildi. Her ne kadar Tanrı huzurunda prensi yasal kocası olarak görse de, çok güçlü bir ahlak anlayışı ve gizlilik ihtiyacı, Bayan Fitzherbert'in Marine Pavilion'un görkemli çatısı altında yaşamasını engelliyordu. Prensi sahil kıyısında parlak sabah güneşi karşıladı. Normalde çarşaf gibi sakin olan denizi bugün enkazdan kalan birkaç tahta parçası kirletiyordu. Fakat dünkü şiddetli fırtınadan yahut *Soylu Stuart* gemisinden eser yoktu.

Kıyının bir köşesinde, prensin duş makinesi duruyordu; tekerlekli, sabırlı bir atın denize çektiği, tahtadan bir soyunma odasıydı bu. Çatısındaki imparatorluk tacı ayırt edilmesini sağlıyordu. Soylu sahibi içine girdiği zaman, yardımcısı tarafından dış kıyafetleri hızlıca çıkarılır ve oldukça süslü bir duş kostümü giydirilirdi. Bu yardımcı, iri yapılı, bıyıklı ve her daim ciddi bir adamdı. Oldukça güçlü kolları vardı ki bu onun işinin bir gereğiydi. Çünkü birçok kez bu güçlü kollar, deniz duşu yapan beyefendileri boğulmaktan kurtarmıştı.

Sigaracı Miles'ın oğlu Jack prensin en değerli duş yardımcısıydı ve sıklıkla Marine Pavilion'da ağırlanmakla şereflendirilirdi. Bununla birlikte bir yarış atı ve kendi adına düzenlenen bir at yarışı da vardı. Yüzerken nefes nefese kafasını çıkarıp puflayarak sular fışkırtan beyaz bir balinaya benzeyen soylu efendisi, Dr. Richard Russell'ın dâhiyane buluşu olan, neredeyse her gün yaptığı bu sağlık veren deniz duşu uygulamasının zevkini çıkarırken o da yanında bulunurdu.

Lewes'li olan Dr. Russell, Brighthelmstone balıkçı köyünü bir kaplıca haline getirerek, köyün geleceğine katkı sağlamış ve *'Salgı Bezleri Hastalıkları Üzerinde Deniz Suyu Kullanımının İncelenmesi'* adlı eseriyle de Brighton'un haritalarda yer almasını sağlamıştı.

Bu buluş hiç vakit kaybetmeden soylu ellere geçmiş, amcası Cumberland dükünü ziyaretinde Prens George'a şiddetle tavsiye edilmiş, deniz suyunun içilebilir olmakla birlikte daha birçok faydası olduğu, günlük deniz suyunun boğazındaki şiş ve ağrılı salgı bezlerine iyi geleceği söylenmişti. Bunlar kolalı yüksek boyun bağlarının altına gizlediği salgı bezleriydi. Ancak bu yüksek boyun bağları bir süre sonra moda olmuş ve yüksek sosyetenin vazgeçilmezlerinden biri haline gelmişti.

Prens artık yüzmüyor, Jack Miles'ın âdeti olan suya daldırılıp çıkarılma işlemini görüyordu. Yakınlarda başka duş yapanların olmadığından emindi.

Sadece Brighton değil deniz bile Canute[1] gibi onun emrinde görünüyordu. Ama uzun sürmedi. Bugün farklı bir gündü.

Sakin sular kabardı, hiç olmaması gerekirken dalgalar oluştu. Alarma geçen Jack Miles, bu huzurlu deniz ortamını bozan bir şeyler olduğunu görünce hemen soylu efendisini yukarı çekti.

Birkaç metre ötede kıyıya doğru yüzen bir salın üzerinde bir insan vücudu vardı ve hızla duş aletine doğru ilerliyordu. Prensin meraklı sorularına cevaben Miles, "Dünkü gemiden Majesteleri, sanırım bir ölü," dedi. Hemen şaşkınlık ve rahatsızlık içindeki prensin sudan çıkmasına yardım etti, yaklaşan şeyle ilgilenileceği konusunda yatıştırıcı sözler söyledi.

Olay, ikinci arabada bekleyen, beklerken kart oyunuyla vakit geçirmeye çalışan hizmetkârlar ve herhangi bir kaza olasılığına karşı bu sabah duşlarına eşlik eden prensin doktoru tarafından da fark edilmişti. Çoktan koşmaya başlamışlardı ki sal büyük bir dalga tarafından getirilip prensin duş aletiyle uyum içinde olan çakıllı sahile bırakıldı.

---

1   Ç.N. 11.yy İngiltere kralı.

Bu insan suretinin günlük rutinini yarıda kesmesi sebebiyle kızgınlık ve öfkeden kuduran prens aynı zamanda merak ve heyecan içindeydi.

Eğer bu sağ kalan biriyse, George Brummell ona 200 gine borçluydu. Kafasını aletten dışarı uzatıp sordu, "Ölmüş mü?"

Adamın üzerine eğilmiş olan adam kenara çekilip prensin bakmasına izin verdi. Üniformayı görünce prensin yüreği ferahladı çünkü bu adam dünkü gemidendi.

Prensin isteği üzerine doktor bir dakika dinledi ve sonra ayağa kalkıp, "Yaşıyor Majesteleri," dedi. Kafasını salladı. "Ama çok zor; saatlerdir su içinde olduğunu düşünürsek, yaşaması bir mucize olur," dedi. İçini çekti. Kafasını sallayıp durması gösteriyordu ki bu mucize pek mümkün değildi.

Sağ kurtulan biri. Prensin yüzü parladı. Kaybedecek zaman yoktu. 200 gineyi cebine indirmek üzereydi ama Brummell'in güvenilmez bir adam olduğunu bildiğinden bu hayatı pamuk ipliğine bağlı adam hemen Pavilion'a götürülmeli, bahsi kazandığının kanıtı olarak Brummell'e gösterilmeliydi.

Hemen emir verildi, diriden çok ölüye benzeyen Tam Eildor arabaya taşındı. Krallık malikânesine götürüldü.

Islak üniforma çıkarılıp kalın bir battaniyeye sarıldı. Boğazından aşağı zorla gönderilen pis kokulu bir sıvı sayesinde kendine geldi. Kaçakçıların küreğinden kafasına aldığı darbe sonrası gece neler olduğunu gerçekten hatırlamıyordu.

Kurtulmasının bir mucize olduğu görüşüne katılıyordu. Batarken samandan bile umut bekleyen biri misali o da *Soylu Stuart'*ın enkazından kalan bir tahta parçasına sıkı sıkı tutunarak hayatta kalmıştı. Bu, felakete uğrayan gemide bir zamanlar kabin kapısıydı. Sal olarak iyi iş görmüştü. Üzerine çıkıp kollarıyla kürek çekmeye çalışmış, ama çok zorlanmış, acı ve tükenmişlik içinde pes etmişti; zaman yolculuğundaki korkunç hata ve bileğindeki acil durum mikroçipinden yanıt alamaması hayatına mal olacaktı.

Kurtarılıp Pavilon'a getirilmesi de aynı şekilde zihninde bulanıktı. Ama neşe içinde fark etti ki, şu an zayıf düşmüş olsa da hiç değilse merhametsiz bir denizde amaçsızca yüzmüyordu; yaşıyordu ve karadaydı. Eğer ona pusu kurmuş başka tehlikeler yoksa hızlıca iyileşmesi beklenebilirdi.

Dikkatle etrafa baktı. Etrafındaki eşyalar çok gösterişliydi. Burası kuşkusuz Marine Pavilon'du, neoklasik etkileri taşıyan bir malikâneydi. Lewes'in parlamento temsilcisi olan Thomas Kemp'e ait bir çeşit harabe halindeki çiftlik evi olan orijinaline en ufak bir benzerliği yoktu. 1796'da Galler Prensi'nin Brighton'da sürekli kalmak için bir yer aradığını öğrenen Kemp burayı tekrar inşa edilmesi şartıyla prense kiralamıştı.

Krallık mimarı Henry Holland görevlendirilmiş, tamamlanması yüksek miktarda ipotek sağlamış ve Prens derhâl Bayan Fitzherbert'e maaş bağlanmasını istemişti. Tam bu ihtişamın ortasında inekleri, koyun ve kazları hayal etmek zor diye düşünüyordu ki, bir uşak ona seslendi, "Majesteleri kral vekili Prens, kendinizi iyi hisseder hissetmez sizi görmek istiyor. Adınızı öğrenebilir miyim efendim?"

Kısa bir süre sonra, büyük ihtimalle hizmetçilerin gardırobundan alınmış, üzerine şöyle böyle uyan, gömlek, pantolon ve ayakkabılarını aceleyle giymiş, kahvaltı odasına götürülmüştü. Burada Prens George 18. yy'da popüler olan doğu tarzı süslü sabahlığı içinde kahvaltı masasının önünde dikilmiş kahvaltısını yapmak üzere onu bekliyordu. Bu, deniz duşundan döndükten sonra odasına gidip günün anlam ve önemine uygun üniformalarından birini giymeden önceki âdetiydi.

Mağrur uşağın tanıttığı Tam'a, krallara yakışır mağrur bir el hareketiyle oturması söylendi. Tam, masadaki yiyeceklerin çokluğundan anlıyordu ki bu gündelik olay bayağı uzun sürüyordu.

Bir hizmetçi sandalyesini çekti. Eğilip onu selamlayan ve teşekkür ettiğini mırıldayan Tam'ın kime nasıl hitap edileceği konusundaki düzene ayak uydurması zor olmamıştı. Burada bulunmasının gerçek sebebinin bir bahis sonucu kazanılan 200 gine olduğundan habersiz, geleceğin İngiltere kralıyla böyle bir yemekle şereflendirilmenin sebebini merak ediyordu.

Doğru, kurtuluş hikâyesi çok acıklıydı ama prensin deniz kazası geçiren denizcileri alıp Pavilion'a getirme gibi bir huyu mu vardı? Bu küçük gizemin sebebi çocukça bir dürtü müydü?

Gizlice, bu soylu yemek arkadaşını süzdü, vücudu sandalyesinden taşıyordu. Çenesine kadar yükselen boyun bağı içindeki yüzüne dikkatlice bakınca, Tam kırk dört yaşında kral vekili olan prensin çocukken neye benzediğini tam manasıyla görebilmişti. Bu şişman vücut ve fazlalıklar şu (pek önem verilmeyen) ciddi uyarının haklı olduğunun göstergesiydi: "Yirmisinde ahmak olan kırkında ahlaksız olur." Şarap, kadın ve türlü sefahat âlemlerine adanmış bir hayata rağmen, orada bir zamanlar çok yakışıklı olan bir gencin hayaleti duruyordu. Şimdilerde kaybolan buklelerin yerini büyük bir peruk almıştı; torbalanmış gözleri neşeli gülümsemeler saçan halini gizliyor, somurtkanlığı ve huysuz dudakları çok erken yaşta yolunu çizmek zorunda olmak gibi bir merhametsizlik yaşadığı ipucunu veriyordu.

Tam, omuz silkti, bu gizemi çözmesi mümkün değildi. Üstelik en son ne zaman ağzına bir lokma koyduğunu hatırlamaya çalıştığında, önünde duran yemekler onu baştan çıkarıyordu. Dana rostosu, güvercin etiyle karıştırılmış sığır ve kuzu eti, ciğer, böbrek ve daha sayamadığı, adını bilmediği türlü renkte yemek vardı önünde. Aynı zamanda prensin tatlı zevki de unutulmamıştı. Sonuç olarak bu, gelecek yüzyılların herhangi bir öğünden çok bir kutlama ziyafeti olarak göreceği bir yemekti.

Tam mutluydu çünkü prens onunla ilgilenmiyordu, kendini soluk almadan soylu iştahını dindirmeye adamıştı. Şapırtı, kıtırtı, geğirme ve fosurdamalar dışında, ortama sessizlik hakimdi. Tam anlıyordu ki yemek tüketimi önemli bir olaydı, bu öyle ciddi bir gelenekti ki, ara sıra ona doğru fırlatılan bakışlar dışında, varlığı unutulmuştu.

Tam ev sahibini yanlış değerlendirmişti. Prens George, Tam'ın sandığından daha zekiydi, ara sıra atılan o bakışlar aslında masasındaki konuk hakkında hızlı değerlendirmeler yapmasını sağlıyordu.

Kurtarılan adamın iştahından anlaşılıyordu ki yaşaması garantiydi. Yine de birkaç saat daha Brummell ortaya çıkmaya karar verene kadar, burada, Pavilion'da tutulması gerekiyordu. O meşhur 200 ginenin şu an tam karşısında oturan adamın varlığını ispatlayamamaktan dolayı parmakları arasından kayıp gitmesine izin veremezdi.

Bu Bay Eildor gerçekten yakışıklı bir gençti. Uzundu, boyu bir seksenin üzerindeydi, kıskanılacak kadar zayıf, otuz yaşlarında ve bir köylüden daha yüksek bir sınıfa ait olduğunu gösteren özellikleri vardı. Sanki bunu kanıtlamak istercesine inci gibi dişlere sahipti. Bu da iyi bir yaşam tarzı ve iyi bir yemek alışkanlığı olduğunu gösteriyordu. Ahlakı konusunda olmasa da vücudu konusunda oldukça titiz olan prens için bu önemli bir konuydu. Birçok güzel genç kadın ve erkek ağızlarını açar açmaz duyulan berbat bir ağız kokusu ve çürümüş dişleriyle görünümlerini mahvediyorlardı.

Bir kez daha dikkatle baktı. Yüzünde denizcilerin hava çarpması sonucu edindiği o solgun ifade onda da vardı. Bunun yanında çok güzel dudakları, sağlam bir çenesi, gür siyah saçları dikkat çekiyordu. Prensin gençken sahip olduğu doğal bukleler, (genelde undan yapılan) saç pudrasına konan vergi sayesinde erkeklere perukları attırmış, doğal saç modasını başlatmıştı. Ancak denizciler saçlarını genelde atkuyruğu yaptığı için Tam'ın düz ve kulak hizasındaki saçları prense garip bir tercih olarak görünmüştü.

Belki de İskoçya'da moda farklıydı. Bu konuları Bay Eildor'a sormalıydı. Bu yakışıklı adamın en dikkat çeken yeri kuşkusuz gözleriydi. Prens daha önce onlar gibisini görmemişti. Siyahtılar ve tarif edilemez, öyle garip bir ışıkları vardı ki sanki derinliklerinde parıltılar yanıyordu.

Sonunda prens, oradan geçen bir hizmetçiye bir şeyler fısıldadı. Tam "Brummell" adını duydu. Prens son bir geğirmeden sonra tahta benzeyen koltuğunda arkasına yaslandı, Tam'a merhamet dolu gözlerle bakıp, "Evet bayım, bize geminizden bahseder misiniz?" diye sordu.

Zor bir soruydu. İkisi de susmuştu. Prens, *"Soylu Stuart'*tı değil mi?" diye sordu. Tam kafa sallayarak onayladı, prens devam etti: "İskoç gemisi miydi?"

Tam tekrar onayladı, hızlıca bu konuyu Brighton'da ortaya çıkışına mantıklı bir şekilde nasıl bağlayacağını düşündü.

"Gerçekten çok şanslıymışsınız bayım, gemi mürettebatından sağ kalan tek kişi sizsiniz," dedi prens, başka bir hızlı hesap yaparak. Bu adamdan başka kurtulanlar da olsaydı, muhakkak Brummell'den daha fazla para koparırdı; insan başına 200 gine yani.

"Ben sadece bir yolcuydum Majesteleri," dedi Tam, "Leith'den geliyorum." Ani bir ilhamla, "Ben Edinburgh'dan bir avukatım," diye ekledi.

Prensin gözleri parladı: "Oo, *Soylu Stuart'*ta bir İskoçyalı, çok güzel. Peki, mürettebata ne oldu?"

Tam kafasını salladı, duruma uygun bir üzüntü ifadesi takınarak. Zor durumdaydı; bu, hakkında en ufak bir fikre bile sahip olmadığı bir soruydu.

"Bir korsan gemisi bizi izliyordu, sonra ani bir fırtına bizi önüne kattı. (Kulağa mümkün geliyordu, hiç değilse.) Gemiye çıktılar ve tüm mürettebatı alıp götürdüler, kendilerine hizmet etmeleri için sanırım."

Prens kaşlarını çattı, Tam aceleyle devam etti, "Ben berbat bir denizci olduğumdan, bu işlerden anlamam, tüm yolculuk boyunca bir şey yapmadım. Kâğıtlarıma bakıp onlara hiçbir faydam olmayacağını anlayınca, gemiyle beraber batayım diye bıraktılar. Son anda güverteye çıkıp, denize atladım. Sonra kendimi kaçakçıların gemisinde buldum. Varlığım onların sinirine dokundu sanırım. (En azından bu doğruydu.) Beni vergi memuru sandılar ve kafamı patlatıp tekrar denize attılar. Üzerimde çok hasta olduğum bir anda birinin verdiği üniforma vardı ve o onları şaşırtmıştı."

Prens uzun bir süre cık cıklayıp kafasını salladı ama sürekli kapıya doğru bakıyordu. Bu Tam'ın daha çok işine gelirdi. Anlattığı şeylerin olanaksızlığı prensin dikkatini çekmiyordu neyse ki. Yarım kulakla dinliyordu, muhtemelen aklı daha başka, daha önemli konulardaydı.

O sırada kapı açıldı ve hizmetçi göründü. Aralarında Tam'ın sadece birkaç kelimesini anlayabildiği fısıltı halinde bir konuşma geçti. Görünüşe göre Brummell ortalarda yoktu. Kimse nereye gittiğini ve ne zaman döneceğini bilmiyordu.

Prensin yüzü kıpkırmızı kesildi. Brummell'in küstahlığı inanılır gibi değildi. O kişiye özel bir yardımcıydı, kıyafet danışmanıydı, gençliğinde içki arkadaşıydı. Ama prensin en yakın arkadaşlarından bile bıkmak gibi bir huyu olduğu için Brummell de –her ne kadar hem kadınlar hem erkekler tarafından hayran olunan, tescilli bir hanım evlâdı olsa da– gözden düşmüş, gittikçe uzayan kabahat listesine bir yenisini daha eklemişti.

Prens birazdan felç geçirecekmişçesine bağırdı, "Derhal onu bulun, hangi delikteyse çıkarın, ona emrettiğimizi –evet, derhal huzurumuza çıkmasını emrettiğimizi– en ufak bir gecikme ya da özür kabul etmeyeceğimizi söyleyin!"

Hizmetçi selam verip çekildi. Prens dikkatini tekrar Tam'a yoğunlaştırdı. "Bir süre daha burada kalmanız bizi memnun eder. Yolculuğunuza devam etmeden önce tamamen iyileşmeniz gerek. Size bir oda hazırlamasını emrettim," dedi.

Tam kovulacağını ve kendi haline bırakılacağını sanıyordu. Ama bir oda? Kalması isteniyordu. Peki, ama neden? Tam prensin konukseverliğinin bu kahvaltıdan sonra sona ereceğini düşünüyordu, kesinlikle Pavilion'da kalmasını teklif edeceğini değil.

Tam böyle soylu bir daveti geri çeviremezdi. Tam'ın abartılı teşekkürlerine kesin bir kafa hareketiyle karşılık veren prens konuşmalarının bittiğini göstermek için ayağa kalktı.

Tam eğilip onu selamladı. Birbirlerine gönderdikleri bakışlardan prens hatırında tutması gereken bir hisle bu adamın güvenilir, sadık bir dost –ya da ölümcül bir dost– olabileceğine karar verdi. Hizmetçinin arkasından dışarı gidişini seyrederken, Tam'ın ne kadar hafif yürüdüğünü fark etti. Sanki yerde kayıyor, ödünç aldığı ayakkabıları cilalamış zeminde hiçbir yankı bırakmıyordu.

Prens kaşlarını çattı, Bay Eildor yolculuğuna devam etmeden ve kesesi 200 gine ile daha zengin hale gelmeden önce bu esrarengiz genç adamı daha yakından tanımasına yetmeyecek kadar az bir zaman vardı.

Oda birden gözüne bomboş göründü, bir iç çekişten sonra yatak odasına gidip günlük kıyafetini giymesi gerektiğini hatırladı. Mutluydu, çünkü biliyordu ki soyluların fahişeleri sadece gece eğlencesi için tutulurdu.

Tam dışarı çıkarken Prenses Charlotte onu görmüştü. Kibarca eğilip selamladı, o sevimsiz görünüşü kıdemli bir hizmetçi ya da bir prenses dadısını andırıyordu.

Tam, varlığının bu on beş yaşındaki kızın göğsünde yarattığı çarpıntıdan habersizdi.

Ne annesi ne babası tarafından sevilen, kraliyetteki ayrılmadan sonra birinden diğerine geçen bir kukla haline gelen, bir şeyler kazanmak için bir koz olarak kullanılan Charlotte, Carlton Malikânesi'ndeki annesi Prenses Caroline'nin tepkilerine karşı aşırı hassastı, çünkü orada yetişmiş bir genç kız, âşıklarının önünde bir utanç kaynağıydı. Babasına gelince onu doğduğu ilk günden beri hiç sevmemiş ve onu hasretini çektiği erkek vâris olmadığı için hiçbir zaman affetmeyerek bu sevgisizliğini de açıkça göstermişti

Pek güzel olmayan, tombul ve hantal olan Charlotte'un fazla gelişmiş vücudu o küçücük ayaklarının üzerinde çok biçimsiz duruyordu ve o da görüntüsüyle alakası olmayan cömert komplimanlarda bulunan ismi büyük beylerin, ondan çok eninde sonunda sahip olacağı İngiliz tahtında gözleri olduğunun kesinlikle farkındaydı. Öyle görünüyordu ki kimse, belki yakışıklı ama seçilmesi olanaksız, yükselme gibi bir tutkusu olmayan sıradan bir adam hariç, kimse onu sevmezdi. Gözleri, gemi kazası sayesinde Brighton'da kalan, bu ilginç yabancıyı takip etti –ne kadar romantikti! Adamın hiçbir şey elde etme amacı yoktu. Onda bir şeyler vardı, o nam salmış lort ve prenslerden çok farklı, belirsiz, gizemli ve çekici bir şeyler... Bu da onu hasretini çektiği aşkı yapıyordu. Ve böylece zavallı Charlotte romantik, gemi kazasına uğrayan Tam Eildor'a ilk görüşte âşık olmuştu.

Dört

Tam uzun koridor boyunca sıklıkla prensin üniformalı muhafızları tarafından kontrol edilerek ilerlerken fark etti ki bunlar kralın özel daireleriydi. Bir hizmetçi onu, Pavilion bahçelerine bakan çok hoş bir odaya getirdi. Daha sonra, bu olağan dışı konukla ilgili başka bir talimat almadığı için selamlayıp onu kendi haline bıraktı.

Tam dört tarafı cibinlikli, oldukça rahat yatağa oturup etrafındaki gösterişli eşyalara baktı. Çok hoşuna gitmişti. Küçük bir soyunma odası bile vardı. İçinde sıcak su küveti, havlular, hatta tıraş için bir ustura dahi unutulmamıştı, ilaveten oldukça süslü bir tuvalet ve bütün lüks şeylerin en nadiri olan bir de su deposu vardı.

Ne büyük rahatlıktı. Peki, ama burada ne yapıyordu, bu muameleyi neden hak etmişti? Ondan kesinlikle daha önemli konuklar bile Pavilion'un arka tarafındaki misafir dairelerinde ağırlanırken, ona gösterilen bu aşırı ilginin sebebi ne olabilirdi acaba?

Bir iç çekişiyle birlikte, bir yandan yeni hamlesinin ne yönde olacağı ve zaman yolculuğunu Brighton hükümdarlığının neresinden yapacağını düşünürken diğer yandan da içinde bulunduğu durumu en iyi şekilde değerlendirmesi gerektiğine karar verdi.

Aynada tıraşsız yüzüne bakıp usturayı kaygıyla gözden geçirirken aklına kurtardığı çocuk geldi, adı Jem olan ve bir dilim ekmek çaldığı için kolonilere taşınmaya mahkûm edilen çocuk.

Acaba kaçakçılar onu nereye götürmüştü? O güzel, genç çocuğun onların elinde ne hale geleceğini düşünmek bile istemedi. Şu an her neredeyse, yollarının bir daha kesişmesinin mümkün olmadığını düşünerek Brighton'dan uzakta ve güvende olmasını umut etti. Şüphesiz hırsızlıktaki zayıf yetenekleri geliştirilecek, daha büyük ve daha iyi suçlara yönlendirilecekti.

Düşünceleri birden o eski gemide, 1811 yılında gözlerini açıp yanında çömelmiş çocuğu gördüğü ana gitti.

Kendisi gibi bir tutukluydu. Kaşlarını çattı. Bunda bir gariplik vardı; fark etmesi gereken bir şey... Derin bir nefes aldı, usturayı çenesinin altına götürüyordu ki birden koridordan gelen çığlık ve konuşma sesleri etraftaki sessizliği yok etti.

Prens, Tam'dan hemen sonra merdivenlerden çıkmış, Creeve markizi doyumsuz Sarah'nın artık yatağında olmadığını umarak odasına gelmişti. Ona geminin batması olayının kaçınılmaz bir şekilde gecikmesine sebep olduğunu anlamasına yetecek kadar zaman vermişti.

Gurur ve neşe kaynağı olan güzelim Fransız saatleri saatin sekiz olduğunu gösteriyordu. Bu, onun süslü duvarın devamı gibi görünen ama aslında yatak odasından Pavilion'un pek bilinmeyen bir çıkışına inen gizli merdiveni gizleyen kapıdan narince süzülüp gitme vaktiydi. Kapıdan bir adım atınca onu birkaç mil ötedeki evi Creeve Malikânesi'ne ve kendi ailevî sorunlarına geri götürecek olan araba bekliyordu.

Bazı sorunları prensle aralarında sohbet konusu olacak benzerlikler taşıyordu. Bir ay önce Leydi Sarah ile şiddetli bir kavgadan sonra Creeve Malikânesi'ni terk eden nankör ve küstah üvey kızı mesela. Bu kavgalarından sadece biriydi ama evden kaçıp Londra'daki büyük annesinin yanına gitmesi için yeterli olmuştu.

Bununla birlikte, kız amacına ulaşamamıştı. Oraya hiç gitmemiş, babası markinin birkaç gönülsüz arama girişimi de olumsuz sonuçlanmıştı. Özellikle "rahatsız edici" diye tabir ettiği bu kıza karşı annelik duygusundan yoksun olan üvey annesi, görevini yapmış, adlarının devamı için gereken erkek çocuğunu doğurmuştu. Sonra, bunun her iyi huylu kocanın isteyeceği şey olduğuna ve kendi hayatını yaşamakta özgür olduğuna karar vermişti. Bu hakkını sonuna kadar, hatta daha fazla kullanıyordu.

Londra'da, operada George'un küçük kardeşi, York Dükü Frederick'le göz göze gelmişti. Bu karşılıklı bakışma, onu Frederick'in yatağına, altı ay sonra da bir adım daha ileriye, Marine Pavilion'a, kral vekili olan prensin yatağına kadar götürmüştü. Yatak odasının kapısına yaklaşırken, prensin düşünceleri bunlardı. Daha küçüklüklerinden beri Frederick onun rakibiydi. Babaları Kral George'un en sevgili oğlu o idi. Frederick babalarının gösterebildiği bütün sevgi ve ilgiyi kendinde topladığı için, Sarah'yı, mutluluk sarhoşu olduğundan hiçbir şeyin farkına varmayan Frederick ile gizlice paylaşmanın kendine has bir cazibesi vardı.

Ama şimdilerde bu cazibe azalıyordu. Çünkü bütün Georgeların aşk maceralarında bu gibi durumlar söz konusuydu. Ama kabul etmeliydi ki Sarah'nın o ihtiraslı sarılmalarını ve mücevher takıntısını çekici buluyordu. İlişkinin bedeli olarak ona mücevherler veriyordu ama markiz bu konuda da tatmin edilemez hale gelmişti. Sevişirken elmas, yakut ve safir gibi mücevherler takma hastalığı başlarda tahrik edici geliyordu ama artık bayağılaşmıştı. Krallığın o en kıymetli mücevherlerinin şafağın soğuk ışığında, çıplak bir kadın vücudunda nasıl bir cam parçası haline geldiğini görmek garipti.

Prens, misafir odasından geçerken içini çekti. Yatak odası sorumlusu olan Lort Henry Fitzgeorge, ona hem görünüşüyle hem hal ve hareketleriyle çok benziyordu. Ama onun tabiriyle yasal olarak kabul edilmemiş olan Henry, önceden bir aktrisle yaşadığı ilişkinin ürünüydü. Bununla beraber bazı kabul edilmeyen iddialara göre Henry, Maria Fitzherbert'in oğluydu.

Derin bir nefes alıp yatak odasının kapısını açtı. Yatak perdelerinin bir tarafı aralıktı. Küçük masanın üstünde etrafa saçılmış mücevherler Sarah'nın çıkıp gittiğini gösteriyordu. Daha yakından bakınca, yerinden hiç kıpırdamamış olduğunu görmek onu ciddi şekilde rahatsız etti. Orada, gürültülü ve nefes kesen sevişmelerin sonunda bıraktığı şekilde yatıyordu.

Ona yüksekten iğrenerek baktı. Hiç yakışık almayan bir pozisyonda, boynundaki kendine ait inci kolye hariç, çırılçıplak yatıyordu.

Bu, kabul edilmezdi. Anlaşmalarına göre, ahıra bağlı zilin ipini çekip, arabayı hazırlamalarını haber vermeli ve prens dönmeden sessizce çıkıp gitmeliydi.

Prens, hâlâ bir tarafı açık yatak perdelerinin arkasında, gürültüyle öksürdü. Sarah hareket etmiyordu. Yatağa yaklaştı. Bu etli gövdeye doğru elini uzatınca, dokunuşuna neden karşılık gelmediğini hemen anladı.

Sarah artık onu baştan çıkaramazdı, kardeşini de, başka herhangi bir erkeği de...

Sarah, Creeve markizi, ölmüştü. Onun soylu yatağında ölmüştü.

Bir çığlıkla dışarı koştu. Aklı yerindeydi, öyle ki kapıyı arkasından sıkıca kapatmayı akıl edebildi, çünkü bu korkunç olayın sarayda yaratacağı binlerce korkunç manzara hızla kafasında canlanıyordu.

Salonda Henry'ye ikinci uşak Lort Percy Wellsby de katılmıştı. Hemen ayağa kalktılar.

Prens, "Bir... bir kaza olmuş..." dedi yatak odası kapısını hızla açıp yatağı işaret ederek. "O... ölmüş!" dedi titreyerek.

İki uşak dikkatle onu izliyordu. Çabuk sarsılan bir yapıya sahip olduğu için Lort Percy'nin hemen midesi bulandı ve çıktı. Daha sağlam yapılı olan Lort Henry cesede bakmaktan kaçınarak ciddiyetle prensin yanında bekledi. Percy geri geldi. Sandalyeye çarpan, inleyerek terler boşaltan soylu efendilerinden gelecek talimatları bekliyorlardı. Prens çöktü, gözleri yuvalarından fırlamak üzereydi.

Şimdi ne yapacaklardı? Tanrı bilir! Ne hayatında ne de o çılgın hayallerinde böyle bir şey daha önce başına gelmemişti.

Yatağında bir ölü vardı. Creeve markisinin karısına ait bir ceset –daha kötüsü– kardeşinin yeni metresi! Ne skandal ama. Titriyordu. Böyle durumlarda ne yapılacağı konusunda en ufak bir fikri yoktu. Neyse ki babası, deli Kral George, bunu hiçbir zaman öğrenmeyecekti. Annesine gelince –birden titredi, aklına neredeyse elli yıldır annesinin gözünde hiç değişmeyen imajı olan yaramaz, edepsiz ve inatçı çocuk haline büründü.

Lort Henry başlangıcı yaptı, öne doğru geldi. Prensle aynı renge sahip gözlerini ona doğru yöneltti.

"Hasta mısınız efendim, Dr. Bliss'i getirelim mi?" diye sordu kibarca.

Prens gözlerini ona dikti. "O bana nasıl yardım edebilir? Sen delirdin mi? Bir doktor ne yapabilir?"

Yatak odasının kapıları ardında yatan korkunç sırrı bütün şehre duyurmak dışında. Yeniden ayağa kalkmaya çalıştı. Koridora açılan kapıyı açtığı gibi tekrar kapıda bekleyen muhafız grubunun yüzüne kapattı. Görünen o ki, içeride bir olay olduğunun farkındaydılar ve hemen alarma geçip kapı önünde hazırda beklemeye koyulmuşlardı.

"Gönderin şunları," dedi prens. "Her şeyin yolunda olduğunu söyleyin. Ne yapıp edip kurtulun onlardan, kimse bilmemeli," diye homurdandı. "Hiç kimse bilmemeli, asla bu odanın dışına çıkmamalı. Anlıyor musunuz?"

Telaşlı Henry, Percy'ye bir bakış attı ve ona söyleneni yaptı. Aralık olan kapıya başını dayayan prens küçük kaza hakkında konuşulanları dinlemeye çalıştı. Görünüşe göre majesteleri düşmüş ve bacağını incitmişti. Dışarıda prensin hislerini paylaşan, zaten gut hastalığından çok çektiğini ve acılar içinde olduğunu bilen insanların sempatik kafa sallamaları vardı.

"Şimdi ne yapacağız?"

Onu şaşırtmayan uşakları, kaşlarını çattı ve sanki konuyla ilgili çok ciddi düşünceleri varmış gibi görünmeye çalıştılar. Bunu yaparken prensin cehennemden kaçan bir yarasa misali kendini dışarı attığı yatak odasına bakmamaya çalışıyorlardı.

Birden prens tüm kontrolünü kaybetti, kollarını açıp hıçkırarak daireden fırladı ki bu, soylu efendilerin sinir krizi ve titremelerine alışkın olan muhafızları bile şaşırtmıştı.

O an, Brummell ortaya çıkmaya karar verdi. Yüksek topukları cilalı zeminde tıkırdıyor, kostümü biraz eğri duruyordu. Keyfi yoktu, Brighton'un daha salaş bölgelerinde, oyun eviymiş gibi gösterilen genelevlerden birinde geçirdiği o tatmin edici geceden sonra alelacele çağırılıp buraya getirilmesinden duyduğu hoşnutsuzluğu güçlükle kontrol edebiliyordu.

Aynı anda, Bay Sheridan'ın o berbat oyunlarından bir sahnedeymişçesine, Tam Eildor bütün bu kargaşanın sebebini öğrenmek için koridorun sonundaki odasından başını uzattı. Tiyatroda olsa, tam bu dramatik dakikada perde inerdi, ama işte perde kalkmak üzereydi. Sahne İki: Karmaşa

Prens büyük zorluklarla olayı kontrol altına almayı başardı. "Brummell, işte buradasın," dedi birden zaten ortada olana sığınarak.

"Efendim," dedi Brummell sert bir ifadeyle onu selamlayarak.

Prens kolundan tutup onu öne doğru götürürken, Tam prensin titrediğini fark etti. Tedirginliği sözleriyle de kendini ele veriyordu.

"Bu Bay Eildor, geçen akşam batan *Soylu Stuart* gemisinin kurtulan tek yolcusu. Kuşkusuz siz de hatırlarsınız, yaşayan kanıt gözlerinizin önünde olduğuna göre, bize borcunuz olan 200 gineyi kabul etmekten memnuniyet duyarız. Şimdi çıkabilirsiniz."

Ama Brummell'in acelesi yoktu. Son moda okuma gözlüğünü çıkarıp, Tam'ı yakından incelemeye koyuldu. Bu sırada Tam anladı ki prensin bembeyaz kesilmiş yüzündeki ıstırap çeken ifadenin, bir bahsi kazanmak ya da kaybetmekten daha önemli bir sebebi vardı.

Doğası gereği meraklı ve yeni dedikodu konuları bulmaya pek hevesli olan Brummell de tüm dikkatini bu gemi kazasının tek kurtulanı olan adama verdiğinde ters giden, garip bir şeyler olduğunun farkındaydı. Bu adam hiç kazazede bir denizciye benzemiyordu. Yine doğası gereği kuşkucu olan Brummell'e göre prens onu 200 gineyi alabilmek için oyuna getirmeye çalışıyordu.

Eğilip Tam'ı selamladı. "Tebrik ederim bayım, belki bana bir kadeh şarap içerken eşlik etme lütfunda bulunup hikâyenizin tamamını anlatmak istersiniz..."

"Buna izin veremeyiz," diye sözünü kesti prens büyük bir hissiyatla. "O dakikaları tekrar yaşamanızı istemeyiz," dedi. Tam'ın kolunu kaldırıp, "Bu beyefendinin yaşadığı olayla nasıl sarsıldığını görmüyor musun?" diye sordu.

Tam bu ani çıkışa bıyık altından gülüyordu. Çünkü kendisi onların ikisinden daha sakindi. Prensin terler içindeki solgun yüzünü gören gemi kazası geçirenin o olduğunu sanırdı. Aynı zamanda Tam bu harikulade muamelenin, mükemmel yemek ve muhteşem odanın sebebini şimdi anlıyordu. Belli ki soyluların bahsine konu olmuştu.

Şu da açıktı ki, aralarındaki anlaşmazlık belirtileri, bir zamanların o güzel arkadaşlığında çatlaklar olduğunu, aralarında esen soğuk rüzgâr ise geçen güzel günlerin sonunu gösteriyordu.

Brummell'le arkadaşlığı çoğundan daha uzun sürmüştü. O ne adamlar görmüştü, kendi soyundan olanlardan çok soyluluk meraklısı olan, önce gözde olduğu halde sonra unutulup giden... Brummell onların kaygısını hor görür, küçümser, böyle bir şeyin asla kendi başına gelmeyeceği güvencesiyle yaşardı.

Ama Brummell'in ünü kendi sonunu hazırlıyordu. Hem kadın hem erkeklerin aynı şekilde hayranlık duyup, asil bir bey olarak saygı gösterdiği Brummell'e, Prens George gün geçtikçe büyüyen bir kıskançlıkla bakıyordu. Belvoir Kalesi'ndeki o olay da bunu körüklemişti. Halk toplanmış, kürklü pelerin içinde ata binen –ama yalnızca basit bir kâtibin kibirli oğlu olan– bu adamı geleceğin İngiltere Kralı sanmış ve selamlamıştı.

Bu hoş görülemezdi ama daha kötüsü de vardı. Bayan Fitzherbert'e karşı duyduğu antipati –ki bu duygular karşılıklıydı– onun giyim kuşamı, zevki ve şişmanlığıyla ilgili küçümseyici laflar etmesi ve bunların prensin kulağına gitmesi ve en son olarak da (muhtemelen kılık kıyafet konusunda) "Galler Prensini ben var ettim, istersem yok da ederim," şeklindeki halk açıklamasından sonra artık kaderi mühürlenmişti.

Belli ki olay bahis kaybetmekle ilgili değildi. Halledilmesi gereken başka sorunlar vardı diye düşündü Tam, Brummell'in gözlükleri ona kilitlenmiş dururken. Sadece ona doğru bakıp, soylu emre itaatsizlik ederek, "Belki bir bardak şarap içerken bana eşlik edersiniz, yolculuğunuza kaldığınız yerden devam etmeden önce –nereye gidiyordunuz bu arada?" dedi Brummell.

Tam duymazlıktan gelip selamladı. "Nazik davetinizi kabul etmekten mutluluk duyarım bayım," dedi.

Ama o an en yakın zamanda Pavilion'dan gönderile-ceğini ve bir daha Beau Brummell ile karşılaşma im-kânı bulamayacağını anladı, ki o da asil elden kovar gibi bir el hareketi alıp, geçmişteki en yakın arkadaşı-na kızarak baktıktan sonra, topuklarının üstünde dö-nüp yine tıkırdayarak geldiği yönden geri gitmişti.

"Nezaketinize sonsuz teşekkür ederim Majesteleri, fakat artık eski gücüme ve sağlığıma kavuştuğuma gö-re ayrılmak için izninizi isteyebilir miyim?" diye sor-du Tam. "Yolculuğuma kaldığım yerden devam et-mek için," diye ekledi.

Bunları söylese de, nereye gideceğini kendisi de gerçekten merak ediyordu.

Biraz önce gördüğü sahne aklına gelince prensin gözleri yine yuvalarından fırladı. Çılgınca önündeki üç adama gözlerini dikti. Sarah'nın cesedinden kurtul-mak için kime güvenebilirdi? Oğlu Henry ya da uşak Percy. Çılgın bakışlarını birden Tam'a çevirdi. Bay Eildor'dan daha uygunu var mıydı?

Bay Eildor Edinburg'lu bir avukattı ve daha da önemlisi bir yabancıydı.

Prensin aklı çok hızlı çalışıyordu. Bu adam içinde bulunduğu berbat durumdan kurtulması için gönderil-miş mucizevî bir varlıktı. Üstelik bu adamın *Soylu Stuart*'la birlikte kaybolduğu sanıldığı için, amacına ulaşınca, ondan kolaylıkla kurtulabilirdi. Kararını verdi.

"Beni takip edin, Bay Eildor," dedi. Henry ve Percy'ye dönüp, "Sizler burada kalıp, çağrılmaya ha-zır olun. Bizi rahatsız etmesinler." Boğuk bir hıçkırık-tan sonra, hızla yatak odasının kapısını açtı.

Beş

Perdeler hâlâ çekili olsa da, Prens George Sarah'nın cesedinin üzerine bir çarşaf sermişti ve onun o çıplak vücudunu görmek zorunda olmadığı için mutluydu. O zaman bile kabul etmeliydi ki üstünde sadece bir inci kolye olan çıplak kadın görüntüsü çok sefil bir görüntüydü.

Onun yatağında, üstelik de Creeve Malikânesi'nde maskeli balonun olacağı akşam ölmesi kabul edilemezdi. Frederick de orada olacaktı. Tam'ı yatağa doğru yaklaştırırken gerçekten çok üşüdüğünü hissetti.

Midesi kolay kolay hiçbir şeyden bulanmayan Tam cesede iğrenerek baktı.

"Ölmüş değil mi? Bu kesin," dedi prens içi boş bir sesle.

"Evet, öyle Majesteleri, ondan kuşku yok, ama korkarım ölmemiş, öldürülmüş."

"Öldürülmüş mü! Olamaz! Bir yanlışlık olmalı. Kim buna cüret edebilir ki?"

Tam kadının boğazına sıkıca sarılmış inci kolyeyi göstererek, "Birisi etmiş," dedi.

Prens umudu pamuk ipliğine bağlı olsa da, "Bir kaza olabilir mi?" diye sordu. Tam cesedi kaldırdı ve inci kolyenin nasıl bükülüp bir boğma ipi gibi kullanıldığını gösterdi.

Prens yatağın direğine dayandı. Bir ölüden kurtulmak yeterince zorken şimdi bir de cinayet vardı ortada.

Üzerine oturduğu yaldızlı sandalye protesto edercesine bir gıcırtı çıkardı. Daha önce başına böyle bir şey gelmemişti. Bu hükümdara ihanetti. Yatağında öldürülmüş bir kadın, üstelik Creeve markisinin karısı, daha da kötüsü kardeşinin metresi. Şimdi her şey ortaya çıkacaktı.

Kafasını bir o tarafa bir bu tarafa sallıyor, yaralı bir hayvan gibi inliyordu.

Ulu Tanrım, ulu Tanrım. Neler oluyor böyle? Kimse güvende değil mi? On dokuzuncu yüzyılda, saraylarda böyle cinayetler olmazdı. Bu gelişme çağıydı. Böyle şeyler geri kalmış toplumlarda, aşağılık İtalyanlarda –burjuvalar arasında olurdu.

Tam ona baktı. Geleceğin kralına kesinlikle İngiliz tarihini anlatan kitapları iyi incelemesi tavsiye edilmeliydi. Çünkü o kitaplarda saray ve kalelerin krallardan ve onların soylu evlatlarından kurtulmak için kullanılan en meşhur mekânlar olduğu açıktı.

Prens kafasını kaldırıp Tam'a baktı. "Ama bunu bize kim yapmış olabilir? Hiçbir zaman kimseyi incitmedik ki!"

Biraz klasik, biraz da masumane sözlerdi bunlar. Tam'a göre prensin sayısız kabahati vardı. Birçok genç kızın hayallerini yıkmış, birçok adamın hayatını mahvetmişti. Bütün bunlar sıkıcı bir serinin birkaç cildini doldurabilirdi.

"Kim bizi böyle korkunç bir davranışla suçlamak hevesindedir?"

Tam araştıran gözlerle prensi süzdü. Bu art arda gelen kendine acıma sözlerinin, geçen geceyi yatağında geçirmiş ve orada zamansız bir şekilde ölmüş kadın için ufak bir acı ya da pişmanlık belirtisi göstermemesi dikkate değerdi doğrusu. O şimdi bir utanç kaynağı olmuştu, daha da kötüsü, ölümü onu ürkütücü bir sorumluluk ve korkunç bir suç kaynağı haline getirmişti.

Prens kapıda bekleyen yüzleri solgun, ifadelerinden şaşkınlık ve tedirginlik okunan iki uşağına kovar gibi bir el hareketi yaptı.

Tam onların akıllarından geçenleri okuyabilseydi, kesinlikle Pavilion'daki ahlakî olaylara, daha doğrusu, ahlak yetersizliğinden kaynaklanan olaylara alışık olduklarını görürdü. Ama çıplak kadın cesedi soylu efendilerinin yatağında pek sık görmedikleri bir şeydi. Üstelik sadece ölmüş değil öldürülmüştü, bu bambaşka bir tecrübeydi.

Tam prensin onların ağzının sıkılığına güvendiğini düşündü. Prens kapıyı kapadı. Boğazını temizleyip, "Edinburg'lu bir avukat olarak bu gibi olaylarla daha önce karşılaşmışsınızdır umarım," dedi.

Pek değil diye düşündü Tam, belli belirsiz bir gülümsemenin ardına sığınarak.

Prens büyük bir ciddiyetle ona doğru eğildi. "Bu konuda bana yardım edecek misiniz bayım? Yardımlarınıza minnettar olurum."

Bu sözlerin ardından Tam'ın kafasında bir ışık belirmeye başladı. Bu sefil görüntüyü görmesi için neden buraya davet edildiğini şimdi daha iyi anlıyordu. Bir avukat, hiç arkadaşı olmayan, sadece Brighton'dan geçen bir yabancıdan daha uygun kim olabilirdi ki. Tüm bunlarda bir uğursuzluk vardı. Ama Tam bunu pek dikkate almadı. Tehlikenin kokusunu alıyordu.

Biraz duraksayan prens, "Tabii karşılığını alacaksınız. Hem de yüklü miktarda bayım, size yolculuğunuzda yardımı dokunacak 100 gine mesela."

Tam birtakım hızlı hesaplamalar yaptı. Bu para, prensin *Soylu Stuart* kazasından sağ kurtulan adam olarak kendisini tanıtıp Brummell'den aldığı paranın yarısıydı.

"Hayhay Majesteleri."

Kabul belirten bir hırıltıyla arkasına dönen prens sehpaya çarptı. Tam, eğilip düzeltmesine yardım ederken birbirine karışmış renkli taşları gördü. Ama üzerlerinde nadir olmanın tılsımı ve mükemmelliklerinin kıymeti kalmamıştı. Tarihî ve antikaydılar. Kuşkusuz, bir kralın fidyesini karşılayabilirlerdi. Ama biten bir insan hayatının yanında, çok değersiz ve bayağı görünüyorlardı.

Prens, titreyen eliyle markinin karısının boğazındaki inci kolyeye işaret etti. "Onlar... onlar kendisinindi."

"Bayanın adını öğrenebilir miyim, Majesteleri?" diye sordu Tam kibarca.

Prens ona, sanki bu özel hayata müdahaleymiş gibi kuşkulu bir bakış attı. "Sarah... Lewes'deki Creeve Malikânesi'nden Creeve Markisi'nin karısı."

Utangaç bir boğaz temizlemenin ardından, "Yeni tanışmıştık." Tam'ın bu cüretkâr sözün altında yatan bütün imalara nasıl tepki vereceğini görmek için atılan keskin bir bakışın ardından, aceleyle devam etti.

"Odayı aramak ister misiniz, katilin içeri nasıl girdiğini öğrenmek için?"

Tam'a hemen güzel bir not defteri ve kalemler verildi, Tam odanın içinde gezinip çıkıştan çok giriş yolu aramaya koyuldu.

"Acaba, Majesteleri bana geçen gece yaşanan olayları detaylı bir şekilde anlatabilir mi, böylece olayları yeniden gözden geçirmiş oluruz."

Prens gözlerini kapayıp arkasına yaslandı. Sanki olayı yeniden hatırlamak canını acıtıyormuş gibi davranıyordu. Boğazını temizledi. "Saat sekizde markizin yanından ayrıldık. Saati tam olarak biliyoruz; çünkü sizin batan geminizin ufukta belirdiği saatti," dedi. "Markiz Majestelerine eşlik etmek istemedi yani."

"Evet istemedi." Sıcacık, lüks yatakta kalıp sonra da kendini öldürmüştü. Ona utanç veriyordu.

"Majesteleri ne zaman geri döndüler?"

"Dönmedik. Eşimizin yanında…" Burada kaşları indi, sanki tehdit ediyordu. "Bayan Fitzherbert'le Steine Malikânesi'nde kaldık. Saat beşte arabamız gelince her zamanki gibi sabah duşumuzu almak üzere oradan ayrıldık."

"Majesteleri ve Bayan Fitzherbert mi?"

"Hayır."

Tam anladı ki prensin kendisi için "biz" öznesini kullanması zaten karışık olan durumu daha da karıştırıyordu. Prens devam etti. "Daha sonra Pavilion'a döndük ve sonra siz, yani gemi kazasının tek kurtulanı yanımıza getirildi. Birlikte kahvaltımızı ettikten sonra, hemen yukarı çıktık ve –bununla karşılaştık– dedi mide bulantısını gösteren bir titremeyle.

Tam düşündü. Buna göre cinayet son on iki saat içerisinde işlenmişti.

"O gün için uygun kıyafetimizi giymeden önce, günlük olağan programımız böyledir. Gelip markizi hâlâ burada görünce şaşırdık çünkü herhangi bir davetli konuğumuz saat yedi civarında buradan ayrılır. Çok korktuk –evet onun hâlâ burada olduğunu görünce çok korktuk– ve..."

Prens durdu, yutkundu, göz bebekleri yukarı kalktı ve fısıltıyla "ve... ölmüştü! Şurada bir zil var," dedi, yatak başındaki ipi göstererek. Bu zil ahıra bağlı ve çalındığında hanımefendiyi Lewes'deki evine götürecek araba hemen hazırlanır. Sarah'nın yakınlardaki dairesinden ya da o akşamki maskeli balo için evine dönmesi gerektiğinden bahsetme gereği duymadı.

"Hizmetçisi yok muydu, eminim tek başına seyahat etmiyordu?"

"Bu durumda öyleydi," diye cevapladı, prens boğuk bir sesle.

"Bu olağan mıydı?"

Bu o kadar hassas bir konuydu ki, prens ona kardeşiyle olan durumdan dolayı her şeyin büyük bir gizlilik içinde yürüdüğünü nasıl izah edebilirdi? Kendilerine bağlı, paraları düzenli ödenen, rüşvete her daim açık olan hizmetkârlardan bahsedemedi bile. Gözlerini kapayıp inledi, işte her şey ortaya saçılacaktı. Bunu nasıl engelleyebilirdi ki?

"Evet," ağzını kapadı. Tam'ın araştıran bakışlarının farkındaydı.

"Tuvaletini giyerken yardıma ihtiyacı olmuyor mu?" diye sordu, Tam nazikçe. Varlıklı kadınların kendi elbiselerini tek başlarına giyemedikleri bir çağda yolculuk ettiğini biliyordu.

Acaba kral vekili prensin bir kadının hizmetçiliğini yapabilme gibi gizli yetenekleri de mi var diye düşünüyordu ki soruna nasıl bir çözüm bulunduğunu dinlemeye başladı.

"Hanımefendi samurdan pelerinini giyerdi –işte şurada sandalyenin üzerinde duruyor." Boğazını temizleyip ekledi. "Altına başka hiçbir şey giymezdi." Gözlerini kırpıştırıp muzip bakışlar attı. "Bana anlayış gösterin bayım. Aynı dünyaların insanıyız ve kabul etmelisiniz ki bu çok cüretkâr, çok tahrik edici."

Evet, dünyanın insanıydılar ama tamamıyla farklı iki dünyanın, diye düşündü Tam sinirle. Brighton hükümdarlığının 400 yıl önce yok olmuş olması sebebiyle ayrı dünyalardandılar ve "Sizlerden daha kıymetliyiz" sözüne hiç katılmıyor, ayrıca bu güya asil ev sahibinden gittikçe nefret etmeye başlıyordu.

Odaya bir göz attı. "Hanımefendi odadan nasıl çıkardı? Uşakların sıkı gözetimi altındaki misafirhaneden geçmiyor muydu?"

Prens Tam'ın saflığına gülüp, parmağını sallayarak, "Eğer öyle olsa bu büyük gizliliği asla sağlayamazdık." Konuşurken duvarda özenle boyanmış panellerden birine doğru gidip süslü bir bibloya dokundu. Orada odanın duvarlarından ayırt edilemeyen gizli bir kapı vardı. Kayarak açılıp dar ve dik merdivenleri ortaya çıkardı.

"Buradan giderdi," dedi prens, omzunun üzerinden tedirgin bir şekilde bakıyordu. Sanki birileri tarafından duyulma tehlikesiyle karşı karşıyaymış gibi. "Buradan aşağı dış cephe duvarlarına kadar giden bir yol var –kapısı görünmez çünkü sarmaşıklarla kaplı.

Dışarı çıkınca bahçe kapısında bir araba hazır vaziyette onu beklerdi."

Çok memnun gözüküyordu. Heyecanla kafasını sallıyor, sanki bu mimari ustalık eserinin takdir görmesini bekliyordu. Belli ki prens uğursuzluk belirtilerini anlayamamıştı. Markiz ve ondan öncekilerle ilgili sırrı bilenlerin, bu kapının, bu odanın iç tarafından da açılabildiğinin ve Pavilion'a giriş sağladığının farkında olduğunu bilmiyordu.

Aslında bu merdivenler ve suikastçı için müthiş bir gizlenme yeriydi. Hedef olan kral vekili prens bir sabah odasında, üzerinde hiçbir iz olmaksızın uykusunda boğdurulup öldürülmüş olarak bulunabilirdi. Adli tıbbın doğuşundan önce, kalp yetmezliğinden kaynaklanan ölümler halk arasında büyük şaşkınlığa yol açmıyordu, özellikle de aşırı kilolu ve kendini şımartmaya düşkün biri olduğu düşünülürse.

O an için bu tehlikeli gözlemlerini kendine saklamayı uygun gören Tam, "Acaba Majestelerinden," dedi, "geçen akşam ya da bu sabah erken saatlerde ahırlara bu odadan bir mesaj gidip gitmediğini kontrol etmesini isteyebilir miyim?"

Prens bu konuyu biraz düşündü, kaşlarını çattı, kafasını sallayıp Tam'ı kendi haline bırakarak hızla odadan çıktı. Markiz öldürülmüştü. Bu, ortadaydı. Tek ihtiyaçları onu öldürenin kimliğiydi. Kadının ölümle buluşması nasıl gerçekleşmişti? Tatminsiz bir kadının şehvetinin sonucu olarak sıkıcı bir saati olağan dışı bir sevişmeyle doldurmak istemesinin sonucu muydu bu? Eğer öyleyse ne ters gitmişti?

Evet, yeni bir genç âşıkla heyecan verici, geçici bir deneyim olasılığı vardı. Evet, asillerin metresi olan bu kadının alakasına güvendiğine göre kesinlikle genç ve üstelik de saf biri olmalıydı.

Markiz hakkında kendine anlatılan azıcık şeyden ve gördüklerinden dolayı titredi. Bunlar onun için çok fazlaydı, anlıyordu ki markiz pek de iyi ahlaklı biri değildi. Doğası gereği açgözlü olan bu kadın gerek duyduğunda şantaj yapmaktan da çekinmezdi. Sadece çok korkmuş bir genç, tüm geleceğinin tehlikede olduğunu, Prens George ya da Prens Frederick'e ispiyonlanacağını anlarsa bunu yapabilirdi. Kadının boynundaki cinayet aracı olmaya oldukça müsait inci kolyeyi sıkar, bu sinir bozucu ikilemden, asillerin hoşnutsuzluğuna maruz kalıp yok edilmekten kurtulurdu.

Tam, prensin yatağındaki üstü örtülmüş cesede arkasını dönmüş olmaktan memnun, olayı bir de kadının bakış açısından değerlendirmek üzere odayı dolaşmaya başladı. Hiç mücadele etmemişti. Tam tersine gizli kapıyı da göz önünde bulundurursak, markiz hiç şaşırmamıştı. Olay yeri, kadının katiliyle belli bir samimiyeti olduğunu gösteriyordu. Öyle ki, çıplaklığını bile saklama gereği duymamıştı ki bu bir yabancı karşısında verilmesi gereken doğal bir tepkiydi.

Tam düşünceli bir şekilde çenesini kaşıdı. Bunun bir saatlik bir heyecan olmaktan başka ne getirisi vardı ona? Onu bırakıp kendi keyfi için başka şeylerle ilgilendiği için prensi cezalandırma yolu muydu? Gemi kazası onun baştan çıkarıcı cazibesine rakip miydi?

Bu cinayet planlanmış bir şey değildi, bu açıktı. Bu hırs, öfke ya da korkudan kaynaklanan bir cinayetti. Kuşkusuz katil şimdi Pavilion'da bir yerlerde oturup, olay açığa çıkarsa ne sonuçlar doğuracağını, o doyumsuz markizle oynaşmanın bedelini ne korkunç bir şekilde ödeyeceğini düşünüp, titreyerek bekliyordu.

Tam hâlâ odanın içinde derin düşüncelere dalmış bir halde, eşyaları alıp tekrar yerine koyarak geziniyorken, prens döndü. "Haklıymışsınız Bay Eildor. Ahırlara hiç mesaj gitmemiş, araba çağrılmamış, zil bütün gece hiç çalmamış."

Tam kafasını salladı. Başka bir bilgi gelse şaşırırdı. "Majesteleri, siz yokken bu odaya başka kimlerin girdiğini öğrenebilir miyim?"

"Gün boyu uşaklar vesaire. Saat sekizde akşam yemeğimizi yedikten sonra sabah beşte deniz duşu aldığımız vakte kadar sürekli tetikte olan yatak odası uşakları hariç kimse –kesinlikle hiç kimse– giremez. Misafir odasındaki yerlerinin haricinde, kendi alayımız olan Onuncu Dragon Muhafızları da dairemizin etrafındaki koridorlarda devriye görevlerinin başındadır."

Tam'ın tepkilerini görmek için bir ara verdikten sonra devam etti. "Bütün bu önlemler sizin de anlayacağınız üzere imparatorluğumuzun güvenliği için hayatî önem taşıyor. Çünkü özellikle geçen yıl fiziksel ve ruhsal sağlığı talihsiz bir şekilde bozulmuşken, asil babamızın canına kastetme girişimleri olmuştu."

Demek ki katil Pavilion'dan biriydi, muhafızlar onu tanıyordu ve hiç sorun yaşamadan onları atlatmıştı. Prensin günlük deniz duşu aldığını ve o anda gemi kazasını izlemek için dışarı çıkmış olduğunu biliyordu. Bu da ölümcül randevuyu planlamış olabileceği konusundaki tüm teorilere son noktayı koyuyordu.

"Londra, Brighton gibi değil, Majesteleri," dedi Tam nazikçe, ama karşılık olarak sert bir bakış aldı.

"Öyle değil mi, bayım gerçekten? Tüm samimiyetimle belirtmeliyim ki bayım, çıkarımlarınız son derece yanlış. Gerçekten öyle. Brighton artık başkentimizden uzakta dinlenme yeri olarak kurduğumuz o güzel kaplıca yeri değil." Durdu, üzüntüyle başını salladı. "Son birkaç yıldır, buralar Londra'dan buraya kadar bizi takip eden aşağılık yeraltı dünyası için bir mıknatıs haline geldi." Nefretle iç çekerek, "Hiç kuşkum yok ki eski karımız Galler Prensesi'nin kötü ve yanlış imaları ve sadakatsizliği sayesinde daha da cesaretlendiler."

Tam'a aile hayatıyla ilgili bu ilginç bilgiyi hazmedebilmesi için bir dakika müsaade ettikten sonra devam etti. "Kral vekili olduğumuzdan beri geçen son birkaç hafta içinde başımıza gelen iki olayda, hayatımızı zor kurtardık. Alışkanlığımız gereği Steine'de atla gezerken, üzerimize ateş edildi. Ama tam yakalanıp kimliği açıklanacakken, suçlu sadece birkaç kanun adamımızın girmeye cesaret edebileceği, hırsız bataklığına koruma sağlayan o dar sokaklarda izini kaybettirdi. Umarım bu korkunç suçu işleyen canavarı oralarda bulursunuz."

Tam bunun katiyen olanaksız olduğunu düşünüyordu. Bunun için sebepleri de vardı ama prens yeni bir hamle yaptı.

"Brighton polisi, yetenekli adam eksikliğinden dolayı kötü ün yapmış olsa da, size ihtiyacınız olan yardımı sağlar. Bay John Townsend'in denetimindeki Bow Street Runners'ın gücüyle yarışabilecek bir kuvvetimiz henüz yok. Eğer katili hemen yakalayamazsanız, izini sürmesi için ondan yardım isteyebiliriz."

Tam Prens'i selamladı. "Bütün detayları bilmeden acele karar verilmemeli, Majesteleri, ama sizi temin ederim, konuyu dikkatlice irdeliyorum," dedi.

Dışarıdan görünmeyen ve açılmayan, Pavilion'un içinden kontrol edilebilen gizli bir giriş var, boğuşma ya da karşı koyma belirtisi yok. Elinde bunlar vardı. Bunların önemini bu noktada prensle paylaşmaktan ya da markizin onu aldattığını söylemekten yana değildi. Dahası, markizin kendi katilinin kimliğini bildiği gerçeği de soylu âşığında öfke ve şaşkınlık yaratabilirdi.

Birden oda dayanılmaz derecede boğucu göründü gözüne. Bu sefil sahne, bayat ter, bayat parfüm ve ölüm kokusu dayanılmazdı. Kuşların şarkılarıyla şenlenen bahçelerdeki tertemiz havaya ve biraz gün ışığına çok ihtiyacı vardı. Denize, ufka kadar uzanan o sonsuz maviliğe bakmak istiyordu. Koskoca yeni bir dünya keşfedilmek üzere onu bekliyordu.

Bir böcek pencereye çarptı. Çılgınca vızıldıyor, çıkış yolu arıyordu. Prens kızgın gözlerle böceğe baktı. Altındaki narin altın işlemeli sandalyenin geleceğini tehlikeye atan bir gıcırtıyla yerinden kalktı, Tam'a onu takip etmesini işaret etti.

Altı

Misafir odasında, yüzlerinden utanç ifadesi okunan iki
uşak hemen ayağa fırladılar. Tam sarayın şu nadide
duvarında bir sinek olmanın çok eğlenceli olacağını
düşündü. Biri soylu biri piç olan bu iki oğul acaba
prensin aşk hayatındaki bu son gelişmeleri nasıl de-
ğerlendiriyordu?

Tam durdu. "Majesteleri, müsaadenizle bu iki be-
yefendiye birkaç soru sormak istiyorum."

Prens kaşlarını çattı. Sanki bu istek üzerinde yoğun
tartışmalar gerektiriyormuşçasına, önce Henry'ye
sonra Percy ve sonra tekrar Henry'ye baktı. Tam red-
detmek üzere olduğunu düşünürken, ani bir çıkışla,
"Tabii ki, buyurun. Her şeyi size bırakıyoruz Bay Eil-
dor." Uşaklara dönüp, "Bay Eildor soruşturmasını ta-
mamladığında, salonda bize katılın. Yapılacak işleri-
miz var. Bugün giyeceğiniz üniforma üzerine konuş-
mamız gerek," dedi sert bir şekilde. "Hayat devam et-
meli," şeklindeki, duruma hiç de uygun olmayan yan-
lış felsefeyi yaptıktan sonra kafasını sallayarak oda-
dan çıktı. Tam kalanlara Edinburg'lu bir avukat oldu-
ğunu, prensin o gece yaşanan olayla ilgilenmesini iste-
diğini açıkladı. İkisi de oldukça rahatsız görünüyordu.

Kaşlarını çatarak iyi cilalanmış Hessian botlarına bakıyordu, sanki böyle zarif botların sorunlarına güven verici çözümler bulması gerekiyormuş gibi.

Tam, onları biraz rahatlatmak için, "Oturmaz mısınız beyler?" dedi, hemen yanlarında bulunan masayı işaret etti ve bir sandalye çekip oturdu.

Tam, bu meslek mensuplarını taklit etmeye çalışarak, "Bizim işimiz çok nahoş bir iştir." Nazikçe devam etti, "Her ikiniz de ölüm anında o civarda görev başında olduğunuza göre, bunu sormak zorundayım: Acaba içinizden biri Majesteleri burada yokken odayı başıboş bırakmış olabilir mi?"

Birbirlerine huzursuz bakışlar attılar. Sonra Henry konuşmaya başladı. Yatak odasının kapısı birden açılacakmış da içindeki korkunç şeyleri dışarı fışkırtacakmış gibi bir gözü sürekli yatak odasının kapısındaydı. Tamamıyla soylu babasının taklidi olan boğaz temizleme işleminden sonra fısıltıyla, "Bir ara, çok kısa bir süreliğine, kazaya uğrayan geminin durumuna bakmak için yukarı çıkmıştık," dedi.

"Yukarıdaki pencerelerden manzara müthiştir," dedi Percy, "biz de neler olup bittiğini görmek istedik; bilirsiniz, eğlenceyi kaçırmak istemedik."

Masanın altından gelen iyi isabet ettirilmiş tekme, Percy'yi sözlerinin ne kadar duyarsızca olduğu konusunda uyardı. Henry hemen araya girip, "Öyle bir felaketten sağ kurtulduğunuz için gerçekten çok mutluyuz, bayım," dedi.

Tam, kaderin onu bu en kötüye ait tüm özellikleri taşıyan duruma nasıl getirdiğini düşünerek, kafasını salladı. Yolu yalan ve aldatmacayla dolmuş ve olay içinden çıkılması imkânsız bir hale gelmişti.

Henry'ye "Bir süreliğine buradan ayrıldığınızdan bahsettiniz; daha kesin konuşabilir misiniz, tahminen ne kadar sürmüştür?" diye sordu.

İkisi arasındaki bakışmalar, kaş çatmalar hesaplamalar yaptıklarını gösteriyordu. "Hava önemli hiçbir şey göremeyecek derecede kararıncaya kadar oradaydık," dedi Percy, mutsuz bir ifadeyle, "bilirsiniz, geminin son anlarını yani."

"Anladığımız kadarıyla bahisler yazılıyordu..."

Daha duyarlı olan arkadaşı ona sert bir bakış attı, öksürdü ve "Yarım saat boyunca burada yoktuk, bayım," dedi.

Tam bunu zihnine not etti. "Geri döndüğünüzde Majestelerinin yatak odasında bir terslik olduğuna dair bir ses duydunuz mu?"

"Hayır, bayım, ama zaten genelde hiç ses duyulmaz, evin bu bölümünde duvarlar oldukça kalındır," diyen Percy, prensin aşk hayatıyla ilgili bu ayrıntıların kimseye anlatılmaması gerektiğini işaret eden havaya kalkmış kaşı ve keskin bakışları dizginlemeye çalışıyor fakat başaramıyordu.

"Peki ya koridorda?"

"Orada dört görevli vardır. Onuncu Dragon askerleri tüm gece nöbettedir."

"Pekâlâ, ben onlarla bir konuşayım. Yardımınız için teşekkürler, beyler."

Yüzlerindeki ifade rahatladıklarını gösteriyordu. Kapı büyük bir çeviklikle açıldı. Arkasından onu takip ederlerken Tam'ın içinde bir kuşku vardı. Acaba bu, nahoş bir görüşmeyi bitirmenin verdiği bir rahatlık mıydı yoksa gizledikleri, hayatî önem taşıyan bir gerçek mi vardı?

Henry onu muhafızlara tanıtıp, Edinburg'dan bir avukat olduğunu söylerken, Tam aynada bu iki uşağın yüzlerini gördü. Bu pislik ve günah yuvasında tertemiz, masum ve zararsız görünen yüzleri vardı. Tam'ın hiç kuşkusu yoktu ki, sorduğu soruları ve verecekleri cevabı düşünüp taşınırlarken, zihinleri tonlarca kaygılandırıcı spekülasyon üretiyordu.

Yaşça ondan ufak olamazdılar, ama kendi görüntüsüne bakınca, Tam daha otuzunda yaşlandığını, sanki dünyanın en ağır acıları, insaniyetsizliği ve ahmaklığı kendi omuzlarındaymış gibi çöktüğünü hissetti.

Dikkatlice bastırmaya çalıştıkları meraklarıyla kendisine bakan muhafızlara döndü. Hazır olda durup kibarca sorularını bekleyen bu askerler, sinekkaydı tıraşlı tertemiz genç yüzleri ve kasketleriyle bir çocuğun oyuncak kutusundan fırlamış kurşun askerler gibi duruyorlardı. Tek farkları taşıdıkları silahlarının ani müdahaleye hazır bir şekilde tetikte bekliyor olmasıydı.

"Dün gece Majestelerinin gemi kazasını izlemek için dışarıda bulunduğu sırada bir olay meydana geldi. Kendisi benden olay anında herkesin nerede olduğunu araştırmamı istedi."

Şaşkın ve endişeli bakışmalar oldu. Belli ki ne onlar olayın boyutlarını biliyor ne de Tam onları bu konuda aydınlatacağa benziyordu.

Hareketsiz kaskatı duran askerlerin görüntüsünden gözü korkan Tam oturmalarını istedi.

En yakınında oturana dönüp, "Belki sizinle başlamalıyım, bayım," dedi. Bu Warren adındaki kıdemli subaydı.

"Ben bütün gece buradaydım, bayım. Bu üç arkadaşıma da kefil olabilirim."

Bakışları çok keskindi, arkadaşlarıyla kuşkulu bakış alış verişleri yapmıyordu. Hepsi de son derece dürüst ve doğru sözlü görünüyordu.

Doğruyu söylemek gerekirse, bayım, kâğıt oynuyorduk. Görevde olduğumuz akşamlarda genelde öyle yaparız. Saatler geçmek bilmez ve çok sıkıcıdır.

Arkadaşlarından onaylayan kafa sallamalar geldi.

"Nerede oturursunuz?"

"Şimdi yaptığımız gibi buradaki masada."

Tam masaya baktı. Burada oturanlar krallık dairelerine yaklaşan biri olsa hemen görüp harekete geçebilirdi. Tabii bütün konsantrasyonları kaybettikleri bir ele ya da yüksek miktarda para içeren bir bahsi kaybetmeye kilitlenmemişse.

"Yani gelen giden herkesi görebilirdiniz?"

Warren kafasını salladı. "Evet, kesinlikle, bayım ama genellikle bizden başka kimse olmaz," dedi ve güvenle ekledi. "Zaten aşağıda bir muhafız çemberi var, içeri girmek isteyen birinin önce onların arasından geçmesi gerekir."

Yanında oturan Toby isimli muhafız kafa salladı ve ekledi: "Özellikle Majestelerine suikast girişimlerinden sonra, çok sıkı güvenlik önlemleri alındı, bayım."

Warren'ın zayıf öksürüğü ve uyarı mahiyetindeki dirsek dürtmesiyle, Toby özür diler gibi boğazını temizledi ve sustu.

Tam, "Genelde buralarda kimse olmadığından bahsettiniz..."

Warren yine kafasını salladı. Dün akşam Lort Henry ve Lort Percy gemi kazasını izlemek için yukarı çıktı. Bize emir verdiler, biz de her şeye göz kulak olacağımızı söyledik.

"Saat kaç sularıydı?"

"Dokuzdan önceydi. Zaten sadece yarım saatliğine çıkmışlardı."

"Bu kadar mı? Onlar yokken başka olağan dışı hiçbir şey olmadı mı?"

Birbirlerine baktılar, kafalarını salladılar. "Olağan dışı en ufak bir şey yoktu, bayım," dedi Warren.

"Tabii eğer aşağıdaki arkadaşlardan birinin koridorda dolaşıp şamdanları kontrol etmesini önemli saymazsanız," dedi Toby.

Warren kafasını salladı. "Bazı şikâyetler vardı da."

"Peki, kimdi bu arkadaş?"

Warren kafasını sallayarak, "Bizim çocuklardan biri, üzerinde üniformasının ceketi vardı. Biraz özensiz giyinmişti." Oldukça sert bir şekilde ekledi. "Ne var ki ışık, detayları göremeyecek kadar azdı. Ama bizi tanıyordu, bize adımızla selam verdi, iyi geceler diledi."

"Selamlamayı unuttu, halbuki üstlerini selamlaması gerekirdi," dedi Toby sertçe.

"Bu gibi detayların üstünde pek ısrarcı olmuyoruz," dedi Warren aceleyle lafını kesip, "en azından geceleri. Savaş zamanında değiliz, o kadar resmiyete lüzum yok."

"Bu askerin merdiven tarafından geri döndüğünü gördünüz mü?"

Yine kafalar sallandı. "Her dakika onu izlemiyorduk, bayım. Oyuna dalmıştık, çok önemli bir noktadaydık..."

"Yani denetimini tamamladığını düşündünüz."

"Evet, bayım."

"Gerçekte buradan ayrılıp ayrılmadığını görmeden."

Warren kaşlarını çattı. "Evet, öyle, bayım. Bu önemli mi?"

Aslında önemliydi ama Tam bu şekilde hiçbir yere varamayacaklarını hissetti. Teşekkür edip oradan ayrıldı.

Bu görüşme bazı şeyleri açığa çıkarmıştı ve ilk ipucunu da vermişti. Büyük ihtimalle katil, üstlerini selamlamayı unutan bu askerdi. Bir üniforma ödünç almış, ışıklarla oynayıp şaşırtmaca yapmış ve muhafızların dikkatini başka yöne çekmeyi başarmıştı. Henry ve Percy'nin yokluğundan istifade edip prensin yatak odasına süzülmüş ve markizi öldürmüştü.

Çok cüretkâr ve yüzsüzdü. Cinayeti dikkatle planlayıp zamanlamış, belki bir suç ortağı yardımıyla işlemişti. Bunlar Tam'ın gizli kapıyla ilgili ilk teorilerini çürütüyordu.

Bir an için bunların hepsi makul görünüyordu, ama dikkatli düşününce doldurulması gereken boşluklar ve bir sürü ihtimal dışı şey ortaya çıkıyordu. Ama cinayeti çözmeye yarayacak en önemli anahtar, ufukta bir hayal gibi dolaşıyor, bir türlü açığa çıkmıyordu.

Tam bezmiş bir halde başını salladı. Sırf Pavilion'da markiz gibi esrarengiz ve ahlaksız bir kadının bir an sırtını dönmesi için fırsat kollayan kadın ve erkeklerin uzun bir kuyruk oluşturacağı kesindi. Lewes'deki evlerinde dikkatle hazırlanmış bir mazeretle kandırdığı kocası, marki, bu listede başı çekerdi.

Asıl sorun, bu tanınmayan kişi ya da kişilerin olayı nasıl olup da uşakların gemi kazasını izlediği saate bu kadar güzel denk getirebildiğiydi. Kesinlikle büyük bir şans eseri, yukarıdan gönderilen bir fırsattı bu.

Tam başını salladı ve tekrar cinayetin makul gelen çözümünü düşünmeye koyuldu. Bu, gizli kapıyla ilgiliydi ve cinayetin uşakların burada bulunmadığı bir anda değil prensin beklenen dönüşünden önceki herhangi bir anda gerçekleşmiş olma ihtimali vardı.

Misafir odasına dönmeye hazırlanırken Warren sertçe, "Lort Henry ve Lort Percy'den, Majestelerinden başka bir emir gelmediği sürece soylu odalarına girilmemesi ve hiçbir şeye dokunulmaması konusunda kesin talimat aldık," dedi.

Tam kafasını salladı. "Ben istisnayım sanırım beyler, bu soruşturmayla görevlendirildim, biliyorsunuz."

"Bize daha çok bilgi verebilir misiniz bayım, mesele çok mu ciddi?" diye sordu Toby.

Tam vahim bir şekilde kafasını salladı. "Korkarım emirlere uymalısınız ve ben de ağzınızı sıkı tutmanızı istemek zorundayım. Zamanı gelince yeteri kadar bilgilendirileceğinizden kuşkum yok."

Onlardan ayrılıp aceleyle yatak odasına gitti, gözlerini cesetten uzak tutmaya çalışıyordu. Prens yatağında ölü bir kadın olduğu gerçeğini ne zamana kadar gizli tutabilirdi? Cesetten özenle kurtulmak için planlar yapmış mıydı? Peki ya kadının ailesi ne olacaktı?

Neyse ki, bu hassas konuların hiçbiri kendi sorunu değildi. Aynı prens gibi yaparak süslü bibloya dokundu, gizli kapı kayarak açıldı, dar merdivenler göründü. İçerideki duvarlar ufak deliklerle aydınlanıyordu. Dikkatle bakılırsa bunların havalandırma boşluğu olduğu da düşünülebilirdi.

Tam acaba burası markizin bilinmeyen ziyaretçisi için giriş yolu olmuş muydu ya da katili ışıkları kontrol eden o asker miydi diye düşünürken dik bir inişle, kapalı çıkış kapısına geldi.

Anahtarı çevirince bir dakika sonra kendini parlak yaz güneşi altında buldu. Etrafta asla başka bir kokuyla karıştırmayacağı at kokusu vardı. Bu, taş döşeli yol boyunca kraliyet ahırlarının olduğunu gösteriyordu. İlerde sağlam duvarlara bağlı çift kanatlı Steine'e çıkış kapıları vardı. Kanatlı kapının yanında, yayalar için yapılmış dar kapıdan dışarı çıkınca Pavilion'u çevreleyen geniş düzlükte buldu kendini.

Memnuniyetle gülümsedi. Bu zaman yolculuğunun sonunun nereye varacağıyla ilgili daha açık bir işaret beklerken, etrafını saran doğa güzelliklerinin ve bu muhteşem bahçenin tadını çıkarmak niyetindeydi. Çiçekler, çalılar, karaağaçtan yapılmış süslü çardaklar ve oturakları, üstlerinde yuvarlak çamdan kubbeleri, musiki geceleri, maskeli balolar ve sosyal toplantılar için yapılmış büyük alan...

Hepsi öylesine zarifti ki, normal bir dünyanın ferahlatıcı seslerinin ortasında kulağına çalınan bir müzik gibiydi: Sokak satıcılarının yükselen sesleri, oyun oynayan çocuklar, ağlayan bir bebek, tartışan bir çift, yakından geçen atların tırısları ve arabaların gürültüsü, kafasının üzerinde dönen martıların velveleli çığlıkları ve denizden gelen saf tuz kokusu... İnsanda kapalı alan korkusu yaratan Pavilion'dan ve onun olağan dışı sakinlerinden geçici de olsa kurtulmuş, kendini hemen yanında yaşanan günlük hayatın seslerine bırakmıştı.

Derin bir nefes aldı, hava çok güzeldi. Yanlış bir adımın kendisini bu aldatmaca ve namussuzluk batağında çırpınır hale getireceğini düşünmeden her sözünü, her kelimesini ölçüp tartmak zorunda kalmadan, yalnız başına olmak çok güzeldi.

Ama yalnız değildi. Biri daha onun hissettiklerini hissediyordu. Hiç kurtulamayacak mıydı, sadece bir dakikalığına bile olsa? Ona doğru gelen Lort Henry'yi görünce morali bozuldu. Prensin kahvaltı odasından çıkarken gördüğü cilveleşip sırnaşan, etli butlu, iri göğüslü kız da yanındaydı.

Bir dadı ya da prenses hizmetlisi olan bu kız, şimdi, ona doğru bakıyor, gülümseyerek el sallıyordu. Ne kadar sıkıcı. Eğilip selam verdi.

Bir dakika sonra yüz yüzeydiler ve Tam gördü ki yakından bakıldığında Henry kıza çok benziyordu. Kardeş olabilirdiler –aslında hemen hemen öyleydiler.

Henry onları tanıştırınca Tam utancından yerin dibine geçebilirdi. Çünkü bu itici genç kız majestelerinin kızı, İngiltere'nin gelecekteki kraliçesi, Prenses Charlotte'tu.

Yedi

Tam, Prenses Chorlette'un ilk karşılaşmalarından beri merakla kendisini izlediğini bilseydi bu olayı daha utanç verici bulurdu. Çünkü ilk karşılaşmalarında kızı yüzsüzce samimiyet kurmaya çalışan bir hizmetçi kız sanmıştı.

Prensese gelince, onun ilk işi bu adamın kim olduğunu, böyle mükemmel bir adamın üzerindeki uygunsuz kıyafetlerle her zaman şık insanların bulunduğu salonda, babasıyla kahvaltıda ne işi olduğunu öğrenmek olmuştu.

Cevapları almak için her zamanki gibi Lort Henry'yi bulmuştu. Üvey kardeşiyle her zaman iyi arkadaş olmuşlardı. Henry babasına onun hiçbir zaman olmadığı kadar yakındı. O da Henry'nin yolunu kesip bu gizemli yabancı hakkında konuşturmayı başarmıştı.

Soylu Stuart gemisinden kurtulan tek insan olduğunu öğrenince, gözleri kendinden geçmişçesine kapanmıştı. Bu ne romantizm sağanağıydı! Hangi kız kalbini böyle cesur, tanrısal bir yaratığa kaptırmazdı ki?

Ne planlıyordu, Brighton'da ne zamana kadar kalacaktı? Henry bunların cevabını bilemezdi.

Üstelik ne yazık ki bir de dadısı, Leydi Clifford'un varlığına da katlanmak zorundaydı. Bu kadın hiç vazgeçmeyen, fazladan bir uzuv gibi ona yapışıp kalan bir kadındı.

Himayesindeki soylu kızı gözden kaçırmamaya kararlı olan Leydi Clifford işini gerçekten hayranlık uyandıracak bir başarıyla sürdürüyor, gerektiğinde arka planda yok oluyor ve kendisini görünmez kılabiliyordu. Gün geçtikçe sağırlığı artsa da, Charlotte'un işitme mesafesinin dışında kalması asla büyük bir sorun değildi. Harikulade bir hafızaya sahip olduğu için hiçbir olay önemsiz görülecek kadar küçük değildi.

Uzun yıllar saray hayatının içindeydi ve Charlotte'un tehlikeli yaşlarda olduğunu biliyordu. Olası romantik ilişkilere karşı aşırı hassas olduğu bir dönemdeydi. Ne yazık ki, gün geçtikçe daha da açığa çıkan bir şey vardı. Charlotte'un sadece fiziksel özellikleri değil şehevî eğilimleri de babasına çekmişti. Bu kötü eğilim, dadının bir atmaca kadar uyanık olmasını gerektiriyordu. Prenses çoktan soylu ailelere özgü âdetlere ve protokole kayıtsız olduğu sinyallerini vermeye başlamıştı.

Bazen Leydi Clifford gecenin bir yarısı kâbuslar görerek uyanıyordu. Ya prenses onun gözetimi altındayken bir iki saatliğine tasmasından kurtulur da –(yutkundu) hamile kalırsa, ne yapardı?

Prensesin Henry'yi tutup patikadan nasıl koşturduğunu, bu yakışıklı adamla muhabbet kurmak için onu nasıl zorladığını ve gözlerinde yanan ateşi görmüştü. Selam verişini derinden süzerken, titriyordu. Geleceğin İngiltere kraliçesi geçmişin İngiltere krallarının soylu piçlerini yasallaştırmak için kullandıkları yöntemleri takip edemezdi.

"Ah, Bay Eildor," dedi Charlotte, önce kendisi konuştu diye çok heyecanlanmıştı, nefes nefeseydi. "Bir gezinti için ne kadar güzel bir gün, değil mi?"

Tam kibarca gülümseyerek, içinden gerçekten çok güzel, umut verici bir gün olduğunu düşündü ama onlar gelene kadar öyleydi. Prenses ve Lort Henry'nin arkasında, uygun bir mesafeden onları takip eden siyahlara bürünmüş, orta yaşlı kadın, koruma içgüdüsüyle öne doğru adım attı.

"Dadım Leydi Clifford," dedi Charlotte. "Şimdi bizi yalnız bırakabilirsin, Henry." Elinin defedici hareketi soylu babasının tam bir kopyasıydı. Onu sadece babasından almış olabilirdi.

Henry onları selamladı, rahatlamış bir ifadeyle topuklarının üzerinde dönüp Pavilion'a doğru giden yola koyuldu.

Prenses Tam'a rahatsız edici şekilde parmak sallarken, dadı Tam'ı soğuk bir şekilde selamladı.

"Bay Eildor, Edinburg'dan bir avukat," dedi Charlotte, bütün dişlerini göstererek gülüyordu. "Biz... biz hakkınızdaki... her şeyi... öğrendik Bay Eildor. Henry bize... dün... dün akşam... batan gemide... bir... bir yolcu olduğunuzu söyledi. Tek kurtulan sizmişsiniz... ne büyük şans." Bütün bu konuşma kekelemenin engellediği tiz bir sesle yapılmıştı, bu arada Leydi Clifford'un tarafına bakıp cesaretlendirici yorumlar almayı da ihmal etmiyordu. Ama dadı, Tam'a çok sert bakıyordu.

"Büyük şans gerçekten. Gemi battı ve anladığımız kadarıyla sizden başka kurtulan da olmadı," dedi kasvetli görünümüyle tam bir uyum içinde olan kasvetli sesiyle.

Tam onu kibarca selamladı, bunun konuşmanın sonu olmasını umut ediyordu. Kaçması yakındı ve bu sıkıcı sohbet hiç de hatırlanmamak üzere yerin dibine batabilirdi.

Ama Charlotte'un böyle bir niyeti yoktu. Tam'a dikilen soylu gözler onu rahatsız edici bir şekilde gıdım gıdım inceleyip özümsüyordu. Bu çok sinir bozucuydu, parlak gözleriyle merakla ona bakmaya devam ediyor, sürekli kalın kırmızı dudaklarını yalıyor –ki bu çok sinir bozucu bir alışkanlıktı– mikroskop altında çok garip ve egzotik bir böceği inceleyen biri gibi davranıyordu.

Birden heyecanlandı. "Şalımızı ve kitabımızı bulur musun? Asil babamızın zaafı olan en son sanat eserlerine bakarken oralarda bir yerlerde bıraktık onları."

Dadısına hitap ediyor olmasına rağmen bakışlarını bir an olsun Tam'ın üzerinden çekmiyordu. Sanki çektiği anda kaçıp gidecekti.

İçini çekerek Leydi Clifford'un bahçenin içinden geçip aceleyle uzaklaşışını izledi. Yüzündeki memnuniyet ifadesini saklayamadığı gibi başka bir koca gülümsemeyle de Tam'ın onayını bekliyordu. Bunu inandırıcı bir ürperti takip etti. Çıplak kollarını ovalıyor, hareketleri izleyene beyaz muslin[2] kumaştan yapılma topuklara kadar inen elbiselerin ve gündüz vakti bile aşırı dekolte modasının hiç hoş olmadığını, genç olsalar bile koca göğüslü kızlara hiç yakışmadığını hatırlatıyordu. İmparatorluğun kökleri Fransa'ya kadar dayanıyordu ve Tam'a garip gelen bir şey vardı. Bütün kadın elbiseleri sanki sonsuz yazları olan tropikal

2 Ç.N. Parlak kumaş.

iklime göre tasarlanmıştı, hâlbuki İngiltere'de havaya güvenilmezdi, çok uzun ve sert geçen kışları vardı. Ama doğru, şallar çok mühim aksesuarlardı, genç kızların modasında zarafet simgesiydi.

"Brighton'da bir süre kalacak mısınız, Bay Eildor," diye sordu.

Tam bunun cevabını kendi de bilmediği için gülümsedi, "Planlarımı gerçekleştirene kadar, Prenses Hazretleri."

Charlotte kıkırdadı, tombul eliyle Tam'ın kolunu okşamaya başladı. Tam ödünç aldığı gömleğin altında elinin sıcaklığını hissedebiliyordu.

"Lütfen... lütfen... bana Charlotte deyin, eğer isterseniz."

Tam'ın böyle bir isteği yoktu. Tam soylu biriyle böyle bir yakınlık kurmaktan kuşkusuz büyük utanç duyuyordu ama Charlotte bunu çok geç anladı.

Çok hızlı gittiğini fark edip elini çekti, elini çekerken bakışları daha dikkatli hale geliyor, gözlerinin derinliklerine doğru miyopik bir bakış halini alıyordu. Nefesi Tam'ın yüzüne dokunuyordu, güldü.

Böyle genç bir kızda derin, boğazdan ve oldukça kaba bir gülmeydi bu. On dört, on beş yaşlarındaydı. Tam belki ahlakî gevşekliğin aşikâr olduğu asil malikânelerde kızlar daha çabuk olgunlaşıyordur diye düşündü. Bu sırada aklına asil yatak odasında gördüğü manzara geldi, bastırılmış bir iniltiyle kızın şunları söylediğini duydu:

"Birbirimizi daha yakından tanıdığımızda..." duraksadı, "arkadaşlarınız size nasıl seslenir, Bay Eildor?"

"Adım Tam," deyip başını eğdi.

"Tam mı? Neden, ne ilginç bir isim. İskoç ismi, değil mi? Aksanınızdan..."

Tam onaylar gibi kafasını salladı. Hiç değilse üzerinde anlaşacakları güvenli bir konu bulmuşlardı.

"Gemi battığında, nereye gidiyordunuz?"

"Londra'ya Prenses Hazretleri."

"Lütfen... lütfen... illa da söyleyecekseniz şimdilik Prenses yeterli olur," diye ekledi solgun göz kapaklarını kırpıştırarak.

"Pekâlâ, Prenses." Tam isteksizce cevapladı.

Kısa bir duraksamadan sonra, "Londra'yı çok iyi bilirim. Benim evim... annem Carlton Malikânesi'nde yaşar. Bu... bu sadece bir ziyaret... babama. Birbirimizi çok sık görmeyiz."

Tam kızın üzüntüsünü, yalnız ve içerlemiş olduğunu gözden kaçırmadı.

"Londra'da arkadaşlarınız var mı? Belki ortak ar..."

"Sadece resmî işlerim var... o kadar," dedi Tam, o umut dolu teklifi geri çevirerek.

Charlotte, daha fazla bilgi vermesini bekleyerek gülümsedi. Vermeyeceğini anlayınca, başını bir tarafa eğip nazlanarak, "Eşiniz... Edinburg'da sizi çok özleyecek?"

Tam uygun bir cevap düşünürken, Charlotte devam etti, "Eşiniz ve aileniz gemi kazasından kurtulduğunuz için çok mutlu olmalı."

Bu asil terbiyesizin özel hayatını bu şekilde kurcalamasından dolayı dudakları seğiren Tam, kafasını salladı.

2250 yılındaki hayat şartları rüya gibiydi. Zaman yolculuğu bile yapılabiliyordu. Ama evlilik artık eski çağlardaki gibi değildi.

Kadın ve erkek, erkek ve erkek, kadın ve kadın şeklindeki çiftler ayrılmak istedikleri zamana kadar birlikte oluyorlardı. Tabii bir ilişkinin ömür boyu sürmesi de olası, isterlerse çocuk ve sonra da torun sahibi olabilirlerdi. Katı ve sıkı kurallar yok, sadece her insanın kalbi ve onun istekleri önemliydi.

"Benim eşim yok," demesiyle bu otomatik cevaptan pişmanlık duyması bir oldu. Ama şu anda hangi kategoride olduğuyla ilgili detayları da veremezdi açıkçası.

Prensesin gözleri öyle bir parladı ki.

Kahretsin, dedi Tam içinden. Bu bir hataydı. Sığınabileceği limanı elleriyle yıkmıştı –ya da sahne arkasındaki bir eşin varlığı bir şey değiştirir miydi? Belki onu daha çok arzulanır hale getirir, olay, bir meydan okuma şeklini alırdı. Tam evlilik sözleşmelerinin geçici olarak terk ettiği dünyada olduğu gibi asil evlerde de pek önem taşımadığını görmüştü. Burada, evlilikler sadece ülkesel ya da sosyal amaçlarla yapılıyordu. "Bir vâris, bir de yedek" kurallarıydı.

"Bana İskoçya'dan bahsedin," dedi Charlotte. "Taç giyme törenimizden sonra hemen Edinburg'u ziyaret etme niyetindeyiz."

Tam ona keskin bir bakış attı. Büyük babası deli Kral III. George'un ölümü yakındı ama belli ki Charlotte babasının daha uzun süre tahtı işgal edeceğini düşünmüyor ya da ummuyordu.

"Sadık halkım yeni kraliçelerini görmek isteyecektir. Biz de onları bağlılıklarından ötürü ödüllendirmek isteriz. Edinburg Kalesi'nin kötü durumda olduğunu ve Holyroodhouse Sarayı'nın ondan da beter olduğunu duyduk. Anladığımız kadarıyla," ürkek bir fısıltıyla devam etti, "atalarımızdan biri, Kraliçe Mary, kocasını orada öldürmüş."

Tam kuşkusuz İngiliz okullarında öğretilen, İskoç tarihiyle ilgili bu yanlış bilgiyi düzeltemeden dadının elinde bir şal ve iki büyük kitapla hızlıca onlara yaklaştığını, tam karşı taraftan da Beau Brummell'in yavaşça geldiğini gördü.

Tam, Beau Brummell'in ilk karşılaşmalarındakine nazaran şimdi daha şık giyindiğini, tuvaletine daha büyük özen gösterdiğini fark etti. Rahatsız olduğunu belli eden bir yüz ifadesiyle ona bakan prensesi selamladıktan sonra, Tam'a dönerek:

"Ah Bay Eildor, sizi tekrar görmek ne büyük mutluluk; ben de tekrar karşılaşmayı ve ilginç sohbetimize devam etmeyi umuyordum."

Tam selamladı. Leydi Clifford'un Charlotte'un kolunu sıkıca tutuşu gitmeleri gerektiğini gösteriyordu. Ama hem dadısını hem de yeni gelen misafiri görmezden gelen Charlotte Tam'a dönerek:

"Şuradaki, halk kütüphanesine gidiyoruz, Bay Eildor," dedi, parkın ilerisinde sahile yakın bir yeri işaret ederek. "Lütfen boş olduğunuz bir vakit bize katılın."

Charlotte, gülümsemeyi başardı ama isyanlardaydı. Brummell'i öldüresi gelmişti. Tam'la sohbetleri yarıda kesildiği için çok kızgındı ve öfkesini Brummell'den mi, dadısından mı yoksa her ikisinden mi çıkarsın, bilmiyordu.

Brummell'in duyulabilir bir şekilde rahat bir nefes alması ve kibar selamındaki soğukluk, ikisi arasında karşılıklı bir nefretin varlığını açıkça gösteriyordu.

Tam'a gelince, gidişlerini seyrederken kendini kapana kısılmış hissediyordu. Aynı zamanda bir prensesin neden kitap ödünç almaya ihtiyacı olacağını, Brummell'in merakının mı yoksa prensesin cilvelenmesinin mi onu daha çok tehlikeye atacağını merak ediyordu.

"Kütüphane, değil mi, doğru mu duydum?"

Brummell güldü. "Kütüphane mi dedi? Düşüncelerinizi tercüme etmeme izin verin, sevgili arkadaşım. Saray kütüphanesinde Londra'nın büyük bir kısmının okuma ihtiyacını karşılayacak kadar kitap varken, Prenses Hazretlerinin neden değiş tokuş yapan bir halk kütüphanesini tercih ettiğini merak ediyorsunuz, değil mi?"

Durdu. "Yürüyelim mi?"

Bu, Tam'ın dışarıdan Steine'den, dramatik ve biraz da garip olan Marine Pavilion'u ilk görüşüydü. Orijinali daha geleneksel bir ikametgâh olan kiralık bir çiftlik eviydi, ona sonradan eklenen iki oval kanadıyla Pavilion'un gerçekten garip bir görüntüsü vardı.

Artık uygun bir bahane bulup kaçmak imkânsızdı. Çünkü Brummell konuşmaya devam ediyordu. "Halk kütüphanemizin kitaplardan başka çekicilikleri de vardır. Orada oyun masaları bulunur ve yüksek sosyetenin uğrak yerlerindendir. Üyelik defterine adını yazmak Brighton sosyetesine giriş pasaportudur. Seremoni başkanın ziyaretçi defteri, yeni gelenlerin şehirde kimler olduğunu öğrenmek için ilk başvurduğu kaynaktır.

Oraya giderken size eşlik etmeme izin verin, sevgili arkadaşım, belki biraz sonra. Bu arada kuzey tarafında ufak ve mütevazı bir evim var, ama şiddetli bir tazelenme ihtiyacı içindeyim ve sizin de öyle olduğunuzu düşünüyorum. Gelin Eski Gemi Hanı'na gidelim.

Tam'ın aklı bu daveti geri çevirmek için bir bahane bulmakta inat etmekte yetersiz kalıyordu. Bu sırada Brummell onu Steine'nin önünden geçen yoldan, daha az sıkışık binaların olduğu yere doğru götürüyordu. Evler, tavernalar, market ve dükkânlar, günlük ekmekleri ve işleri kraliyet ailesine yakınlıklarına göre değişen insanların yaşadığı yerler ve bunların yanında böyle bir durumun sağladığı avantajlarla geçinen küçük suçlu ve hırsızlar.

Yürürlerken, yanındaki arkadaşının görüntüsünün yürüdükleri dar yol şeridinde yarattığı hareketlilik Tam'ın komiğine gidiyordu. Bayanlar selam verip kıkırdayarak yelpazelerini heyecanla sallarken, erkekler onu ciddiyetle selamlıyordu.

Eski Gemi'nin içi temellerinin Prens George'dan, hatta Dr. Russell'ın suyun yapıcı gücünü, yararlı etkilerini keşfedip bu mütevazı balıkçı kasabasını potansiyel bir sağlık kaplıcası haline getirmesinden de önce atıldığı izlenimini veriyordu.

Bir sürü karanlık köşe vardı, gizli buluşmalar için ve vergiye tabi eşyaları kıtadan yasa dışı ve oldukça kazançlı bir alışverişle getiren kaçakçılar için de çok sık uğradıkları bir sığınaktı. Bu asil züppe belli ki önemli, çok sevilen ve saygı gören biriydi ve bu sadece gösterişli kıyafetlerinden ya da üstüne oturan rahat ve sıcacık pantolonundan kaynaklanmıyordu. Bu durum prensin şişman vücuduna batan bir diken gibi olmalıydı. Çünkü Brummell onun için ciddi bir rakipti ve onun ününü tehlikeye atıyordu. Yıllardır süregelen nefse düşkünlüğüyle oluşan o koca gövde içinde kapana sıkışmış gibiydi ve artık Brummell'in zarafeti hayran olduğu bir şey değildi.

Koltuklarına otururlarken Tam Brummell'in boyun bağının ayrıntılarını inceliyordu. Bu yüksek sosyetede "elzem" hale gelmiş bir modaydı. Gömleğinin yakalarını yukarı kaldırmış, iki ucu yanağına yaslanıyor, onun altında kravat tarzındaki boyun bağı sallanıyordu. Bazı giyimine düşkün züppelerin bütün sabahı kravatlarını ayarlamaya çalışarak geçirdikleri söyleniyordu. Daha mutlu günlerinde genç Galler Prensi de Brummell'in en zeki, çabuk kavrayan ve hevesli öğrencisiydi.

Bu modaya boyun eğmişlik içinde rahatlıktan pek söz edilemezdi. Böyle boyun bağları kafayı çevirmeyi ya da yukarı kaldırmayı tamamen imkânsız hale getirmese de bayağı engelliyordu ve bu da züppenin zaten ortada olan ağırbaşlılık ve kibarlığını daha da artırıyordu.

Brummell hanın sahibi tarafından oldukça sıcak karşılandı. Brummell ünlü ve saygıdeğer bir müşteriydi ve ona bir miktar resmiyetle yaklaşmak gerekiyordu. Hiçbir söz söylenmeden, bir sürahi mükemmel Fransız şarabı –ki büyük ihtimalle kaçaktı– ve iki kristal kadeh önlerine konmuştu. Bunun arkasından ağız sulandıran kokusuyla buharı tüten koyun eti dilimleri geldi ve Tam Brummell'in mütevazı bir öğün olarak tanımladığı yemeğe ikinci bir davet beklemeden girişti.

"Gerçekten çok mütevazı, ama kraliyet masasındaki ağır yemeklerden sonra insanın midesine ferahlık gibi geliyor bu. Bazen on altı çeşit kadar oluyor, dostum, gerçekten büyük bir deneme." İçini çekti, dantelli zarif mendiliyle ekmek kırıntılarını bir tarafa süpürdükten sonra okuma gözlüğünü bir kez daha takıp, "Bana kendinizden bahsedin, Bay Eildor. Londra'da gideceğiniz yeri çok merak ediyorum. Orada bir evim var ve sizi misafir olarak ağırlamaktan mutluluk duyarım. Hatta ortak tanıdıklarımız bile çıkabilir," dedi.

Tam'ın belirsiz kafa sallaması bundan şüpheli olduğunu gösteriyordu. Beau devam etti. "Ama, isterseniz bana İskoçya'dan bahsedin ve Edinburg'dan. Sizi buraya, güney sahillerimize hangi iş getirdi acaba?"

Tam bunu hiç istemezdi ama bu adamı kandırmaya da çalışamazdı çünkü yorgun görüntüsüne rağmen bu adam sandığından daha zekiydi.

Neyse ki yardım imdadına yetişti. Kapı açıldı ve Onuncu Dragon üniformalı bir asker içeri girdi. Etrafına bakındı, büyük bir ciddiyetle hancıyla konuştu ve o da Tam ve Brummell'i işaret etti.

Yanlarına geldi ve selamladı, "Bay Eildor, Majesteleri derhal benimle birlikte Pavilion'a dönmenizi istiyor."

Brummell sinirlenmişti. Sohbetlerinin yarıda kesilmesinden büyük rahatsızlık duymuştu ama bir asilin emri karşısında yapabileceği hiçbir şey yoktu.

Sekiz

Galler'in yirmi birinci prensi ve tahtın vârisi George Augustus Frederick, yani kral vekili prens aslında çok mutsuz bir adamdı. Yatağında bir başkası farkına varmadan kurtulması gereken bir kadın cesedinin yatmaya devam ettiği gerçeğiyle yüzleşmekten korkarak, dairesinin misafir odasında öylece oturuyordu.

Ağlamıyordu, duygusal pişmanlıklar da geçmiyordu aklından çünkü sadece yirmi dört saat önce umutsuz bir aşkın pençesindeymişçesine büyük bir yakınlık içinde olduğu kadın artık insanlıktan çıkmış bir yaratıktı. Ölüm onu bir baş belası, şeytanî ve baş edilemez sorunlar yaratan bir can sıkıntısı haline getirmişti. Bu sorunlar genelde donuk olan zihnini zorluyordu.

Yanındaki güvenilir uşak Lort Henry sessizce hizmetçilerin yatak odasına girmelerine izin verilmemesinden dolayı büyük bir merak içinde olduklarını bildirdi.

"Bırak, meraktan ölsünler," diye gürledi prens.

"Efendim, günlük vazifelerini yerine getirmek istiyorlar, sizin yıkanmanız, yatak çarşaflarının değiştirilmesi, ateşin yakılması vesaire gibi."

Henry çabucak bir şeyler yapılması gerektiği kanaatindeydi. Saatler sıkıntı ve kaygı içinde geçerken prensin tıraş olması da gerekiyordu. Henry ona endişeyle baktı. Aklında kraliyet berberini misafir odasına getirmek ve prensin günlük alışılmış şekilde, sıcak havlular ve her zamanki lüks içinde tıraş olamayacak kadar acelesi olduğu bahanesini uydurmak gibi parlak bir fikir vardı.

Henry her zaman parlak fikirlerle doluydu. Soylu bir piç olduğunun farkına vardığı on dört yaşından beri tüm hikâyesi bundan ibaretti. Bu talihsiz etiket yüzünden prensi hor görmek ya da ondan nefret etmek yerine, idolüne bağımlı hale gelmişti.

Dilden dile dolaşan bir söylentiye göre, annesi bir aktristi ve prensin sayısız ilk aşklarından biriydi. Prense olan benzerliğinin tadını çıkaran Henry'nin mutlu kraliyet çemberi içinde kalmaktan başka yapabileceği bir şey yoktu. Özellikle de Bayan Fitzherbert'in yıllardır süren sevgi dolu tavırları ve ilgisi ailesini daha tehlikeli bir sır haline getiriyorken bundan başka bir şey yapamazdı.

Büyük adam olduğundan beri birden fazla olayda asil babasının suçsuzluğunu kanıtlamaya yardım etmiş, soylu eşlerini prensle zina yapmaktan kurtardığı soylu kocaların öfkesine de katlanmak zorunda kalmıştı. Soylu yataktaki ölü metres olayı çok farklı bir olaydı.

"Ahırlara mesajımızı ilettiniz mi? Güzel bir yarışı kaçırmak çok üzücü ama böyle bir durumda buradan nasıl ayrılabiliriz? Kapana kısıldık... kendi evimizde kapana kısıldık, Henry. Şimdi ne yapacağız?" diye inledi prens, "Bu böyle belirsizlik içinde devam edemez."

Öylesine doğru ve aşikârdı ki bu... Henry belirsizlik lafına karşı çok duyarlıydı. Sıcak bir ağustos günündeydiler ve ceset daha fazla bekleyemezdi. Sineklerin çoktan kapının önünde vızıldamaya başladığını düşünüyor ve bir yandan da prensin kulaklarının ve koku alma hissinin kendisininki gibi farkı ayırt edebilecek kadar keskin olmaması için dua ediyordu.

Ahırdaki görevlilere, majestelerinin kendi atı Orbis'i yarış takviminin en önemli olaylarından biri olan Whitehawk'daki yarışı izleme planını üzülerek iptal etmek zorunda kaldığını bildirip dönerken, Charlotte'la karşılaştı. Charlotte kahvaltı odasından ayrılırken gördüğü ve o andan beri düşüncelerini işgal eden genç adamla ilgili detayları babasının Henry'ye anlatmış olabileceğini umarak Henry'yi yakaladı.

Henry anlayışlıydı. O ve Charlotte yıllar boyu bir sürü masum sırrı paylaşmıştı. Büyük erkek kardeş olgunluğuyla Henry onun yaşlarındaki genç kızların kendilerinden büyük erkeklere âşık olduklarını sandıklarını biliyor ve Charlotte'un bu yeni gelen adama duyduğu arzulu ilgiyi iyi niyetle karşılıyordu. Tam Eildor sadece oradan geçen, Pavilion'da uzun süre kalmayacak bir yolcu olduğu için Charlotte'u bu hevesinde biraz şımartmanın ve Edinburg'lu avukatla ilgili sahip olduğu ufak tefek bilgiyi onunla paylaşmanın bir zararı olmayacağını düşünüyordu.

"Şimdi ne yapacağız?" diye tekrarladı prens.

Henry biraz bekledikten sonra saygıyla, "Ben bir şey düşündüm, efendim..."

"Sahi mi? Hemen anlat, hemen!"

"Tabii, efendim. Bu işe yarayabilir. Percy hemen Lewes'e gidip hanımın hizmetçisini getirir, bir de uygun kıyafet tabii," diye ekledi, çünkü Leydi Sarah'nın yakınlardaki dairesinden aceleyle sıvışıp gizli kapıdan geçerek soylu yatak odasına giderken sadece kürklü pelerinini giydiğini biliyordu.

"İmkânsız Henry, ona nasıl güvenebiliriz?"

"Efendim, lütfen sonunu dinleyin. Hizmetçi kız Simone... ıhh... Percy ile bir yakınlığı var. Onun için her şeyi yapar. Anladığım kadarıyla kızın hanımından pek bir beklentisi yokmuş, sadece onun emirlerine itaat eder ve öyle yapması için iyi para aldığından dolayı çenesini sıkı tutarmış.

"Sonra?" diye sordu, prens, çünkü sabrı azalıyordu. Tabii ki Percy ölü markizi görmüştü ama ona güvenebilirler miydi? Babası zamansız ölümüne kadar güvenilir ve sadık bir uşak olmuştu ama Percy'nin kendine ait görüşleri vardı. Henry'nin aksine, o evliydi, bir ailesi vardı ve karısına sadık değildi. Hiçbir zaman prensin kendi oğluna olan sevgisini paylaşmayı ummamış, bunun için ona kızmamıştı.

"Efendim, Simone'a iyi para vermeniz sizin yararınıza olur," dedi Henry ısrarla.

Prens iç çekti. "Ona güvenebileceğimizden eminsen, pekâlâ, görelim bakalım."

Henry çekildi, kısa bir süre sonra geri döndü. Başka çareleri olmadığı için düşündükleri bu planın prens tarafından kabul edileceğinden emindi ve bir saat önce ahırdaki en hızlı atla Percy'yi göndermişti bile.

İzin istemeden, inleyerek dudaklarını kemiren, hıçkırıkla karışık derin nefesler alan prensin tam karşısına oturdu.

"Plan şöyle efendim: Sarah'yı bir sandalyeye oturtup gizli merdivenden kaçırabiliriz, bahçeden geçer..."

"Nasıl, nasıl?" diye lafını kesti prens. O duvarın içinden geçerlerken neler olacağı, sadece sıcak bir günün ölünün sertleşmesini önleyeceği ve o dik merdivenden bir cesedi nasıl geçirecekleri gibi karışık konuların belli belirsiz farkındaydı.

Henry gülümsedi. "Bir halı yardımıyla çok kolay halledeceğiz efendim," dedi Henry ayaklarının altındaki kıymetli Pers halısına vurarak.

Prensin gözleri fal taşı gibi açıldı. "Onu bu halıya mı saracağız?" Bu ziyaretlerine gelen yüksek mevkilerden bir kimsenin hediyesiydi ve renkleri yeterince etkileyici olmadığı için misafir odasına sürgün edilmişti.

"Kesinlikle öyle, efendim. Onu bahçeden geçirip kapalı bir arabayla Creeve Malikânesi'ne götüreceğiz. Akşamki maskeli balo esnasında Simone onu bahçede, yanında kalp krizi kurbanı olduğunu gösteren bir bardak keyif verici alkolle bulacak."

İlk defa prens rahatlamıştı. Yüzündeki kaslar tedirginlikten dolayı o kadar gerilmişti ki gülebilmesi büyük başarı olurdu. Öne eğilip Henry'nin dizini sıvazladı. "Jüpiter aşkına Henry, sen mükemmel bir dostsun! Eşsizsin. Aferin, gerçekten aferin sana."

Berber içeri alındı. Prensi uzman dikkatiyle tıraş edip dışarı çıkarken Henry'ye teselli verir gibi, "Percy hizmetçi kızla birlikte birazdan burada olur," dedi.

Ama bu olmadı. Percy, Simone'u bulamamıştı. Hanımının yokluğundan faydalanıp bir akrabasını, diğer hizmetçilere söylediğine göre halasını ziyarete gitmişti. Percy kuşkuyla bunun bir aşk kaçamağı olabileceğini düşündü. Çünkü bu halanın nerede yaşadığını bilen yoktu. Çok kızmıştı Percy.

Prense gelince, o da çok kızgındı ve bir kez daha umutsuzluğa gömülmüştü. Percy'nin en hızlı atla bile olsa, Lewes'e bu kadar kısa zamanda nasıl gidip gelebildiğini bile sormuyordu.

Halı hayat kurtarıcılarıydı. Hizmetçi kızın hanımını bahçede bulması da mükemmel bir fikirdi. Tıraş olurken kocası markiye ve âşığı olan kardeşi Frederick'e yazacağı başsağlığı mektuplarını bile düşünmüştü. Şimdi bütün planları suya düşmüş, ellerinde ölü bir kadınla tekrar en başa dönmüşlerdi. Hiç istemeseler de hâlâ prensin yatağında yatıyordu.

Percy Henry'nin önerisiyle oraya gitmiş, Simone'un sadakatsizliğine kızmış, bu oyundaki rolü de böylece sona ermişti.

"Şimdi ne yapacağız?" diye feryat etti prens. "Her şeyi kaybettik Henry, her şeyi!"

"Tam olarak değil, efendim. Halımız hâlâ var. Arabayı ben süreceğim, böylesi daha güvenli. Planı ne kadar az kişi bilirse o kadar iyi olur."

"Percy ne olacak, arabayı o süremez mi?"

Henry kafasını salladı. "Hayır, efendim. Bunu tavsiye etmem. Creeve Malikânesi'ne sürekli giden biri olduğu için hizmetçiler onu tanıyabilir. Beni tanımıyorlar. Zaten başıma gözlerime kadar inen bir şapka takacağım ve ağzıma da bir atkı sarcağım."

Prens ona baktı, bu rolün verdiği heyacanın tadını çıkarıyordu. Prensten onay gelince Henry devam etti.

"Ama bir sorunumuz var. Hizmetçi kız yok ve herhangi bir kaza olasılığına karşı arabada birinin daha bulunması gerekiyor. Creeve Malikânesi'nde onu arabadan indirirken ve birileri bulsun diye bırakacağımız bahçeye götürürken yardım edecek birine ihtiyacımız var."

Bunlar aslında umutsuz tedbirlerdi. Henry kendini düşünmüyordu. Maskeli baloda markiz kürklü pelerini hariç çıplak bir şekilde bahçede ölü bulunduğunda doğal olarak ortaya çıkacak sorulara prensin dikkatini çekmemeye çalışıyordu.

Bunlara bir açıklama getirmek büyük bir hayal gücü marifeti gerektiriyordu ama neyse ki markiz garip huylarıyla tanınan biriydi ve bu da onlardan biri olarak görülebilirdi.

Prense gelince, markiz bir kere Pavilion'dan çıkarıldı mı gerisi onu ilgilendirmiyordu. Ancak kendi topraklarında ölü bulunduğu haberini alınca rahat bir nefes alabilirdi.

İkisi de Percy dışında, tüm olayları bilen ve güvenilir birini düşünmeye koyulunca Henry, "Bence Bay Eildor bunu isteyebilir," dedi.

"Mükemmel, harikulade Henry, tam on ikideñ vurdun. Bay Eildor mükemmel bir seçim. Küçük bir hediye ve iş başarıyla tamamlanınca, Londra'ya gidişini hızlandıracak yüklü miktar paraya ne dersin? Bu onu son görüşümüz olur zaten." Sevinçle devam etti, "O gemiden kurtulması ve bize böyle yardımı dokunacağı bir anda burada bulunması ne büyük şans! Mükemmel Henry, gerçekten harikulade."

Markizi kimin öldürdüğünü bulmak gibi konular artık prensin zihnine sıkıntı vermiyordu. Öylesine rahatlamıştı ki, neredeyse mutluluktan gözyaşlarına boğulacaktı. Henry hemen asil efendinin huzuruna getirilmek üzere Tam Eildor'u bulmaya gitti.

Ama umulmadık bir zorluk çıkmıştı. Bay Eildor ona tahsis edilen odada yoktu. En son bahçede Prenses Charlotte'la konuşurken ve sonra da Beau Brummell'le Steine Malikânesi civarında yürürken görülmüştü.

Bütün neşesi kaçan prens işine bu kadar yarayacak Bay Eildor'un nefret ettiği iki insanın eline düştüğü düşüncesiyle öfkeden deliye döndü. Biri can sıkıcı kızı, diğeri aslında içten içe korktuğu adam, Brummell'di.

"Hemen bulun onu!"

Dokuz

Tam bulunup huzura getirildi, hassas konu kendisine anlatıldı, teşvik olarak kendisine verilecek paradan bahsedildi ve prens merakla cevabını beklemeye koyuldu.

Bu konu Tam'ın umurunda değildi. Bu ne hayal kırıcı bir sondu! Bu cinayeti aydınlatma şansını yakalamayı umuyordu. Ama bunun yerine zaman yolculuğu öldürülmüş bir kadını arabayla evine götürmeye eşlik etmekle sonuçlanacaktı. Tabii olay orada son bulursa.

Birden kendi zamanına nasıl döneceği geldi aklına. Ancak 1811'de Brighton yakınlarında güneydoğu sahillerinde demir atmış suçlu gemisinden, tam olarak aynı noktadan geri dönebilirdi. O gemiyi tekrar nasıl bulacağı büyük bir sorundu ve çözümü bulmak için sadece kendi zekâsını kullanmak yetmezdi, kendisine teklif edilen paranın da büyük rolü olacaktı.

"Yapacaksınız değil mi Bay Eildor? Ah, mükemmel, mükemmel," dedi prens sevinçle.

Her şey ayarlanmıştı. Majesteleri gut hastalığı nüksettiğinden maskeli baloya katılamayacağı için duyduğu büyük üzüntüyü bildirmek üzere bir haberci gönderdi. Tam, odasına dönüp çağrılmayı beklemeye koyuldu. Bu arada da kendisi için getirilen güzel kıyafetleri inceledi.

Anmaya değer olmasa da maske giymeleri, Creeve Malikânesi'ne soru sorulmadan kabul edilmelerini sağlayacaktı ve kraliyet ahırından gelen isimsiz arabaları da dikkat çekmelerine sebep olmayacaktı.

Henry'ye göre Lort Percy'nin yardımı değerini yitirmişti. Bir araba için yeterince geniş olan ve ana yoldan ayrılan bir yan yol biliyordu. Ahır ve kümeslerin yanından geçip markizin hizmetçisi Simone'la buluşma ayarladıkları bahçeye doğru giden bir yoldu bu. Orada yüklerini taştan oyulma oturaklardan birine oturtur aynı yoldan geri dönüp ana yola çıkarlardı.

Henry olayı kolay gibi göstermeye çalışıyordu ama Tam'ın bu girişimin başarılı olup olmayacağı konusunda endişeleri vardı. Halıya sarma fikri ise çok zor olacağını düşündüğünden tamamıyla karşı olduğu bir fikirdi.

"Yatak odasından gizli çıkışı gören bir pencere var mıydı?" diye sordu.

"Tabii ki yok, o gizli bir kapı!" diye azarlarcasına cevapladı.

O zaman onu kürklü pelerinine sarıp doğrudan arabaya taşımak daha kolay olmaz mıydı?

Bu öneri düşünüldü ve kabul edildi ama maskeli bile olsa o arabanın içinde hemen yanında kendisine yaslanmış duran, büyük ihtimalle derin uykusunun tadını çıkaran bir ölüyle yolculuk etmek Tam'ın hiç de hoşuna gitmiyordu.

Prense gelince, onun keyfine diyecek yoktu. Güven içinde onlara bakıyor, planın başarısından bir an için bile şüphe etmiyor, yükü başkalarının omzuna atmış olmanın hazzıyla artık kendi sorumluluğunda olmadığı için gözlerinin içi gülüyordu. Prens tüm zekiliğiyle bu korkunç olaydan ellerini yıkayıp sıyrılmıştı.

Sessiz bir uşak hafif yemeğini servis ederken Tam derin düşüncelere daldı. Prensin markizin bahçede ölü bulunduğu haberini duyunca kalp krizi yalanına gerçekten inanıp *Soylu Stuart'*ın batışını izlediği o gece yatağında ölü bulunduğu gerçeğini tamamıyla aklından sileceğini zihninde canlandırabiliyordu.

Tam sonunda ne giyeceğine karar verdi. Onu bir bakan ya da avukat gibi gösteren siyah yelek ve pantolonu, beyaz şeritli birbirinin üzerine kapanan uzun ceketini giyip, maskesini geniş siperli şapkasına monte edince aynadaki yansıması kötü niyetli bir yabancı gibi ona bakıyordu.

Yansımasına üzülerek baktı. Plan hakkında düşündükçe huzursuzluğu artıyordu. Planda bir sürü boşluk vardı. Ama yine de bu görünmeyen ve tahmin edilmeyen tehlikelerle dolu aptalca serüvene katılmayı reddedemiyordu.

Saat sekize doğru, hava çoktan kararmaya başladığında yatak odasına gitti.

Prens ortalıkta yoktu ama Percy'yi gizli çıkışın yanında kendisini beklerken bulmak ve hemen oradan çıkmak onu memnun etti. Etrafta vızıldayan sinekler bollaşmıştı, lezzetli bir yemekten mahrum edilmek onları kızdırmışa benziyordu.

Merdivenlerde Percy'nin arkasından ilerlerken, hanımın pelerinine sarılıp çıkış kapısındaki tahta sandalyeye oturtulduğunu, arabayı sürecek olan Henry'nin onları beklediğini öğrendi.

Percy konuşurken gülüyor, olan biten her şeye bir oyun gözüyle bakıyor gibi görünüyordu. Bu ciddi görevi gerektiren cinayetle ilgili düşünceler onun da sinirlerini bozmuş olmalıydı.

Ölüyü arabada bir köşeye oturtmak hiç de kolay olmadı. Tam yanında otursa da ceset sürekli yana yatıyordu ve Tam korkuyla fark etti ki önlerindeki uzun yol boyunca onu dik tutabilmek için büyük özen göstermesi gerekecekti.

Sonunda Percy onları uğurladı. Pencerelerin perdelerini indirdiler. Yarı karanlık bir ortamda bir ölüden sorumlu olmak Tam için oldukça ürkütücü bir tecrübe olacaktı.

Steine'in önünden geçerken Tam perdenin köşesini kaldırıp dikkatle etrafı gözetledi. Pavilion'un kuzeyinde kalan tepelik yol bomboş görünüyordu ve Stammer yoluna çıkıp Creeve Malikânesi'ne giden güzel ve seçkin arabalarla karşılaşıncaya kadar da böyle devam edecekti.

Brighton'ı arkada bıraktıklarında Henry, Percy'nin talimatıyla daha az kullanılan, daha hızlı gidebilecekleri bir yan yola gireceklerini söyledi. Arabanın içi de rahat değildi. Sürekli bükülen yol toprak set boyunca korkutucu bir şekilde daralıyor, bir şerit halindeki ağaçlar dik yokuşa doğru üzerlerine eğiliyordu. Derken, alacakaranlığın içinden bir atlı çıkageldi.

Yanlarından geçerken Tam'ın penceresinden bakarak, "Özür dilerim bayım, Brighton'a gitmek istiyorum ama sanırım yanlış yoldayım," dedi.

Araba yavaşlamıştı. Tam çatıyı tıklatıp, "Arabacı, beyefendiye yolu tarif eder misin lütfen," dedi.

Henry yolu tarif ettikten sonra tarifi tekrarlayan yolcu tekrar içeri bakıp Tam'a teşekkür ederken yanında oturan hareketsiz kadını da kibarca selamladı: "Hizmetinizdeyim, madam." Rahat bir nefes alıp tekrar yola koyuldular. Yol arkadaşına destek olmakla meşgul olan Tam Henry'nin bir şeyler söylediğini duydu; bu, sanki bir uyarıydı!

Biraz sonra araba aniden durdu. At eğerlerinin şıngırtılarını duyan Tam perdeyi kaldırınca dört maskeli adamla burun buruna geldi.

Bunların Creeve Malikânesi'ne giden, onlar gibi hızlı, yolu seçip sonra da kaybolan yolcular olduğunu düşündü. Dışarı eğilip yardım önerme girişimi, kapı hızla açılıp burnunun ucunda bir silah belirince yarıda kesildi. Korkuyla geri çekildi. Bunların misafir değil, soyguncu olduğunu anladı. Daha bu beklenmedik durumun ilerlemelerine nasıl etki edeceğini, gecenin bir yarısı ıssız bir yoldaki bu karşılaşmanın olası ölümcül sonuçlarını düşünemeden, tabanca hâlâ yanağına dayalı dururken, Henry'ye inip atların eğerini çözmesinin söylendiğini duydu.

Adamlar vahşice kahkahalar atıyordu. "Atları kurtarın, en başta onlara ihtiyacımız var. Bunlar gibi güzel hayvanlarda hayat vardır."

Atlar olmadan yollarına nasıl devam edeceklerini düşünürken, Henry'nin çığlığını ve sonra gürültüyle yere düştüğünü duydu.

Eğer hâlâ yaşıyorsa onu kurtarmalıydı, ama nasıl? Silahsız haliyle Tam hiçbir şey yapamazdı. Doğal tepkisi arabanın diğer kapısından dışarı atlamak olabilirdi. Hepsinden hızlı koşabileceğini, daha onlar silahlarının horozunu kaldırmadan ağaçların arasında gözden kaybolacağını biliyordu ama Henry ne olacaktı?

Atlar dingillerinden çıkarıldığı için araba uçurumun kenarında şiddetle sallanıyordu. Dışarıdan adamların seslerini duyuyor, birazdan neler olacağını biliyor ve neden içerideki iki yolcuyla hiç ilgilenmediklerini merak ediyordu. Uyarı mahiyetinde burnuna sokulan tabanca haricinde soyguncular içeride bir de bayan yolcu olduğunu, büyük ihtimalle uyuduğunu, şık bir kürklü pelerin ve değerli bir inci kolye taşıdığını fark etmiş olmalıydılar.

Araba uçurumun kenarında sallanmaya devam ederken, olacakları geç fark eden Tam dışarı atlamaya hazırlanırken silahı kafasına yedi. Araba onu yere fırlattı, eğer fırlatmasaydı ölüm kaçınılmaz olurdu çünkü hızlanan araba uçurumdan aşağı yuvarlanmaya, ağaçları ve çalıları önüne katarak, yoluna çıkıp parçalanan tüm taşları, kayaları uçurarak yuvarlanıyordu.

Ölüm bu olsa gerek, diye düşündü Tam. En son kapılar ve pencereler parçalandığı için tutunacak sağlam bir şey de kalmayınca çaresizce dışarı yuvarlandı ve kafasını bir ağacın gövdesine çarpıp durdu.

Dünya karardı ve zihnindeki her şey yok oldu.

Acıyla gözlerini açtı. İnleyerek kaç saattir orada öylece yattığını ve yaralarının ne kadar ağır olduğunu merak etti. Etraf karanlıktı, çok zaman geçmiş olmalıydı ama akşam karanlığı tam olarak çökmemişti.

Dikkatle ayağa kalkmaya çalıştı. Neyse ki kemikleri kırılmamıştı ama yara bere ve çizikleri çoktu. Etrafında, arabanın kibrit çöpü haline gelmiş paramparça kalıntıları vardı. Tekerlekler, kapılar ve koltuklar uçurumdan aşağı yuvarlanmıştı.

Yokuşu tırmanırken biraz ötede tüylü bir hayvan ölüsüne benzer bir şeyin yerde yattığını fark etti.

Tam daha fazla incelemeye gerek kalmadan markizin kendine önceden planlanmamış bir dinlenme yeri bulduğunu anladı. Yeniden yola çıktığında tahmin ettiği gibi ne soygunculardan ne atlardan ne de Henry'den eser vardı. Hepsi alacakaranlıkta kayıplara karışmıştı.

Sarsılan Tam, bir kaya parçası bulup üzerine oturdu. Yaralı dizlerini ovalıyor, Brighton'a yürüyerek dönme ihtimali yüksek olduğu için yaralarının ağır olmamasına şükrediyordu. Tabii prensin karşısına çıkması kaçınılmazdı, planlarının felakete uğrayan sonunu ona anlatmalıydı. Bu durumda ona vadedilen ve efsanevî yolculuğuna devam etmesini sağlayacak parayı da alamayacaktı.

Yürürken karmakarışık olan düşünceleri düzene girmeye başladı.

Henry neredeydi, yaşıyor muydu? Soyguncular atları almıştı. Henry'yi rehin mi almışlardı, asıl hedef o muydu? Kral vekili olan prensin oğluyla ilgili haince planları olduğu en azından makul bir açıklama olabilirdi.

O an kulaklarına boğuk bir inilti çalındı ve şu an kafasını en çok meşgul eden sorunun cevabını verdi. Bu dönüp prense Lort Henry'nin başına gelenleri anlatmaktı ama artık gerek kalmamıştı. Henry yaşıyordu. Yolun kenarındaki cılız bir ağaca bağlanmıştı ve ağzı da kapatılmıştı.

Tam hemen yardıma koştu. Henry onu gördüğüne şaşırmış gibi görünüyordu. O sersemlemiş bir halde teşekkür ederken Tam ipleri çözüyordu. Soyguncuların vahşi doğası dikkate alınacak olursa bu ipler hiç sıkı bağlanmamıştı, hiçbir kısıtlayıcılığı da yoktu. Henry eğer bu iplerin kurbanıysa kollarını kolayca çıkarıp onlardan kurtulabilirdi.

Ayağa kalkmasına yardım ederken Henry'nin gösterdiği ağlamaklı minnettarlık prensin tam bir kopyasıydı ve soylu babasına olan benzerliğini bir kez daha vurguluyordu.

"Size borcumu asla ödeyemem... ben... ben öldüğünüzü sanmıştım." Devam etmeden önce Tam'dan güvence veren sözler duymak istercesine sustu. "O canavarların arabayı uçurumdan aşağı ittiklerini gördüm, parçalara ayrıldığını duydum. Ne korkunç diye düşündüm, zavallı Bay Eildor. Kimse öyle bir felaketten kurtulamazdı," şaşkınlıkla Tam'a bakıp, "ama siz kurtuldunuz..."

Yine duraksadı. "O... o!.."

"Evet, aşağıda, enkazın arasında yatıyor."

"Ne şans ama." İçini çekip devam etti. "Bizim açımızdan bu olay işleri çok kolaylaştırır. Umarım hanımın cesedini er ya da geç birisi bulur, talihsiz bir kaza olduğu düşünülür ve son yaşanan olayla bağlantı kurulamaz," diye fısıldadı.

Tam ona sert bir bakış attı. Henry olayı çok hafife alıyor, ceset bulununca doğacak kaçınılmaz soruları önemsemiyordu. Mesela kadın markiz nereden geliyordu? Neden üzerinde sadece pelerin ve inci kolye vardı? Bu bir kaza mıydı? Arabanın sürücüsü ve atlar neredeydi?

"Ah, evet." Sevinçle devam etti Henry, "Soyguncular bizi Lewes'e gitme derdinden kurtardı, aramızda kalsın ama dürüst olmak gerekirse ben zaten markizin

Creeve Malikânesi'nin bahçesindeki ani ölüm planının başarılı olacağına hiç inanmamıştım. Percy'nin fikriydi," dedi kendi haklılığına inanan bir ifadeyle.

"Kestirme yolu seçmek de onun fikri miydi?"

"Aslında öyleydi, size söylediğim gibi," dedi Henry, biraz kibirlenerek. "Korkarım pek akıllı değil. Percy çok acele ve yanlış kararlar veren biridir, size sayısız örnek verebilirim."

Ama Tam artık dinlemiyordu. Düşünceleri başka yerdeydi. Onlara saldıranlarda garip bir şeyler vardı. Hiç de soyguncu gibi davranmıyorlardı.

Neden "Dur ve üzerindekileri boşalt," şeklindeki klasik taleplerinde bulunmamışlardı? Halbuki arabanın içinde güzel giyimli uyuyan bir bayan, değerli kürkü ve paha biçilmez inci kolyesiyle öylece duruyordu.

Arabanın içindekilerle neden hiç ilgilenmemişlerdi? Tek niyetleri arabayı ve –onu– yok etmek gibi görünüyordu. Bunu bir kurşunla halledebilecekken, silahla kafasına vurmayı tercih etmişlerdi. Kafasını patlatıp o yarayı araba yuvarlanırken almış gibi görünmesini sağlayacaklardı.

Artık Henry'yi dinlemeyen Tam, markizin cesedini evine götürmek olan orijinal planı ve daha zekice hazırlanıp uygulanan planı düşünüyordu.

Bunun haricinde, çok daha önemli bir konu daha vardı. Araba uçurumun kenarında sendelerken, silah tutan soyguncunun pelerini bir an için kolundan sıyrılmıştı. Tam o anda kırmızı ve altın sarısı bir üniforma kolu görmüştü ve bunun markizin ölümüyle ilgili sorguladığı dört muhafızın üniformalarından olduğunu hatırladı. Kral vekili olan prensin kendi alayı olan Onuncu Dragon askerlerinin üniformasından.

Bu keşif saldırganların soyguncu olmadıkları yönündeki kuşkularını doğruluyordu. Ayrıca bu rol için yeterince eğitilmedikleri de belliydi.

"Bir yerinizin incinmediğinden emin misiniz?" Henry'nin sorusunu tekrarladığının ve kendisinin hâlâ tek parça halinde olmasından, onun da ötesinde bu kadar az yara almasından dolayı büyük şaşkınlık içinde olduğunun farkındaydı. Oysaki onlar bu kazanın ölümcül bir kaza olarak kayıtlara geçmesini amaçlıyorlardı. Markizden ve çok şey bilen bir yabancıdan yani kendisinden kurtulmak için...

"Ben gayet iyiyim, ya siz?"

"Biraz ip kesiği, çok acı veriyor."

"Ama Brighton'a yürüyebilecek kadar iyisiniz, değil mi?" diye sordu Tam.

Yanı başındaki Henry kıs kıs güldü. "Bayağı uzun bir yol, ama yürümemize gerek yok," diyerek cebinden oldukça şık bir saat çıkardı. Soyguncular onu aramaya kalksaydı ve bunu çalsalardı tüm gecenin en değerli ödülünü kazandıklarını düşünürlerdi, dedi Tam içinden.

Henry saati gözlerine yaklaştırıp gülümsedi.

"Işık çok az, göremiyorum ama galiba dokuza geliyor. Biliyor musunuz, Lewes üzerinden Brighton ve diğer sahil kasabalarına yolcu alan posta arabası tam olarak on dakika içinde bu yoldan geçecek. Ne büyük şans ama!"

Tam bu bilginin o gecedeki olaylarda önemli bir rolü olduğu kanaatindeydi. Sürücünün böyle açık bir yaz gecesinde, alacakaranlıkta, yol kenarında cılız bir ağaca bağlanmış Henry'yi görmemesine imkân yoktu. Ancak Tam, bu düşüncelerini ve siyah pelerinin altından gördüğü dragon üniformasını Henry ile paylaşmamaya karar verdi. Issız yollarda korkuttukları yolcuları soyan soyguncuların bu sefer hayatlarının işini ve o günkü ekmeklerini tamamen görmezden geldikleri gerçeğini... Altın saatiyle Henry, kürklü pelerini ve inci kolyesiyle bir bayan yolcu... Ancak ölü olduğunu biliyorlarsa ve hırsızlık onların işi değilse bunları görmezden gelebilirlerdi.

Kendisine gelince, neden onu arama ihtiyacı duymamışlardı? Bir kılıç ya da silah gibi değerli bir şeyler taşıyor olabilirdi çünkü o zamanlarda erkekler özellikle hanımlar ve çocuklarla yolculuk ediyorlarsa kendilerini soyunculara karşı korumak için böyle silahları mutlaka taşırlardı.

Eğer istenilen mücevherleri vermezlerse zengin hanımların ahlak dışı ve kaba uygulamalara maruz kaldığı biliniyordu. Tedbir olarak soyguncuların dikkatini daha değerli parçalardan uzaklaştırmak için içinde demir para ya da belki bir çift küpe bulunan "sahte cüzdanlar" taşırlardı.

Posta arabasını beklerken, Tam sahte soyguncuların saldırısının asıl amacını anlamıştı.

Onun gözden çıkarılabilir olduğunu düşünüyorlardı. Ölümü planlarının bir parçasıydı. Kurtulmasına Henry'nin bu kadar şaşırması doğaldı. Percy'nin rolü küçüktü. Ama acaba güvenilir dragonların, namıdiğer dört bedbaht soyguncunun gerçekleştirdiği operasyonun baş yöneticisi prensin kendisi miydi?

On

Tam ve Henry kalabalık, gürültülü ama neyse ki kısa süren yolculuklarının ardından Steine'de arabadan indiler. Erkek yolcuların çoğu, kadın yolcuların da bir kısmı oldukça sarhoştu, büyük şamatayla ve neşe içinde şişeleri etrafta dolaştırıyor, eğleniyorlardı. Ama ne Henry ne de Tam'ın bu neşeyi paylaştığı söylenebilirdi. Özellikle de içerdekilerin her biri o sıcak ağustos akşamında balık istifi gibi saatlerce kaldıkları için iğrenç bir koku yayarken bu pek mümkün değildi.

Tam çok kısa bir süre önce Lewes yolunda neredeyse kesin olan bir ölümden kurtulmasının mucizeden başka bir şey olmadığını düşünürken, yolculuk sırasında sertleşen yaralarının tüm acısını şimdi hissediyor ama kollarında ya da bacaklarında ciddi bir incinme olmadığı için şükrediyordu. Arabanın içindeki kokuşmuş atmosferden sonra tekrar temiz havayı ciğerlerine çekebildiği için minnettardı.

Pavilion'un bahçesinden aldığı aromatik çiçeklerin ve çalıların kokusunu getiren ılık akşam meltemi gerçekten iyi gelmişti. Binaya doğru yürürken pencerelerden parıldayan yüzlerce mum önlerini aydınlatıyordu. Dolunay tembel tembel bulutların arasına kayıyor, çiftler geziniyor, oyalanıyor, genç kızların parlak elbiseleri karanlıkta pervane gibi dalgalanıyordu. Prensin usta müzisyen grubunun çaldığı Handel'in[3] namelerinden oluşan müzik ortama romantizm katıyor, kabarmış denizden gelen dalga ıslıkları ay ışığında oluşan yakamozlarıyla tabloyu daha da güzelleştiriyordu. Muhafızlar tarafından selamlanań Henry, eşikte bir an için duraksadı. Arabadan indiklerinden beri içine kapanıp sadece kendi düşünceleriyle meşgul olduğunu gözlemleyen Tam, Henry'nin huzurunu kaçıran şeyin ne olduğu konusunda kurnazca bir tahmin yürütmeye karar verdi.

Çok zayıf bir aktördü Henry, kuşkusuz içinden telaşla asil babasına başarısız Lewes yolculuğunun hangi versiyonunu anlatırsa daha inandırıcı ve kabul edilebilir olur diye provalar yapıyordu. Tam'a gelince, o karanlıkta kendi kendine gülüyordu. O sorgulama esnasında orada bulunmayı çok isterdi.

Ama öyle olmadı. Merdivenleri çıkıp hazır olda bekleyen ve onu şık bir hareketle selamlayan Dragon Muhafızları'nın görevde olduğu koridoru geçtikten sonra, Henry hemen arkasını döndü ve Tam'a:

"Ben sizi daha fazla tutmayayım, Bay Eildor, çok tehlikeli bir kaza atlattınız, ağrılarınız vardır. Eminim odanıza gidip yıkanmak ve dinlenmek istiyorsunuzdur," dedi.

Tam bunu istemiyordu aslında ve hayal kırıklığına uğramıştı ama düşünceli bir hareketmiş gibi gösterilmek istenen bu teklife itiraz edemezdi.

3 Ç.N. George Friedrich Handel: Müzik tarihine opera, oratoryo ve düet gibi vokal eserleriyle geçen Alman klâsik batı müziği bestecisi.

Henry, "Yarın sabah görüşürüz," diye devam etti, "seyahatinize kaldığınız yerden devam etmeden önce. O zamana kadar, size iyi geceler diliyorum. İyice dinlenin."

Böyle zorla gönderilmesi, çok ilginç ve aydınlatıcı olacağına inandığı görüşmeyi dinlemekten mahrum edilmesi Tam'ın yaralarının acısına bir de mutsuzluk eklese de çaresiz odasına gitti. Üzerindeki koyu renk kıyafetleri çıkardı. Uçurumdan yuvarlandığı için ilgi görmek ve iyileşme ihtiyacı içindeydi; elinde sıcak su ibriği ve temiz havlularla gelen sessiz uşağı ve özellikle de bir sürahi şarabı görünce çok mutlu oldu.

Kilerin en iyi şarabıymış gibi enfes bir tada sahip şaraptan büyükçe bir bardak içen Tam, yatağın üzerine düzgünce konulmuş pijamalara baktı. Yaraları çok acı veriyordu, bitkindi, esnedi ama başını yumuşacık yastığa koyup gözlerini bu güne kapama arzusuna hırsla direniyordu.

Prensin onu çağırıp soyguncularla karşılaşmalarını bir de onun ağzından dinlemek isteyebileceği umuduyla, geldiği gün verilen kıyafetleri giydi. Bir bardak şarap daha içerek kendini avutmaya çalıştı. Vücudundaki sızlamaların aklındaki huzursuzluktan daha dayanılır olduğuna karar verdi, yatağın bir köşesine oturup beklemeye koyuldu.

Tekrar tekrar Henry'nin prense kazayla ve markizin cesedinden umulmadık bir şekilde kurtulmalarıyla ilgili neler fısıldadığı sorusuna dönüyordu düşünceleri. Ama onu en çok düşündüren prensin bu planın bir parçası olup olmadığıydı.

Kafasında kafese kapatılmış fareler gibi koşuşturan bu kasvetli düşüncelerle daha fazla oyalanmak istemedi. Kapı çalındı, bir muhafız prensin emrini bildirmeye gelmişti:

"Bay Eildor, derhal Majestelerinin odasına çağrılıyorsunuz."

* * *

Percy yatak odasının önünde tek başına oturuyordu. Yüzündeki üzgün ifade içerideki görüşmeye alınmadığı için hayal kırıklığına uğradığını gösteriyordu. Durumu ele vermemek için Tam'a dönüp kafasını salladı. Muhafız kapıyı açtı.

Henry oradaydı ve ikisi de üzgün görünüyordu. İsteksiz bir gülümsemeyle Tam'ın sağlığı hakkında kibar bir soru sorduktan sonra görüşmeye döndü. Babasını selamlayıp, "Belki Majestelerine yolculuğumuzda neler olduğunu anlatmak istersiniz," dedi.

Prensin yüzündeki sert ifade Henry'nin dönüşünü ve soyguncularla yaşadıkları aksi tesadüfle ilgili anlattıklarını pek iyi karşılamadığını gösteriyordu. Acaba yüzündeki ifade suçluluk ifadesi miydi?

Şüphelerinde yanılmıştı. Aslında prensin Henry'nin anlattıklarının iki cümlesinden başkasını duyup duymadığından da emin değildi.

Tam, başka bir sebeple buraya çağırılmıştı.

İkinci bir felaket daha geliyordu.

Korkunç bir geceydi.

Soyluların dairelerinde yatak çarşaflarının değiştirilmesi, şöminenin yakılması gibi yıllar boyu aksatılmayan günlük rutin işlerin göz önüne alınmaması imkânsız olduğu için, prens kendisini yatak odasına girmeye zorlamış ve markizin varlığına ait tüm izleri ortadan kaldırmıştı.

Taktığı mücevherleri tabii. Ama bu iş ona mide bulantısı ve nefret vermişti. Ellerini küçük masanın üzerinde parıldayan mücevher yığınına değdirmek ölümle kirlenmiş soğuk taşlara dokunmak gibiydi.

Hepsini kutulara yerleştirince, bir kutu boş kalmıştı.

Bu *Stuart Safiri*'nin kutusuydu, markizin sevişmeye başlamadan önce ilk tercih ettiği ve en çok sevdiği süsüydü bu safir. Bir ürpermeyle, daha dün gece markizin ince belindeki elmas kemere takılı duran, eliyle sıktığı mücevherin o olduğunu hatırladı.

Etrafa baktı, hantal bir haraketle dizlerinin üzerine çöktü, yatağın altında eşelenmeye başladı. Belki safir Bay Eildor masayı düzenlemesine yardım ederken fark edilmeden kayıp bir yerlere yuvarlanmıştı. Ama hiçbir yerde yoktu. Prens kayıp mücevherin önemini düşününce korkudan sersemlemiş bir halde kıçının üzerine oturup kaldı.

Prens genç adamı şoke eden umursamaz bir tavırla yolculukla ilgili detayları dinlemeyi reddedip merakla Henry'nin dönmesini beklemeye koyuldu. Henry övülmeyi, baş üstüne koyulmayı bekliyordu. Ama aksine prens öldürülen markizle ve cesedini Lewes'e götürürken yaşanan garip kazayla ilgili her şeyi unutmuş görünüyordu.

Markizin Pavilion'a yaptığı son ölümcül ziyaretiyle alakasının anlaşılmayacağı güvenli bir mesafede birisi bulsun diye uçurumdan yuvarlandığı ortadaydı. Garip huylarıyla tanındığı için markinin çalışanlarından biri pelerinin altında neden çırılçıplak olduğunun konusuna tatminkâr bir açıklama getirebilirdi.

Ama artık bunlar prensin ilgi alanına girmiyordu. Dâhiyane fikri için övgü ve şımartılma bekleyen Henry, bunun yerine kayıp mücevherle ilgili soru bombardımanına tutulmuştu.

Çok yorucuydu bu. Sabırla dinliyor, kibarca hayır diye tekrarlıyor, Percy'yle beraber markizi yolculuğuna hazırlarken *Stuart Safiri*'ni görmediğine onu inandırmaya çalışıyordu. Markiz sadece kendi inci kolyesini takıyordu ve pelerinin de cepleri yoktu diye belirtiyordu nazikçe.

Artık çok geç diye düşünüyordu prens, o korkunç sabah vaktinde, dehşete kapılmış halde olduğu için bütün mücevherlerin yerinde olup olmadığını kontrol etmek aklına gelmemişti.

Peki ya Bay Eildor? O çalmış olabilir miydi? Mümkündü ama küçük bir ihtimaldi. Onu, sadece değerini iyi bilen biri çalmış olabilirdi. Prens parmaklarını acıklı bir ritimle sandalyesinin kollarına vurarak tekrar inledi.

Ya Percy? Ona güvenebilir miydi? Yoksa sorularının cevabı o muydu?

Henry çok şaşırmıştı. "Percy sizin en bağlı ve sadık hizmetkârınızdır efendim, böyle bir hırsızlık yapması mümkün değil."

"Şimdi mi?" Bilgece kafa salladı prens. "Başka konular, hakkında hiçbir şey bilmediğimiz politik olaylar söz konusu olabilir. Böyle olunca, en güvenilir hizmetkârlar bile rüşvete hayır demez, sizi temin ederim."

Durup derin bir nefes aldı. "Aslında en yakın kan bağı olanlara bile kuşkuyla bakmalıyız," dedi. Bu kuşkuyla hakarete uğramış hisseden Henry bu aşağılık kategoriye konulmaktan dolayı dokunulsa gözyaşlarına boğulacak hale gelmişti.

Ama o güvenilirdi. Prens inleyerek ayağa kalktı. Odada volta atmaya koyuldu.

Kraliyet mücevherlerinin en kıymetlisi, en paha biçilmezi *Stuart Safiri* kayıptı. Beyninin arkasından bir yerlerde *Stuart Safiri*'ni çalanın aynı zamanda markizin de katili olduğu düşüncesi çoktan belirmeye başlamıştı.

"Mutlaka bulunmalı, mutlaka," dedi. "İngiltere'nin geleceği tehlikede görmüyor musunuz?"

Henry görmüyordu. Duyguları incinmişti ve prensin olayı fazlaca abarttığını, onun isminin geleceğinin tehlikede olmasının daha önemli bir konu olduğunu düşünüyordu.

Başka bir beyin fırtınası daha yaşadı.

Belki ilahî takdir, Tam Eildor'un elden çıkarılmaması gerektiğini, Lewes yolundaki feci kazadan bu sebeple kurtulduğunu anlatmaya çalışıyordu. Belki kral vekili prens suretindeki ilahî takdir, onu, suç olaylarını araştıran bu Edinburg'lu avukatı daha iyi bir göreve tayin etmeliydi.

"Efendim, bir fikrim var," dedi.

Böylece Tam kendini kayıp mücevherle ilgili hikâyeyi dinlerken buldu. Bu hikâye *Stuart Safiri*'nin İskoç tahtına dayanan kökenini de içeriyordu. 1603'te İngiltere'nin II. James'i olan Kral VI. James'in eşyaları arasındaydı ve Prens George, IV. George olarak tahta çıktığında da onu takıyordu.

Zavallı deli babasının durumunu düşününce, yakın bir zamanda, I. Charles'ın 1633'teki taç giyme töreninde elmas bir haçla birlikte taktığı ve sonra onun kötü talihli torunu Bonnie Prens Charles Edward Stuart'a miras kalan ve sürgünden Britanya'ya dönerken taktığı *Stuart Safiri'*nin kendisinin olduğunu hayal ediyor, gururla bu geleceğe ait sahneyi prova ediyordu.

1746'da Culloden'de, savaş meydanında, Jacobite yüzünden savaşı kaybetmelerine sebep olunca tarihe geçmişlerdi. Bu olay İskoçları viskilerini yudumlayıp kralın şerefine içerken umutları kırılmış bir halde öylece kalakalmalarına sebep olmuştu. Bu esnada *Stuart Safiri* de I. James'in hayatta kalan tek oğlunun eline geçmişti.

Destekçilerinin ona IX. Henry lakabını taktığı York Dükü Henry, sadece bir kardinal değil aynı zamanda bir aziz olan meslektaşının aksine, vaazını verdiği ahlakî davranışları kendi de uygulamış ve çocuk yapmamıştı; böylece onun 1806'daki ölümüyle Jacobitelerin İngiltere tahtında hak iddia etmesi sona ermişti. Öldüğünde İngiltere hükümdarlığından 4.000 pound gibi yüklü bir miktar aylık alıyordu ve minnettarlık örneği olarak *Stuart Safiri'*ni Kral George'a teklif etmişti.

Prens, "Derhal bulunmalı! Kaybedecek bir dakika bile yok!" diye yüksekten atıp tutarken, Tam zafer kazanmışçasına markizin öldürülme sebebine dair çok önemli bir ipucu yakaladığına karar verdi. Mantıken, bu cinayet sadece bu özel mücevhere sahip olmak için yapılmıştı, çünkü parasal açıdan daha değerli olan elmaslara, zümrüt ve yakutlara dokunulmamıştı.

Cinayetin sebebini bulduğuna göre artık Tam'ın tek yapması gereken katilin kimliğini ortaya çıkarmaktı.

Mantığı Pavilion'un içinden, prensin alışkanlıklarını ve günlük rutinini bilen biri olduğunu söylüyordu.

Bu şüpheli listesindekilerin sayısını azaltabilir mi, diye merak ederken prens, "Yakın arkadaşımız ve iyi bir hırsız avcısı olan John Townsend'i çağırttım," dedi. "Otuz yıldır Bow Street Runners grubuyla birlikte çalışıyor ve mesleğin tüm hilelerini biliyor. Ancak gelmesi bir ya da iki günü bulabilir ve biz bu acil durumda zaman kaybedemeyiz." Durdu Tam'a dönüp, "Bir avukat olarak bu gibi sorunları ele almada yeterli bilginiz olduğunu düşünüyoruz."

Tam uygun bir cevap düşünemeden, prens aklına sonradan geleni de ekledi: "Daha etkili çalışabilmek için belli bir miktar paraya ihtiyacınız olacağını düşündüğümüzden size yeterli miktar parayı sağlayacağız. John Townsend yokken, o gelene kadar seyahatinize devam etme planınızı erteleyip burada Brighton'da kalmanız en büyük arzumuzdur. Yarın sabah soruşturmaya başlayabilirsiniz." Tam selamladı "arzu"nun aslında "emir" olduğunu çoktan öğrenmişti.

On Bir

Şaşılacak bir şekilde, belki yatağının baş ucundaki şarap sürahisinin içindekinin de etkisiyle Tam, deliksiz bir uyku çekti. Ne kazada aldığı yaralar ne de zaman yolculuğunun geleceği konusu zihnini meşgul etmişti. Daha açık söylemek gerekirse Brighton hükümdarlığı dünyasına girdiği noktayı bulup kendi zamanına nasıl geri döneceği konusu...

Çekilen perdelerin sesiyle uyandı. Başka bir yaz sabahının güneşi altında, kuşlar bahçede hevesle ötüşüyor, sessiz uşak kahvaltı tepsisini taşıyordu. İyi eğitimli uşak, Tam'ın Lewes yolunda uçurumdan hızla savrulan arabadan dışarı fırladığında üstünde bulunan, şimdi temizlenip tamir edilmiş elbiseleri getirmişti.

Eski model bir kılıcı andıran açık uçlu bir jiletle tıraş olamayacağının farkında olan ve sonunun kuşkusuz felaket olacağını da bilen Tam, sıcak havluları getiren ve tıraş işinin ona ait olduğunu gösteren uşağı görünce çok sevindi.

Tam uşağı memnuniyetle kabul etti, adamın hünerine hayran kaldı. Kısa süre sonra tıraş edilmiş ve üstünü giymişti. O esnada da kayıp Stuart Safir soruşturmasına nereden başlayacağını düşünmüştü. Kral vekili prensten aldığı hafif kesenin ağırlığını ölçüp içinde iki gine olduğunu görünce, Brighton'da birkaç günlük yemek ihtiyacını karşılayacağı ama uydurduğu efsanevî Londra seyahatine devam etmeye asla yetmeyeceğini biliyordu. Daha önemlisi hurda gemilerin demirlediği sahile gitmesine de yetmezdi.

Hizmetine karşılık verilen bu yetersiz mükâfat aslında onu nazikçe tuzağa düşürmenin, majestelerinin keyfine göre burada alıkonulmanın zekice hazırlanmış bir teminatıydı. Tekin olmayan bir şeyler seziyordu Tam. *Stuart Safiri'*nin artık Pavilion yakınlarında olmadığını tahmin etmek için çok zeki olmaya gerek yoktu. Safiri almak için markizi öldüren her kimse burada kalmanın hiç güvenli olmadığını anlamış olmalıydı. Belki mücevher şu an çoktan Londra'ya varmış, elden ele geçiyor, asıl sahibi onu sonsuza kadar kaybediyordu.

Beau Brummell'le konuştuklarını hatırlayan Tam, hırsızın, asil çevreye yakın, mücevherin Marine Pavilion'un etrafını saran ve gün geçtikçe büyüyen yeraltı dünyasındaki değerini bilen bir müşteri bulabileceğini düşündü.

Prensin verdiği detaylara göre büyük, koyu mavi, oval, enine yarım, boyuna bir inç uzunluğunda, ince altın bir çerçeve içinde olan safir hemen tanınacak kadar dikkat çekiciydi. Değerli bir taş olarak bakıldığında, hırsızın gözünden kaçan diğer taşlardan daha az parasal değere sahipti. Değeri tahta olan antik ilişkisinden kaynaklanıyor olmalıydı. Bu da müşterinin sadece ona sahip olmayı aklına koymasının sebebi olabilirdi.

Tam düşündükçe elindeki verilerin bunun sıradan bir soygun olmadığını gösterdiğinden emin olmaya başladı. Kuşkusuz ölen markizin bu oyunda bir rolü vardı ama artık sonsuza dek susturulmuştu.

Bir sonraki adım bu suç ortaklığının başlangıcını bulmaktı. Ama bu bir sorun yaratıyordu. Elbiseleri bir uşağınki kadar mütevazıydı. Pencereden bakınca, çalışan bahçıvanları gördü. Kıyafetleri oldukça kötü olan bir adam güllerle meşguldü. Görüntüsü Brighton varoşları hakkında bilgi sahibi olabileceğini gösteriyordu.

Tam, aceleyle koridorlardan, bekleme odalarının, gardırop ve kütüphanenin önünden, sonra prensin devlet adamlarını ağırlayıp resmî işlerini yürüttüğü odanın önünden geçti.

Geniş merdivenlerden aşağıya inip Pavilion'un Çin tarzında dekore edilmiş, Çin işlemeli duvar kâğıtlarıyla kaplı, içinde Ming Krallığı'ndan gelen çokça büyük Çin vazosunun bulunduğu holden geçti. Gizemli muhafız dizisiyle karşılaşmadan ön kapıya vardı ve gül bahçesini bulana kadar binanın etrafında dolaştı.

Derbeder bahçıvana "iyi günler" dileyerek muhabbet açtı ve hakkında kesinlikle hiçbir şey bilmediği gül yetiştiriciliğiyle ilgili uygun bulduğu yorumları yaptıktan sonra, "Ah, evet, bahçenin mücevherleri bunlar değil mi? Mücevher dedim de aklıma geldi, buraların yabancısıyım, bir bayana ufak bir takı almak istiyorum, kelepir bir şeyler, bilirsiniz, çok pahalıya mal olsun istemiyorum," dedi bilgiççe göz kırparak.

Adam budama bıçağından neredeyse hiç kafasını kaldırmadan, "Bir takı, nasıl bir şeyler istiyorsunuz, bayım?"

Tam küpeler hakkında bir şeyler fısıldadı. Adam kafasını kaldırdı, şimdi kuşkuyla kaşlarını çatıp ona bakıyordu. "Öyle kelepir şeyler hakkında hiçbir şey bilmiyorum," dedi sertçe. "Ama az ötede bir sürü dükkân var." Kuzey caddesi ve Steine tarafını işaret ederek, "Onlar size yardımcı olur," diye ekledi ve sonra Tam'a arkasını dönüp gayretle budama işine devam etti.

İpucunu alan Tam, bahçıvanın gösterdiği yöne doğru yürümeye başladı, tamamen kaybolup sarmaşık gibi olan yollarda kafası karmakarışık olduktan sonra kendini daha önce Brummell'le geldikleri Eski Gemi Hanı'nda bulunca o kadar rahatladı ki.

Durup hana gelen misafirleri, hanın 1651'deki eski sahibi Nicholas Tettersell'in, II. Charles'ın, *Sürpriz* adlı yelkenlisiyle Fransa'ya kaçmasına yardım ettiğini, yirmi yıl sonraki restorasyondan sonra yelkenlinin adının *Soylu Kaçış* olarak değiştirildiğini gururla anlatan levhayı okudu.

Hanın şimdiki sahibinin soylu sempatizanı olduğunu düşünen Tam, dışarıdaki aydınlıktan içeri, duman altı olmuş kasvetli yere girdiği an kısa bukleli genç bir çocukla karşılaştı. Bu tanıdık bir çehre, uzun süre unutamayacağı bir yüzdü.

"Jem! Sen misin?" dedi heyecanla, bu karşılaşmadan büyük sevinç duyarak. "Seni o kadar merak ettim ki, nasıl kaçtın?" Karşılık gelmedi, sadece küçük bir gülümseme, şaşkın ve korkmuş bir bakış ve ardında çocuk yanından geçip ok gibi sokağa fırladı.

"Jem! Bekle!" diye bağırdı Tam ve arkasından dışarı koştu. Ama çocuk ondan bile daha hızlı hareket ediyordu. Sokak terk edilmiş gibiydi ve Tam bir labirentin ortasında kalmıştı. Jem, Brighton'a gelişiyle bağı olan tek insandı ve o da gözden kaybolmuştu.

Tam çaresiz kalakalmıştı, öfkeden toprağı tekmeliyordu. "Küçük nankör, sefillerin hepsinin canı cehenneme!

Hayatını kurtardım, lanet olsun, şu yaptığına bak." Ne tanıdığını gösteren ufak bir fısıltı, ne onu o hurda gemiden ve sonra da boğulmaktan kurtardığı için ufak bir minnettarlık ne de onu kurtarıp, Tam'ı boğulsun diye denize atan ve emin olmak için de kafasını kıran gizemli kaçakçılar hakkında en ufak bir açıklama vardı.

Hayal kırıklığına uğramış ve öfkeden deliye dönmüş halde hanın kapısında beklerken, yanında bir gölge olduğunu fark etti. Küçük, sevimli hancı elindeki toz bezini sallayarak büyük bir merakla ona bakıyordu.

"Sizin için yapabileceğim bir şey var mı bayım?"

Tam yüzünü görebilmek için döndü.

"Şu dışarı koşan çocuk, sizin yanınızda mı çalışıyor?"

Hancı kurnazca güldü ve ona duygusuzca baktı. "Arkadaşlar vasıtasıyla geldi bize. Belki biraz küçük ama çok dürüst olduğu söyleniyor."

Dürüst mü? Demek ki Jem'in suçlu gemisine konup kolonilere götürülmesine sebep olan hırsızlık aktivitelerinden haberi yoktu.

Hancı yandan bir bakış attı, içini çekti, "Burada çok kalacağından kuşkuluyum. Yakında buradan ayrılacak." Sırıttı, "Daha iyi yerlere gidecek, bilmem anlatabiliyor muyum?"

Tam şaşkınlıkla ona bakmaya devam etti. Omuz silkti, "Çok temiz, ama eğer eğilimleriniz o yöndeyse bu bölgede onun gibi çok var, genç Jem kadar tatlı ve konuşkan olmasa da."

Tam hancıyı şimdi anlıyordu. Belki cinsel tercihi şüpheli olan Beau Brummell'le bağlantı kurmuş, küçük Jem'i, erkek çocuk fahişe olarak ona öneriyordu.

Bir an için nutku tutulan Tam, topukları üzerinde geri döndü ve kendini dışarı attı. Jem'e duyduğu korkunç öfkeyle bunalmış, hancının budalaca çıkarımları midesini bulandırmış ve ziyaretinin amacını –onu *Stuart Safiri'*ne götürecek bilgileri toplamayı– bile unutmuştu.

"Ona da lanet olsun, Eski Gemi'ye de," diye mırıldandı kendi kendine. Yokuştan aşağı nereye gittiğine bakmaksızın karmakarışık yollara daldı. Tam, kaçakçıların onu teknelerine aldığından bu yana sadece iki gün geçmişken, Jem'in handa hemen nasıl iş bulabildiğini anlamaya çalışıyordu. Bu tecrübeli hırsız, gerçekten çok dikkat çekici bir çocuktu.

Brighton'ın eğlence için gezilen gölgeli sokaklarında hızla yürüyordu. O kadar hızlı yürüyordu ki bir tuhafiyeciden çıkan orta yaşlı bir kadınla çarpıştı. Bir çığlık ve ardından güneş şemsiyesi de dahil olmak üzere tüm eşyaları etrafa saçıldı. Şapkası uçtu ve dibinde bekleyen hizmetçisi tarafından son anda yakalandı, hizmetçi öfkeyle Tam'a bağırdı.

Tam özür dileyip paketleri toplamaya yardım etmeye çalışırken, hizmetçi kızarak hepsini elinden çekip aldı.

Yere kadar eğilip selam verirken özür dilemeye devam eden Tam, sokak bir arabanın giremeyeceği kadar dar olduğu için, "Size evinize kadar eşlik etmeme izin verin madam," dedi cılız bir sesle.

Kadın yapılıydı ama alımlıydı da. Oldukça geniş olan gövdesine rağmen itici değildi. Kendini toparlayıp elbisesini ve şapkasını düzene sokan kadın, öfkeli bir ret cevabı ya da bir azarlama bekleyen Tam'ı şaşırtarak, neşeli bir gülümsemeyle karşılık verdi.

"Minnettar oluruz, genç bayım, evimiz birkaç adım ötede, Steine Malikânesi." Ona sıkıcı bir alışverişten sonra böylesine yakışıklı ve kibar bir beyin aniden ortaya çıkışından büyük mutluluk duymuş gibi bakmaya devam etti ki gerçekten öyleydi. Daha önce hiç böyle bir genç adamla karşılaşmamıştı. Çok iyi bildiği Brighton'a çok yabancı, garip, yeni ve ilginç biriydi. Onu keşfetmeye iten bir havası vardı.

Tam hemen kadına baktı, tanıdık bir şeyler vardı onda. Çok ünlü bir tablo görmüştü. Aynı derecede büyülenmiş olan Tam da onun hakkında daha çok şey öğrenmek istiyordu.

"Bizi tanıştıracak kimse olmadığına göre," deyip zarif elini uzattı, "ve anneniz yaşında olduğuma göre tanışmamızda bir mahsur görmüyorum. Ben Maria Fitzherbert."

Tam eğildi, adını mırıldandı. Yani bu kral vekili olan prensin yasal karısı, iki kez boşanmış, Roma Katoliği olan ve 1785'te çıkan olayların sebebi olan kadındı. Hemen, tarih kitaplarının kaçırdığı şeyi yakaladı. İşte gözü önündeydi: Maria Fitzherbert'in çok nadir rastlanan, tarif edilemez bir cinsel cazibesi vardı. Sanki hiç yaşlanmamış zamanın değneği ona hiç dokunmamıştı.

Ellisini geçmiş olduğunu tahmin ediyordu ama saygıyla muamele edilip, yüzündeki mutluluk ifadesini taşımaya devam ederse yetmişinde bile çok etkileyici olabileceğini düşünüyordu. Bu garip cazibenin gençlikle ya da fiziksel güzellikle hiç alakası yoktu. Sade kadınlar buna sahip olabilirdi ve kıskançlıktan çatlayan diğer kadınlar yaşlandıkça şöyle fısıldaşırlardı:

"Onda ne buluyorlar anlamıyorum. Çok yaşlı ve çok sıradan görünüyor."

Dar yol boyunca süren kısa yolculuklarında, söylenip duran ve hanımını korumaya çalışan bir hizmetçinin arkasında yürümek sohbet etmeyi imkânsız kılsa da, Tam neşeyle fark etti ki bu hanımla daha yakın arkadaşlık kurma şansı yakalayacaktı.

Steine Malikânesi'nin merdivenlerinden, kibarca gönderilmeyi beklerken, Bayan Fitzherbert döndü ve ona neşe saçan gülümsemesiyle, "Bana eşlik ettiğiniz için çok teşekkür ederim, Bay Eildor," dedi. "İskoçyalıydınız, değil mi? En azından bir İskoç gibi konuşuyorsunuz."

Tam onu selamladı, o da kafasını salladı. "Majesteleri sizden çok bahsetti." Geleli sadece iki gün olduğundan Tam bu sözlere şaşırmıştı. Sanki düşüncelerini okur gibi devam etti: "Brighton'da haberlerin ışık hızıyla yayıldığını itiraf etmeliyim. Sanki dedikodular kanat takıp havada uçuyor."

Durdu, parmağını salladı, "Ve siz bayım çoktan yerel bir kutlama konusu olma tehlikesindesiniz. Batan gemiden sağ çıkan tek kişisiniz. Ne dramatik bir olay ama!"

Gülerek yorum bekledi ama Tam hiçbir şey düşünemiyordu. "Eğer başka bir planınız yoksa benimle bir bardak çay içmek ister misiniz?" Tam selamladı. "Onur duyarım madam," dedi. Evin içine doğru onu takip ederken, kendi hayatı pahasına hayatını kurtardığı sefil çocuğun onu görmezden gelmesinden dolayı duyduğu kızgınlık ve hayal kırıklığı yok olmuştu. Aynı zamanda safir hırsızının ve markizin katilinin izini sürmek için acilen şehre inme niyetinde olduğunu da unutmuştu.

O mükemmel anın tadını çıkarıyordu. Denize bakan üç penceresi olan, geniş, güneş gören salona alındı. Duvarlar Bayan Fitzhertbert'in arkadaşlarının büyüleyici portreleriyle süslenmişti. Etraftaki sehpaların üzeri biblolar ve çeşitli süs eşyalarıyla dolup taşıyor, üzerinde nazikçe ata kurulmuş bir Yunan tanrıçası bulunan mükemmel Fransız saati zaten muhteşem olan odaya tatlı bir melodi katıyordu. Sayısız kıymetli eşyayla çevrelenmiş olan Tam, güzel bir koltuğa oturdu, Bayan Fitzherbert'in pelerinini çıkarıp gelmesini bekledi. Çok uzun sürmedi. Gelip hemen yanındaki koltuğa oturdu. Hizmetçi, çay ve leziz kurabiyeler getirdi.

"Majesteleri bana Edinburg'lu olduğunuzu söyledi Bay Eildor. Kendisi İskoçlarla ilgili her şeye hayrandır. Özellikle de Stuart krallarının hayat hikâyelerine. Sanırım tahtı onlardan miras alırken pek güzel olaylar yaşanmadığı için. Ama itiraf etmeliyim ki bu takıntı beni şaşırtıyor."

Duraksadı, küçük bir çocuktan bahseder gibi ilgiyle, sonra birden gayriresmî şekilde hevesle ekledi, "Bilirsiniz insanlara ve olaylara çok takılır, tamamen onlar tarafından yönetilir, başka hiçbir şeyden bahsedemez. Bütün sohbetler yeni bir keşif olan şeyleri içerir." Elini uzatıp Tam'ın dizine koydu. "Sizin gibi Bay Eildor, siz uzayıp giden listenin en sonundasınız."

Sonra üzüntüyle iç çekti. Gözlerini kısıp denizin uzak ufuklarına daldı sanki; oradan bir cevap gelebilecekmiş gibi. Neredeyse fısıltıyla, "Ve kısa bir süre sonra hepsi unutulur," diye devam etti. "Sanki hiç var olmamış gibi. Bir oyuncak gibi fırlatılıp atılırsın."

Kendisi de bir süreliğine fırlatılıp atılmış olsa da artık bundan kurtulmuştu. Tam'ın tahminine göre prens onun nasıl bir kadın olduğunu anlamış, bu ilk ve gerçek aşkına geri dönmüştü. Çünkü onu da büyülemişti ve şu an en sevdiği arkadaşıydı. Tekrar Tam'a dönüp gülümsedi. Bu kısa konuşma prensin tam anlamıyla güvenilecek biri olmadığı uyarısını mı taşıyordu? Çünkü konu ani bir değişimle Pavilion'a döndü.

"Ziyaretiniz boyunca tüm harikaları görmeli ve tadını çıkarmalısınız. Unutulmaz bir tecrübe olacaktır. Majesteleri güzel sanat hayranıdır. Tüm ülkelerden, uzun bir süre düşmanımız olmalarına ve kanaldan gelecek bir saldırıdan korkmamıza rağmen Fransa'dan birçok eser getirtir. Ama George onların tüm sanat dallarında en iyisi olduklarını düşünüyor. 'Çin'e gelince,' omuz silkti, "gerçekten çok garip bir ülke, orayı ziyaret edebileceğine dair bir umudu yok ama onların antik medeniyetleri her zaman aklının bir köşesindedir..."

Tam etrafına baktı. Böyle arzulu konuşmasına rağmen neden bu kadar mütevazı bir ortamda yaşamayı seçtiğini merak etti. Sanki düşüncelerini okumuş gibi:

"Majesteleriyle aynı çatı altında yaşayamıyorum. Bunun zorlukları var. Boşanmak benim doğama aykırı. Prenses Caroline onun karısı ve geleceğin İngiltere kraliçesi olarak görülse de, Tanrı'nın huzurunda yasal karısı benim. Ölüm bizi ayırana kadar birbirimize bağlıyız. Evlenmek benim isteğim değildi. Galler Prensi'nin soylarını sürdürmeye yönelik uygun bir evlilik yapmasının kaçınılmaz olduğunu biliyordum. Ama eğer onu bırakırsam kendi canına kıymakla tehdit etti beni. Başka seçeneğim yoktu."

Durdu, sanki bunu hatırlamak ona çok ağır gelmiş gibi kafasını salladı. "Her ikisi için de mutsuzluk getirdi bu evlilik. George çok titiz bir insandır. Prenses ise en başından kaba ve pis kokulu bir kadındı. George'un kadının kişisel temizlikten yoksun oluşuyla ilgili söyledikleri inanılmazdı. Onun varlığına bile katlanamıyordu. Evlendikleri gece gerçekten çok sarhoşmuş ve şansına, büyük ihtimalle o gece Prenses Charlotte'un kökleri atılmış. Onunla bir daha yatmaya katlanamazdı. Bunu düşününce zavallı adam nasıl ağlıyor, nasıl ürperiyordu, anlatamam. Ne yazık ki küçük prenses, prens olarak doğup İngiltere'nin geleceğini güvence altına almamıştı."

Charlotte, birçok yönden babasının aynısıydı ve bu yüzden babası olduğunu inkâr etmenin hiçbir faydası yoktu. Evet, zor bir çocuktu. Öz annesinin politik oyunlarında bir kukla olarak kullandığı, babasının kinci bir tavırla acı ve rahatsızlık kaynağı olarak gördüğü bir kızdı. Tam onunla karşılaştığından ve hakkında olumsuz düşünceler edindiğinden bahsetmemeye karar verdi. Ancak yine düşüncelerini okurmuş gibi: "Onunla karşılaşma şansınız olmamıştır tabii ki," dedi.

Belli belirsiz bir gülümsemeyle Tam, "Bu sabah bahçede karşılaştık. Prenses Hazretleri kütüphaneye gidiyordu," dedi.

Bayan Fitzherbert ellerini çırptı. "Kütüphane, evet gerçekten çok parlak bir çocuk, bir prensesin kütüphaneye gitmesi fikri sizi şaşırtmışa benziyor. Ama hiçbir şey göründüğü gibi değil. Bu özel kütüphane Brighton'ın sosyal merkezi gibi." Brummell'in sözlerini doğrularcasına ekledi, "Orayı hepimiz kullanırız; zenginler, zengin ve asil görünenler, herkes gibi görünmek isteyen herkes kurallara uymak zorundadır. Yeni gelen biri tören başkanının defterini imzalar ve böylece kimlerin burada olduğunu görür ve önemli sosyal olaylar için nasıl davetiye edinebileceklerini öğrenirler. Başkan çok dişlidir, kuralları konusunda çok serttir ve çok ekşi suratlıdır. Kimse ona karşı gelmeye cüret edemez. Prensese gelince..."

Birden durup sorgular bir bakış attı. "Ama zaten karşılaşmışsınız," dedi ve düşüncelerini öğrenmeye can atar bir ifadeyle devam etti. "Ah, evet kısa ziyaretiniz süresince onunla daha çok karşılaşacağınızı hissediyorum."

Güldü. "Biliyorsunuz, çok hassas bir dönemde, on beş yaşında. Bir prenses için çok zor bir dönem, özellikle de ailesi onun için hem ekonomik hem de siyasî açıdan uygun olan bir evlilik düşünüyorsa." İçini çekti. "Zavallı Charlotte'un kafası çok karışık, çünkü hiçbir zaman erkeklerin onu kendisi olduğu için mi, yoksa geleceğin İngiltere kraliçesi olmasının cazibesine kapıldıkları için mi istediklerini bilmeyecek.

Sandalyesinde geriye yaslanıp gülümseyerek ona baktı. "İskoçya'dan gelen, sonra neredeyse bir kutlama konusu olan ve ailesinin istediği kategoriye girmeyen genç ve yakışıklı bir beyefendiyle arkadaşlık kurma umudunun onu ne kadar mutlu ettiğini tahmin edebiliyorum."

Konuyu değiştirmek isteyen Tam, "Sizin çocuğunuz yok mu madam?" dedi ama daha bu sözlerinin altında yatabilecek imaları düşünemeden ağzından çıkıvermişlerdi.

Kafasını kaldırıp üzgün bir ifadeyle ona baktı ve fısıltıyla, "Öyle sevilen varlıklar gölgelerde, arka

planda yaşamak zorundadır;" dedi, "hiçbir zaman res-
mî olarak tanınamazlar."

Tam bu sözlerin altında yatan anlamı kavramaya
çalışırken, içeri bir hizmetçi girdi, selam verip, "Bay
Brummell geldiler, Madam," dedi.

Bayan Fitzherbert oldukça sinirli bir çıkış yaptı.
"Yanlış gün, ne kadar bıktırıcı." Tam'a dönüp, "Tanı-
şıyor musunuz?" diye sordu. Tam ayağa kalkıp baya-
nı selamladı. "Evet, tanıştık Madam, ben sizi daha
fazla rahatsız etmek istemem. Bu hoş konukseverliği-
niz için size çok teşekkür ederim."

Bayan elini uzattı. "Asıl ben eve kadar bize eşlik
ettiğiniz için çok teşekkür ederim. Yine gelmelisiniz."

"Onur duyarım, Madam. Sizi tekrar görebilmeyi
çok isterim."

Kapıya kadar onunla birlikte yürüdü. "Gitmeden
önce tekrar geleceğinize söz verin."

"Söz veriyorum," dedi Tam, tekrar selam verirken.
Merdivenlerden inerken böyle etkileyici bir kadına
söz vermenin ne kadar kolay olduğunu düşündü ve
sonra kral vekili olan prensin emirlerini hatırlayıp hır-
sız katilin izini sürme işine geri döndü.

On İki

Maria pencereden Tam'ın gidişini seyretti. Öyle hızlı, hafif ve zarif hareket ediyordu ki. Gerçekten çok çekici bir adamdı. Şimdiye kadar karşılaştığı kimseye benzemiyordu ama onda Maria'nın tanıdığı en iyi ve en çok sevdiği insanlardan izler vardı sanki.

Bu düşüncelerle karışan kafasını salladı. Şu son saat içinde yaşadığı en olağan dışı tecrübeydi. Bütün olaylar karşısında sessiz kalan kral vekili prensin hayatındaki rolüne göre yönlendirilen kadın, orada durmuş kalbindekileri bir yabancının önüne sermişti.

Sadece bakışlarından dolayı değil. Aslında hayatı boyunca karşılaştığı en yakışıklı adam da değildi ama gözlerinde bir şeyler vardı; sanki Tam gözlerine bakınca ruhunun derinliklerini görebiliyor ve ona güven veriyordu.

Sevgili George, her zaman Maria'dan daha çok başkasının etkisi altında kalan biri olduğu için Bay Eildor'dan da etkilendiğine şüphe yoktu. Ama gelecekte kral olacak birinin böyle birini, gemi kazasından kurtulan bir yabancıyı bağrına basması garip değil miydi? Bunu sadece değişiklik olsun diye mi yapıyordu? Çünkü böyle şeylerin George için mutlak bir cazibesi vardı. Ya da bu ilgi sadece Edinburg'lu olduğu için miydi? Çünkü Fransız ve İskoçların İngiltere'ye olan düşmanlıklarını ortaya koyan kanlı eylemlerine rağmen, George'un onlarla ilgili her şeye aşırı bir ilgisi vardı.

Bay Eildor'la yaptığı sohbeti hatırlayan Maria aynadaki yansımasına kaşlarını çatarak baktı. Vekil Prens Hanover[4] yandaşları, Stuartların taht üzerinde Tanrı'nın bahşettiği kalıtsal haklarını yok sayıp onları yurtlarından attığı için suçluluk duyuyor olabilir miydi? Hayır, bu George'a göre bir şey değildi.

İçini çekti. Politika derin bir konuydu, ona göre değildi, hiç bir zaman da olmamıştı. Çok karmaşık buluyordu bu konuları. Parlamentodaki günlük savaşlar, Whig'ler ve Tory'ler arasında sürekli yaşanan güç değiş tokuşu... George artık umutsuzluk içinde kimin içerde kimin dışarıda ve neden öyle olduğunu açıklamaya çalışmaktan vazgeçmişti. Belki de hiçbir zaman İngiltere kraliçesi olma tehlikesi yaşamadığı içindi. Ama eğer isteseydi, George onu yanına alabilmek için tüm parlamentoyu ve yeni gelenleri karşısına alırdı. Ama hayır, kafasını salladı. Bu rol için eğitilmek gerekiyordu, kanında olmalıydı insanın.

Hizmetçisi saçlarını yaparken, Maria kendisini korkuyla George'daki değişikliklerin *Soylu Stuart*'ın batmasından sonra başladığını düşünürken buldu. Son iki gecedir Steine Malikânesi'nde onunla yatıyordu. Ara sıra gelmesine alışkındı ama iki gece üst üste kalması ve daha da kalmaya devam edecek görünmesi Pavilion'da işlerin planlandığı gibi gitmediğini gösteriyordu.

4 Ç.N. 1714-1901 yılları arasında hüküm süren İngiltere krallığı.

Bunun sebeplerini düşünmeye kapadı zihnini, bu en sonuncu metresi kimse onu ilgilendirirdi. Bilmiyormuş ya da umursamıyormuş gibi davransa da uzun zamandır vekil prens için cinsel bir yenilik sağlayamıyordu. Gerdek gecelerinde bile ona sadık kalmamıştı ama bazen gelip onun kollarında yatmasını çok seviyordu. Gelir, başını göğsüne koyar korkunç horultularla uyurdu.

Gülümsedi. Büyük göğüsleri o kadar çok seviyordu ki, büyük olanları hep överdi; ne kadar büyükse o kadar iyidir, derdi. Tahta göğüslü kadınlarla hiç ilgilenmezdi.

İçini çekti. Birbirlerinin yanında çok rahat olan yaşlı bir karı koca gibiydiler. Ama prens dün gece farklıydı. Ona bir şeyler anlatmak, sırrını vermek ister gibiydi ama söyleyeceği kelimeleri bulamıyordu. Onu çok iyi tanıyordu ve beynini kemiren bir şeylerin olduğunu tahmin edebiliyordu. İlk aşkını, yanlış yaptığını düşündüğü ilk şeyi itiraf etmeye korkan toy bir delikanlı gibiydi. Yolunda gitmeyen bir şeyler olup olmadığını sorduğunda, bir an için vahim bir şeyler varmış gibi bakmıştı ona. Dudakları titremiş, kafasını sallamıştı. Açıkçası, rahatlamıştı Maria. Tanrı'nın huzurundaki yasal karısı olarak, ona güven duymasını sağlayacak bir şey yapmıyordu. Yatağından gelip geçen her yeni metresi düşününce, öyle yakın bir güven ilişkileri olmasını uygun bulmuyordu. O kadar çok metresi olmuştu ki adlarını bile unutmuştu ve dürüst olmak gerekirse, özellikle eski güzelliğini kaybedip yaşlanmaya ve şişmanlamaya başladığı için biraz da kıskandığını kabul etmeliydi.

Onun gibi yaşlı bir kadın, kendini büyük bir arzuyla George'un önüne atan genç ve güzel kadınlarla nasıl yarışabilirdi ki? George'un da pek yakışıklı olduğu söylenemezdi; aşırı derecede şişmandı ve gut hastalığı vardı. Yıllardır taktığı Truefitt markalı kestane rengi peruğunun altında çocuksu bir hırçınlık taşıyan yüzünde bir zamanki yakışıklılığından eser yoktu. Ama nasıl olsa yakın zamanda İngiltere kralı olacak bir prens olduğu için kadınlar bunu hiç de sorun etmiyordu. Genç olanı da, yaşlı olanı da prensin yatağının çarşafları arasında oynaşmaya, onun sevgilisi olmaya, ne kadar aşırı da olsa bütün arzularını karşılamaya hazırdı. Soylu kadınlar aşağılık bir fahişe gibi davranmaya, zarif mücevherlere giden yolda gözlerini kıpmadan ilerlemeye razıydı. Daha iyisini isteyenler de vardı; yüklü bir miktar gelir kazanmak, geleceğini teminat altında almak isteyen, prensin onlara ilgisi azalınca onu tahrik edip harekete geçirmek ve şehvetini artırmak için dört gözle bekleyenler çoktu.

Kaşlarını çattı. Düşünceleri tekrar Tam Eildor'a kaydı. Pavilion'da yolunda gitmeyen bir şeyler vardı ve bunun o geldikten sonra ortaya çıktığından emindi.

George korkuyordu. Ondaki korkunun kokusunu alabiliyordu; bayat bir parfüm gibi üzerine sinmişti. Dün gece beklenmedik bir şekilde evine gelmesinin, bu sabah giderken Pavilion'da yapılan değişiklikler tamamlanıncaya kadar Steine Malikânesi'nde kalmasının uygun olup olmayacağını sormasının sebebi de buydu.

Bu isteği onu çok şaşırtmıştı. Saraydaki lüks ve zarif dairelerinden sıkılmış olabilir miydi, aynen şu anki metresinden sıkıldığı gibi? Maria Pavilion'da daha başka bir sürü güzel oda olduğunu biliyordu. Ama olsun, şikâyet ettiği yoktu. Kendisine ağırbaşlı, yasal eş rolünü uygun görüyordu ve prensin ona arkadaşlık etmesi her zaman hoşuna giderdi.

Yine Tam Eildor geldi aklına. Onun hakkında yanılıyor muydu acaba? O garip halinde tekin olmayan bir şeyler mi vardı? George daha önce kimseden bu kadar etkilenmemişti. Sadece bir keresinde Beau Brummell hayatını bu kadar çok etkilemişti.

Brummell evdeki uşaklardan birinin torunuydu. Babası kuzey lordunun özel sekreterliğine yükselmişti. Prensten on yedi yaş küçük olan Beau, prensle tanıştığında Dragon bandosundaki tek boruydu.

Maria Brummell'in aşağıda içeri kabul edilmeyi beklediğini hatırlayıp içini çekti. Hizmetçi zilini çaldı. "Bay Brummell'e küçük salonda biraz oturmasını söyleyin. Hemen yanına geliyorum."

Kıyafetini düzeltti ve sonra çok rahatsız olmuş hissetti. Bu beklenmedik gayriresmî bir ziyaretti ya da günleri şaşırmıştı. Belki de ona anlatmak istediği için yarını bekleyemeyeceği kadar acil dedikodular vardı. Bir skandalı, şoke eden söylentileri etrafa yaymada hiçbir kadın Beau ile boy ölçüşemezdi.

Bu seferki olayda, Brummell Bay Eildor'u Maria'nın penceresi önünde otururken görmüştü; meraktan, haset ve kıskançlıktan çatlayan Brummell hemen anlatacak bir hikâye bulmuştu.

"Madam," dedi, selamlayıp elini öperken.

"Bir gün önceden geldiniz," dedi, Maria azarlar gibi.

Brummell özür diledi, ama abartarak. Ziyareti uygun değil miydi? Şaşkınlık içindeki ifadesi Maria'yı kandıramazdı. "Madem buradasınız, oturun lütfen."

Brummell denileni yaptı. Oturduğu koltukta merakla öne eğilip, "Yeni bir hayranınız var galiba, Madam?" dedi.

Demek buydu. Maria gülümsedi. "Sadece bir tanıdık, Bay Brummell. Siz Bay Eildor'la tanıştınız mı?"

"Elbette, Bay Eildor majestelerinin koruması altında."

Maria aniden ona döndü. Böyle, dudağını bükerek konuşmasının bir anlamı vardı. Bu ifade ondan hoşlanmadığını söylüyordu. Düşünceleri hem ilginçti hem de bazı gerçekleri açığa çıkaracak gibi gözüküyordu.

"Yani?" diye sordu Maria.

Brummell omuz silkti. "Bize kendi hakkında verdiği sınırlı bilgiden daha fazlasını öğrenmek istiyorum."

"Bilgi mi Bay Brummell, ne tür bilgi?"

Brummell kafasını sallayıp iç çekti, üzgün bir ifade vardı yüzünde. "Korkarım Madam, bu beyefendi hiç dürüst değil. Yani o görünmeye çalıştığı kişi değil."

"Bir casus mu demek istiyorsunuz?" diye fısıldadı Maria. Bu onun aklına hiç gelememişti.

"Korkarım öyle, Madam, çünkü Londra'ya seyahat ediyor."

Birbirlerine baktılar. İkisinin aklında da aynı düşünce vardı. Prensin uzaklaştırılan ve şimdi Londra'da yaşayan karısı, Galler Prensesi'nin kamplarından bir casustu bu.

Brummell içini çekti. "Korkarım majesteleri ona gereğinden fazla güveniyor."

Maria da içini çekti. Prensin gözündeki yerini kaybeden Brummell'in her yeni geleni prense el koyacak bir tehdit unsuru olarak gördüğünü düşünüyordu. Bu yüzden kıskanç bir fahişe gibi prensin kuşkularını körüklemeye meraklıydı.

"Siz de bana katılmıyor musunuz, Madam?" diye sordu. "Bu genç adamda çok garip bir şeyler yok mu?"

"Garip mi?" Aslında vardı. Ama bunu anlatmak için kelime bulamıyordu. "Çok yakışıklı, değil mi?" sözüne sığınabildi.

Brummell kaba bir kahkaha attı. "Evet, katılıyorum ama sanki o bizden biri değil, hayır, kesinlikle değil."

Maria bunu inkâr edemezdi. İçinde yaşadıkları asil aile çemberine, asil sınıfa ya da aristokrasiye ait biri değildi. Oldukça farklı biriydi ama sıradan bir adam da değildi.

Brummell iki elinin parmaklarını birbirine geçirip, derin bir bakış attı. "Bence Madam, Bay Eildor'un geçmişini büyük bir titizlikle araştırmamız çok faydalı olur. Edinburg'da arkadaşlarım var. Eğer bir casussa..." omuz silkti, tüm kalbiyle öyle olmasını umuyordu. Ne darbe olurdu ama! Prensin gözündeki eski mevkiine kesin geri dönerdi.

Maria'nın gözleri fal taşı gibi açıldı. Şu anki rejimin kuyusunu kazan gizli bir örgüt, sevgili George'u tehdit eden bir casus, hatta bir suikastçı mı göndermişti? İçinde bir huzursuzlukla sevgili Thomas Fitzherbert'i hatırladı. Eski kocası ve eski bir Katolik ailesinin başıydı. Bu aile sürgüne gönderilen Stuartları yüzüstü bırakıp Hanover'e bağlılığını ilan eden ilk Katolikler arasında yer alıyordu.

Kafasında casusluk ve kral katilliği ile ilgili korkunç düşünceler dönüp dururken Brummell sözlerine devam etti: "Adam tam bir zıpçıktı, Madam. Yavaş

yavaş prensin güvenini kazanma yolunda ilerliyor. Paralı bir casus."

Bay Eildor, George'a şantaj mı yapıyordu? Bu onun George'un bir şeylerden çok korktuğu ve ona anlatamadığı bir şeyler olduğu yönündeki hislerini doğruluyor muydu? George'un yeni tanıdığı bu adama karşı takıntılı gibi görünmesi aslında İngiltere'nin geleceğinin korkunç bir tehlike altında olduğunu saklamak için taktığı bir maske miydi?

Birden Bay Eildor'a nasıl da güvendiğini hatırlayınca kendinden utandı. Sonra o garip, parlak gözleri hakkında korkutucu düşünceler geçti aklından. Acaba bir hipnotizmacı mıydı? Londra'da Abercorn düşesinin evindeki akşam yemeğini hatırladı. Baş konuk Franz Mesmer'in bir talebesiydi. Franz Mesmer, Avustralyalı bir doktordu ve hayvan manyetizması dediği gizli bir gücü kullanarak insanların aklından geçenleri okuyabiliyor ve onlara istediğini yaptırabiliyordu.

Masada tam karşısına oturmuştu ve gözlerini onunkilerden hiç ayırmadan hayatının gizli sırlarını fısıldamasını sağlamıştı. O garip hipnotik gözlere karşı koyamayan ve anıyı hafızasından silmeye çalışan Maria, bunu o ana, Bay Eildor'un gözlerinde de aynı garip gücün olduğunu fark ettiği ana kadar başarmıştı.

Ne yapmıştı? İçten gelen bir titremeyle sarsılan Maria, bu bilgiyi Brummell'le paylaşmamaya karar verdi.

Pavilion'da prense yakın olanlar, prensin iki gün önceki gemi kazasından beri kendinde olmadığını gözlemlemişti. Çabuk kızan, unutkan, aşırı alıngan biri olup çıkmış, bundan günlük deniz duşu bile etkilenmişti.

Davranışları normal değildi; muziplik, mutluluk çığlıkları atmalar, çocuksu bir neşeyle etrafındakilere oyun yapar gibi su sıçratmalar... Aslında deniz duşu eğlenceden çok bir görevmiş gibi yapılan gayet ciddi bir adetti.

Etrafındakiler kafalarını sallıyor, hatta el arkası fısıldaşmalar oluyordu. Belki gemi kazasının olduğu geceyi birlikte geçirdiği Bayan Fitzherbert ile aralarında bir dargınlık olmuştu. Sonra ertesi sabah Pavilion'da o gün için giymesi gereken üniformalara donuk bakışlar atmıştı. Her zaman yaptığı gibi çabuk karar verememiş, her gün giyinirken yaşadığı heyecanı yaşamamış, dudaklarını ısırıp kaşlarını çatarak öylece durmuştu. Belli ki düşünceleri başka yerdeydi. Çok da alıngan olmuştu, uşakların yol gösterici önerilerine öfkeyle bağırıp dışarı çıkmıştı.

Herkese alışkın oldukları gibi lütfeder bir ifadeyle konuşan Lort Henry, belli belirsiz kafa sallamıştı. Prensin davranışları yüzünden o sorgulanamazdı. Çünkü Pavilion'daki herkes ve dışarıdan da birkaç kişi onun sevilen soylu piçlerden biri olduğunu biliyordu.

Diğer uşağa, Lort Percy'ye gelince, o kimseyle fazla konuşmaz, kendi fikrini kendine saklardı. Burnu çok havalardaydı. Kimse onun hakkında fazla bir şey bilmiyordu. Sadece Surrey'de güzel bir çiftlik evine yerleştirdiği eşi ve çocukları olduğu, alt tabakadan hizmetçilere zaafı olduğu ve dizleri üzerine çöküp tahtaları fırçalayan bir kadını karşı konulmaz bulduğu biliniyordu.

Şimdi, Lort Percy büyük bir hayal kırıklığıyla yatak odasına girerken prense sadece Henry'nin eşlik edeceğini öğreniyordu.

Kapıyı kapatan prens bir zamanlar en çok sevdiği mekân olan odaya iğrenerek bakıyordu. Geniş başlı Fransız yatağına baktı; bir zamanlar öyle rahattı ki, beş döşeği, saten çarşafları, uzun kuş tüyü yastığı, beş tane bulut gibi yastığı ve güzelim battaniyeleriyle gecelerinin en önemli bölümüydü onda yatmak... Kafasını salladı.

Asla, asla bir daha bu yatakta uyuyamazdı. Bütün lüksü markizin öldürülmesine ait anılarla yok edilmişti.

Henry hiçbir şey söylenmeden her şeyi anladı. Büyük bir hayal gücüne sahip değildi ama o eşikten geçip orada gördüğü manzarayı hatırlaması bile ürpermesine yetti. Prensin şu sözlerine hiç şaşırmadı: "Düşündük, Henry ve artık odamızı değiştirmenin uygun olacağına karar verdik. Yatak odamız yemek odasının yanındaki oda olsun." Durup hiç de inandırıcı olmayan bir gülüşle, "Kafamız iyiyken yatağı bulmamız daha kolay olur, ne dersin?"

Asil babasının söylediği her şeye zaten katılacak olan Henry, hararetle kafasını salladı. Zaten on altı çeşit yemek, birkaç şişe şarap ve son olarak konyağa yapılan kaçınılmaz saldırıdan sonra sarhoş olan prensin iyice hantallaşan vücudunu yukarı çıkarmak gerçekten çok zor oluyor, en güçlü hizmetkârlardan birkaçının ciddi çaba sarf etmesi gerekiyordu.

Prens elini odanın etrafında döndürüp gülümsedi. "Bu odayı misafir odası yapacağız."

Henry boğazını temizledi. Ürkek bir sesle sordu: "Efendim, ya merdiven ne olacak? Bahçeye gideni kastediyorum."

Prens hüzünle gülümseyip kafasını salladı. "Bir yolunu buluruz, evlat." Parmağını burnuna vurarak mutlu günlerinde yaptığı gibi göz kırptı ve tekrarladı, "Eğer gerekirse, bir yolunu buluruz."

"Efendim, değişiklikler yapılırken sizin için hangi odanın hazırlanmasını istersiniz?"

"Korkma Henry, her şey ayarlandı. Bayan Fitzherbert çok misafirperver. Steine Malikânesi'nde, yasal eşimizle kalacağız," diye ekledi gayet ciddi bir ifadeyle.

Henry huzurdan çekildi. Prens orada yalnız başına durdu, yatağa gözlerini dikip Sarah Creeve'yi orada günün soğuk ışıkları altında çırılçıplak yatarken bulduğu korkunç anı hatırladı.

Sadece ölmekle kalmamıştı –ki bu da yeterince kötüydü– öldürülmüştü!

Yatak demirini sıkarak inledi. Ulu Tanrım, bunu unutabilecek miydi, yoksa ömrünün sonuna kadar gözünün önünden silinmeyen o korkunç sahne beynini rahat bırakmayacak mıydı?

Pavilion'dan uzaklarda Lewes yolunda yattığı yerde bir bulunsa... Ama sonsuza kadar onunla kalacak son bir sır daha vardı: *Stuart Safiri'*ni de çalan katilin kimliği.

On Üç

Bayan Fitzherbert'ten ayrılıp Steine'nin dar yollarında yürüyen Tam çalıntı eşyaların takas edilebileceğini düşündüğü dükkânlara bakarak araştırmasına kaldığı yerden devam etti. Market Caddesi'ne vardığında, ıslahevindekiler içerinin sevimsiz havasını dışarıdaki sıcak gün ışığıyla değiş tokuş etmiş, kalın sopalarla kuşanmış gardiyanların gözetimi altında balıkçıların ağlarını tamir ediyor, üstüpü topluyorlardı. Özgürlüğe kaçma teşebbüsünde bulunma şanslarının çok az olduğu bir kurumda mahkûm oldukları üzerlerindeki kahverengi üniformalarından anlaşılıyordu.

Market Caddesi'ni geçince, şehrin batı tarafındaki tepelere saçılmış evleri gördü. O mesafeden bile mezbeleden farksız gözüken, rehinci dükkânlarını ve hayatta kalma savaşını çok iyi bilen fakirlerin kulübeleriydi bunlar. Marine Pavilion'daki aşırı savurgan hayatla buradaki talihsizlik karşılaştırılınca fark çok açıktı.

Maria Fitzherbert'le çarpıştığı yola gelince, belki yine Jem'le karşılaşırım diye gözünü dört açtı. En sonunda onu yakaladığında mazeretinin ne olacağını çok merak ediyordu. Çok kızgındı ve gururu incinmişti, bu yüzden tüyleri hâlâ diken dikendi. O küçük velede söylemek için okkalı laflar hazırlıyordu. Sonra en yakındaki kuyumcu dükkânına girsem iyi olur, diye düşündü.

Tam'ın takılar için bulduğu bahaneler çok saçmaydı ve en sonunda o çekici ve oldukça pahalı küpelerden hiçbirini almayacağı anlaşılınca artık kuyumcunun sabrı taşmıştı. Hemen yan taraftaki kuyumcunun saygın bir havası vardı. İçeride son modaya uygun giyinmiş çokça parfüm sürmüş iki bayanla karşılaşan Tam, tezgâha yaklaşınca soğukkanlılığını kaybetti, yanlış dükkâna girdiği gibi bir şeyler mırıldanıp hemen kendisini dışarı attı.

Pahalı olmayan küpe arayışının ondan sonraki iki durağı daha az gözünü korkutan cinstendi ama aynı derecede hayal kırıklığına uğramıştı. Ne var ki ne istediğini doğrudan söylemek dışında daha iyi bir yol bilmiyordu. "Size *Stuart Safiri*'ni getiren oldu mu?" diye sorsa pek başarılı olabileceğini sanmıyordu.

Başka bir dükkânın vitrinine bakıp, şimdi nereye gideceğini merak ederken, pencereye yansıyan bir çocuk silueti gördü. Sokağın karşı tarafında hızla yürüyordu.

"Jem!" diye bağırdı.

Çocuk döndü, onu gördü ve koşmaya başladı.

"Jem, bekle!"

Jem yine topuklamış ve bir yan yola sapıp ok gibi aşağı fırlamıştı. Caddeden karşıya geçmeye çalışan Tam'a neredeyse bir at arabası çarpıyordu. Arabacı ve arkasında yolculuk eden insanlar Tam'a küfretti.

Tam köşeye vardığında, Jem inişli çıkışlı caddede koşup gözden kaybolmak üzereydi. Tam hızla onu takip ediyor, önüne çıkan yayalara korku ve şaşkınlık veriyordu. Öfkeyle havlayan köpekler topuklarını ısırmaya çalışıyordu. Sonra kendisini dükkânların daha az olduğu bir yerde buldu. Önünde daha önce gördüğü fakir evleri uzanıyordu.

Jem orada durmuş kasvetli bir dükkânın vitrinine bakıyordu.

Tam koştu, onu omzundan yakaladı.

"Sonunda yakaladım seni!"

Çocuk arkasına döndü. Çığlıklar atıyor, Tam'ın acımasız ellerinden kurtulmaya çalışıyordu.

Tam bir daha baktı, çok şaşırmıştı. Bu Jem değildi, tek benzerlikleri çocuğun üzerindeki sarsak kıyafetleriydi. Yakaladığı çocuk bir yabancıydı –çok korkmuş bir yabancı.

"İmdat, yardım edin," diye bağırmaya devam ediyordu. "Bırak beni, seni canavar!"

Tam çocuğun istediğini yaptı. Özür dileyip aceleyle yolun karşısına geçti. Yakaladığı çocuğun galeyana getirdiği öfkeli insan kalabalığından son anda paçayı yırtmıştı.

Sonunda, etrafın iyice ıssızlaştığı bir yerde, harap görünen bir hana soktu başını. Bir pint[5] bira sipariş etti, içerken de kapı ve pencereden gözlerini ayırmıyordu. Hancı onunla pek ilgilenmedi. Yolun karşı tarafında sıralanmış, birbirinin aynı kulübeler gördü.

Hancıya sordu, hancı, "Onlar imparatorluğa ait bayım, kendi küçük bahçeleriyle çok şirin görünüyorlar. Bu bölge için üst sınıf yapılar. Prens tarafından Pavilion'un hizmetkârları için inşa ettirildiler."

Kendini toparlayan Tam, karşıya bakıp keşke o sıralı kulübelerin etrafını araştırabilmek için bir bahane

5 Ç.N. Yarım litrelik sıvı ölçü birimi.

bulabilsem diye düşündü. Çünkü ilk gördüğü çocuk kesinlikle Jem'di, kaçıp imparatorluk kulübelerinin bahçelerine saklanmış olabilirdi.

Marine Pavilion ile Jem arasında bir bağlantı olabilir miydi? Jem ve Marine Pavilion. Eğer öyleyse Tam'ın onun izini sürmesi daha da önemli hale geliyordu. Doğru, o mahkûm gemisinde Jem hakkında çok şey öğrenecek kadar vakit olmamıştı –o garip his hariç. Onda önemli bir şeyler olduğunu hatırladı. Anlattığı hikâye hiç inandırıcı gelmemişti. Mahkûm edilmiş bir suçlu için oldukça zarif ve güzel konuşan bir çocuktu. Keşke onu bir dilim ekmek çalmaya iten gerçeğin hangi şartlar altında oluştuğunu öğrenebilme şansı olsaydı.

Bu, yeni ve ilginç bir teoriydi. Tekrar şehre doğru yola koyulunca, var olmayan bir bayana ucuz küpe arayışında aldığı olumsuz cevaplardan sonra tüm prosedürü tekrar düşünüp kayıp safiri aramaya farklı bir yöntem bulması gerektiğine karar verdi.

Pavilion bahçelerindeki sıcacık gün ışığının cazibesine dayanamayıp dışarıda kalmaya karar verdi. Dışarıda, özellikle de prensle karşılaşıp başarısızlığını itiraf etmek zorunda kalmayacağı için daha iyi konsantre olacağından emindi.

Uygun bir oturak bulup etrafı gözlemlemeye koyuldu. Grove denilen, üst tabakaya ait bu gezi alanı bir zamanlar halka açıktı. Londra'daki Vauxhall bahçelerinin küçük versiyonu olduğu iddia edilen bu bahçe artık krallığa ait bir mülktü ve halk çok nadir girebilirdi.

Çok yazık diye düşündü Tam; bu güzel bahçe, çiçekleri, çalılıkları, karaağaç korusu, ki bunlar Tam'ın Brighton'da gördüğü en uzun ağaçlardı, hepsine rağmen terk edilmiş gibiydi. Kalktı, gölgede başka bir oturak bulup oturdu ve gözlerini kapadı. Tam uykuya dalmak üzereydi ki bir kadın sesi duydu.

"Hah! Bu Bay Eildor değil mi, hem de tek başına!"

Tam bir gözünü açtı.

"Dualarım kabul oldu. Yanınıza oturabilir miyim, bayım?"

Gelen Prenses Charlotte'tu. Tam ona gülümsemeye çalışsa da içinden söyleniyordu. Ayağa kalkıp onu selamladı, oturması için yer gösterdi.

"Hayır, bayım, sizi rahatsız etmeyeceğim, oturak ikimize yetecek kadar geniş," dedi kurnazca gülümseyerek.

"Mürebbiyeniz, Prenses," diye karşı çıktı Tam, prensesin yanındaki gölgeyi işaret ederek, ama prenses Tam'ın kolunu sıkıca kavramıştı ve bırakmaya da niyeti yoktu.

"Lütfen, oturun Bay Eildor, Leydi Clifford'un huzurumuzdayken oturma izni yok," deyip Tam'a iyice sokuldu. Bu arada mürebbiye de sessizce birkaç adım ileriye konuşlandırmıştı kendini.

Prenses Tam'a yaslanıyor, çıplak kolu Tam'ınkinin üzerinde duruyordu. Fısıldayarak, "Rahatça konuşabiliriz," dedi. "Leydi Clifford epey sağırdır. Kendisi kabul etmiyor ama kulakları o kadar yaşlı ve duyarsız ki."

Tam mürebbiyenin yakınlıklarından rahatsız olduğunun farkındaydı, gittikçe daha da yakına geliyor, bu arada bir gözünü de gelen gidenden ayırmıyordu.

Prenses Tam'ı kendinden bahsetmeye zorlayıp o küçük oturakta iyice yakınlaşınca Tam mürebbiyenin telaştan titrediğini hissetti. Bunun için iyi sebepleri de vardı. Sağır olabilirdi ama görüşü mükemmeldi ve eğer birisi prense kızının bu ölçüyü aşan samimiyetinden bahsedecek olursa, sorumlu tutulacak kişi oydu.

Kendini tutamayıp elini Charlotte'un omzuna koydu ve "Prenses Hazretleri, babanız geliyor," dedi. Kızını tenhada bir oturakta Tam ile konuşurken görmek prense sadece tek bir şey çağrıştırabilirdi: Gizli Aşk.

Tam ayağa fırladı. Tahtın vârisine yanlış anlaşılabilecek bir pozisyonda yakalanmaya hiç niyeti yoktu. Aklından oldukça nahoş görüntüler geçiyordu. Ufukta Londra Kalesi büyüdükçe büyüyordu.

Kaçmak hâlâ mümkündü. Gözleri çok iyi görmeyen prens yanındaki adamla koyu bir muhabbet içindeydi ve henüz kızının edepsizliğinin farkına varmamıştı.

Charlotte çok meraklıydı. Tam'ın kolunu sıkıca tutmuş, "Lütfen Bay Eildor, bana kendinizden bahsedin, konuşacak çok şeyimiz var," diyordu. Ama Tam, onu selamlayıp ayakta beklemeye devam etti, ürkekçe birkaç adım uzaklaşma fırsatını da değerlendirdi. Birkaç dakika sonra prens ve arkadaşı süs havuzunun yanındaydı. Görülmüşlerdi artık. Prens sohbetine ara verip Tam'a onlara katılması yönünde bir işaret yaptı. Tam içini çekti; kurtulmuştu. Artık Charlotte'un yanında oturmuyordu ve babası Bay Eildor'un bahçede gezinirken onunla karşılaştığını ve sadece kibarca selamlaştıklarını düşünecekti. En azından Tam tüm kalbiyle böyle olmasını umuyordu. Kimsenin bu karşılaşmayı hatırlamasını ve aleyhine delil olarak kullanmasını istemezdi.

Tam labirent gibi küçük çitlerle çevrilmiş engelli yoldan sonra ustalıkla yerleştirilmiş çiçek grupları arasından yolunu güçlükle bulabildi.

Sonunda prens ve arkadaşının yanına vardı. Arkadaşı tombul, ayak bileklerine kadar uzanan salaş bir palto giymiş küçük bir adamdı. Kafasında hiç kuşkusuz boyunu birkaç santim uzun göstersin diye fütursuzca taktığı uzun silindir şapkası vardı.

"Bay Townsend, size Bay Eildor'u tanıtmaktan mutluluk duyarım." Prens Tam'a yaslandı ve Tam rahat bir nefes aldı. Büyük ihtimalle kızının suratındaki ifadeden kelimenin tam manasıyla kendini Tam'ın ayakları altına attığını fark etmemiş ya da bunun önemli olduğunu düşünmemişti.

"Bay Eildor Edinburg'dan bir avukat, her çeşit suçluyu yakalamada oldukça başarılı yöntemleri vardır."

Tam onları selamladı, ama zaten hayal ürünü olan hayat hikâyesine yapılan bu abartılı eklemelerden büyük rahatsızlık duymuştu. Townsend ile el sıkıştılar. Yüzü kıl yönünden zengindi, esmer tenliydi ve yüzünde belli belirsiz gözüken kurnaz bakışlı gözleri sanki sık ağaçların arkasından fırlayan ateş topları gibiydi.

Şapkasını kaldırınca siyah, aslan yelesi gibi saçları ortaya çıktı. Bu olağan dışı aslansı görünümünü, yürürken alışkanlık olarak ellerini arkasında bağlaması tamamlıyordu. Elleri orada bir aslanın seyrek tüylü kuyruğu gibi sallanıp duruyordu.

"Bay Townsend çok tanınmış bir hırsız avcısıdır. Katilleri darağacında sallandırarak Londra'nın en aşağılık suçlularının yüreğine korku salan bir Bow Street memurudur. Bu arada suçluların asılması kanunu, bizim de şiddetle kaldırılmaması gerektiğini savunduğumuz bir kanundur."

Townsend'e dönüp, "Lütfen Bay Eildor'a bir keresinde sulh hakimi Sör William Scott'a bu konuda ne mükemmel bir tavsiyede bulunduğunuzu anlatın," dedi.

Townsend bir an için utangaç göründü, sonra gururla, "Sör William'a Thames yakınlarında balıkçıların gidip geldiği yerde iki adamın asılı olduğunu söyledim," diye söze başladı. "Balıkçılardan biri, 'Tanrı aşkına bu zavallı adamlar neden oradalar?' diye soruyordu. Arkadaşı, 'Gidip soralım,' dedi. Sorduklarında şu cevabı aldılar: 'O adamlar majestelerinin vergi memurlarını öldürdükleri için asıldılar.'" Townsend "Tabii böylece uyarı canlı tutulmuş oluyor," diye de ekledi.

"Müthiş fikir, müthiş!" dedi prens. "Mükemmel bir caydırıcı, değil mi, siz ne dersiniz Bay Eildor?"

Tam bunu çok barbarca buldu ama neyse ki yorum yapma derdinden kurtuldu çünkü prens sözlerine devam etti. "Beyler, ikinizin hiç zorluk çekmeden tacımızın çok değerli bir parçasını çalan aşağılık yaratığı bulacağınızdan ve buna benzer bir sonu yaşamasını sağlayacağınızdan eminiz... kesinlikle eminiz. İyi günler beyler."

Neşe dolu bir kahkahayla topukları üzerinde döndü, ıslık çalarak biraz ötede dolaşan Henry ve Percy ile birlikte uzaklaştı. Yeni tanıştırılmış iki hafiye nahoş bir sükûnet içinde kalakaldılar.

Tam, Townsend'e *Stuart Safiri*'nin kaybolması ve özellikle Creeve markizinin öldürülmesiyle ilgili bir şey anlatılıp anlatılmadığını, anlatıldıysa ne kadar anlatıldığını merak ediyordu.

On Dört

Sahil kıyısındaki gezinti yerine açılan bahçe kapısına doğru yürürlerken, Townsend bu Edinburg'lu avukatı düşünüyordu. O, kendini insan sarrafı olarak görürdü. Tam'a kurnaz bakışlar atıyordu ki bu bakışlar birinin onun gözündeki yerini belirlerdi; ölmek ya da yaşamak. Bu, Townsend'in arkadaşlarına böbürlenerek anlattığı bir özelliğiydi; bir adamla on dakika geçirsin, hemen onun karakterini tahlil edebilirdi. Ama hiçbir zaman –kendisine bile– bir adamın toplumdaki yeri hakkındaki değerlendirmelerinin her zaman doğru olacağını iddia etmezdi. Çünkü ne yazık ki bazen doğru olmuyorlar ve bu gibi durumlarda suçlunun yanında masum da yanıyordu.

Tam, yüzüne ihtiyatla gülümsemeye devam ederken Townsend de düşünüyordu. Şimdi, bu genç adam kadın satıcısı ya da yan kesici sıfatlarına uymuyordu. Aslında kafasındaki listede üstünü çizebileceği birçok suç kategorisi vardı ama ya bir dolandırıcıysa? Majestelerini, ki kendisi pek iyi karakter analizi yapamazdı, güvenilir olduğuna inandırmış mıydı? Mümkündü.

Oldukça düzgün görünüşlü bir adam ama hiçbir kategoriye oturtulamıyor. Londra'da geçirdiği uzun yıllar boyunca toplumun her tabakasından, her çeşit ve durumda sayısız kadın ve erkekle karşılaşmıştı ama bunun gibisine daha önce hiç rastlamamıştı. Oldukça sıra dışı gözleri vardı. Belki biraz antik dağ mizacı...

İçini çekti. Majesteleri ondan hoşlanmıştı, hem de ilk karşılaşmalarından itibaren. Majesteleri yeni gelen ilginç birinin getirdiği yeniliği severdi. Ama bunlar genelde bayan olurdu, diye düşündü Townsend yüzünü ekşiterek.

Aralarındaki sohbet havadan sudan, muhteşem bahçelerden devam ederken, Townsend majestelerinin özellikle İskoç yanlısı olduğunu, Hannover'lilerin yerinden ettiği kahraman Stuart Kralları'na ne kadar büyük hayranlık duyduğunu hatırladı.

Doğrusu prensin bu özelliğini çok garip buluyordu. Özellikle 1476'da Prens Charles Edward Stuart'ın Culledan'da bozguna uğramasından sonra Fransa'da sığınacak yer arayan dağlı insanlar ve ailelerin bile nefret ettiği "insan kasabı" olarak anılan meşhur amcası Lumberland Dükü ile olan samimi dostluğu göz önüne alınırsa. Clan'ların katledilmesinden ve İngilizlerin zafer kazanmasından hiç hoşnut olmayan Lumberland hayatta kalanlara en ufak merhamet göstermemişti. Politikası, Jacobite'i[6] destekleyen herkesten öç almak, dağlarda yaşayan herkesin soyunu tüketmekti.

Stuart'ların şansı yaver gitmemişti. Prensin en değerli mücevherlerinden biri olan, her gün üniformalarından birinin üzerinde gururla sergilediği haç, I. Charles'a idam sehpasına giderken eşlik etmişti. İnsanî duygularını çok uzun zaman önce kaybetmiş bir

6 Ç.N. Stuart'ın destekçisi.

adam bile olsa, bu yalnızca acı değil aynı zamanda çok hazin bir sondu.

Oldukça resmî giden konuşmanın yerini sessizliğe bıraktığını fark eden Townsend, dış görünüşüne çok uyan aslan kükremesi gibi sesiyle, "Bay Eildor," dedi, "bana biraz kendinizden bahsedin. Evinizden bu kadar uzaklarda ne işiniz var?"

Tam son yarım saat içinde ikinci kez aynı soruyla karşılaşıyor, korktuğu başına geliyordu. Bir karatavuk, uyarıcı bir çığlıkla hızla önünden geçti. Bu, dikkatli olması için bir işaret miydi? Şimdiye kadar söylediği yalanlar ne kadar beyaz, masum, durumu kurtarmak için söylenmiş ufak yalanlar olsa da kendilerini örümcek ağına sarmalamak ya da ne başı ne de sonu belli olan bir labirente sokmak gibi bir alışkanlıkları vardı ve onu artık sadece Ariadne'nin[7] ipi kurtarabilirdi.

"Şöyle şöyle mi demiştim, şöyle şöyle mi olmuştu?" mu diyecekti? Demek ki başarılı bir yalancının çok da iyi bir hafızaya sahip olması gerekiyordu.

Soylu Stuart'ta yolcu olmakla ilgili hiçbir detayı bilmezken, o gemiden tek kurtulan yolcu olma yalanına tutarlı eklemeler yapmak o kadar zordu ki, onlara 2250 yılından buraya, 1811 yılının Brighton'ına, nasıl geldiğini anlatmaya kalksa muhtemelen onu hemen Bedlam tımarhanesine postalarlardı. Bu insan sirkinde saçmalayan bir akıl hastası, bir eğlence kaynağı, bütün ailenin pazar günü öğleden sonraları çıktığı gezilerinde konuşacakları neşeli bir konu olarak görülebilirdi.

---

7 Ç.N. Âşık olduğu adamı kurtarmak için ona bir sihirli kılıç ve labirentten kurtulması için bir ip veren Yunan Tanrıçası.

Dikkatli adımlar atması gerektiğinin farkına varan Tam, her zaman verdiği karşılığı verdi. Artık neredeyse kendinin de inanmaya başladığı bu hikâye, zamanı gelince gerekli değişiklikleri yapmaya uygun, sınırları belirsiz bir hikâyeydi. Sözde Plymouth'ta bazı yasal işleri vardı ve daha sonra İskoçyalı zengin bir toprak sahibinin ailevî bir davasına bakmak üzere Londra'ya geçecekti.

"Sahi mi?" diyerek araya girdi Townsend. Gözlerinde parlayan ışık daha fazla ayrıntı istediğini gösteriyordu. Ama Tam kafasını salladı. Bu, zengin müşterisinin adının gizli kalması gerektiğini gösteriyordu. "Gizlilik bayım, gizlilik. Anlıyor musunuz?"

"Evet, evet anlıyorum," dedi Townsend ve aklına geçenlerde duyduğu, kraliyetten gelen emirle Londra'da baktığı toplu cinayet vakasından alınan, gizlilikle ilgili şaşırtıcı hikâye geldi.

Townsend'in Edinburg'la ilgili soruları genel ve bilinebilir şeylerdi. Oraya hiç gitmediği göz önüne alınırsa hevesli bir okuyucu olduğu için tüm bilgisi kitaplardan geliyordu. Tanışmalarının üzerinden çok kısa süre geçmiş olmasına rağmen, Tam John Townsend'i hafife almanın büyük bir hata olacağını anlamıştı. Çünkü o aslan kafasını andıran kafanın içinde beyni sürekli çalışıyor, gözlem yapıyor, aldığı bilgileri özümsüyor ve sonra en küçük detayı bile gelecekte kullanmak üzere depoluyordu.

Tam düşüncelerinde haklıydı, o yapmacık cana yakınlığın arkasındaki kurnaz sorularla Townsend, Tam'ın açıklamak istediğinden çok daha fazlasını öğrenmeyi amaçlıyordu. Tamam, İskoçyalı zengin toprak sahibi adına İngiltere'ye giden başarılı avukat yalanına inanmıştı ama *Soylu Stuart* gemisi hakkındaki

merakı çok tehlikeliydi. Çünkü Tam hayatında hiç de-
niz yolculuğu yapmamıştı. Bununla birlikte, deniz tut-
ması sonucu kamarasına çekildiği ve orada kaldığı hi-
kâyesi anlayışlı tavırlarla karşılanmıştı, ama sonra
Tam korkuyla öğrendi ki, gençlik yıllarındaki birçok
değişik tecrübesinin yanı sıra, Townsend bir zamanlar
savaş gemisinde de hizmette bulunmuştu. Sonra, Tam
şu korsan gemisinin bütün mürettebatı alıp kendi ge-
milerine götürdüğü şeklindeki hikâyesini anlattı. Ama
bu bir hataydı. Çünkü bu, bir hukuk adamı olan Town-
send'in ilgi alanına giriyordu ve soruşturma başlatıp
hemen tutuklanmalarını sağlamak için bütün detayları
öğrenmek isteyecekti.

Bir korsan gemisi! Güneydoğu sahilinin bu kadar
yakınlarında çalışan bir korsan gemisi olduğunu hiç
duymamıştı. Bu çok olağan dışıydı. Bir hukuk adamı
olarak herhangi bir suç eylemine karşı daima tetikte
olması gerekiyordu.

"Daima gözü açık olmalıyız!" Bu ifade Tam'ın iç-
ten içe alay etmesine sebep oldu çünkü Townsend bi-
razcık açıkgöz olsaydı şu an ölümcül darbelerle Tam'ı
parçalara ayırıyor olurdu. Önlerinden hızla geçen bir
at arabasının etraftakilere heyecan yaşatmasıyla konu
değişti ve Tam rahat bir nefes aldı.

Soylu Stuart tehlikesi o an için sona ermişti. John
Townsend'in korsanlarla ilgili soruşturması Tam'ın
dramatik hikâyesindeki dikkat çekici yanlışlıkları or-
taya çıkarmıştı ama böyle konuların birkaç hafta, hat-
ta birkaç ay süreceğini tahmin eden Tam bu zaman
zarfında, oldukça tehlikeli olduğunun sinyallerini ve-
ren bu görevin sona ereceğini ve güvenle kendi zama-
nına döneceğini umuyordu.

Sahil kıyısına vardıklarında Tam'ı öğlenki sakin dalgalardan daha tehlikeli olan kocaman dalgalar bekliyordu.

"Şu çalınan kıymetli taş, çok etkileyici ve önemliydi." Tam'a ciddi bir bakış attı. "İskoçyalı olduğunuzdan, büyük ihtimalle o taşın hikâyesini de bilirsiniz. Majestelerinin yaklaşan taç takma törenini de göz önüne alırsak," durdu ve o aslan yelesini andıran kafasını salladı, "...Kral Hazretlerinin sağlık durumunu da düşünürsek –ki hepimiz bunu düşünmeliyiz– günlük raporlar hiç umut vermiyor. O vahim olay, er ya da geç vuku bulacaktır."

Tam'a bu ağır haberi sindirebilmesi için bir dakika verdikten sonra, konunun can alıcı noktasına geldi. "Majestelerinin size güvendiğini ve taşın kayboluşu ile ilgili bütün detaylardan haberdar edildiğinizi sanıyorum."

Tam kafasını salladı. Aklına, yeteri kadar belirsiz ama aynı zamanda da makul bir şeyler gelmesini bekliyordu. Bu arada Townsend durmuş, kaşlarını çatarak denize bakıyordu. Sanki deniz kabarıp bazı karanlık sırları ortaya çıkaracaktı. Sonra tekrar Tam'a döndü.

"Hırsızın, majestelerinin geminin batışını izlediği anı seçmesi çok ilginç. Gerçekten çok kurnazca. Diğerlerinin de bu olayı izlemekle meşgul olduğunu bilen ve bundan yararlanan biri bu."

Yorum gelmesi için duraksadı ama gelmedi.

Townsend hayal kırıklığına uğramış gibiydi.

"Çok dikkatle planlanmış bir olayla karşı karşıyayız. Ben hırsızın uzun zamandır böyle bir fırsat yakalamak için beklediğinden ve majestelerinin günlük rutinini en ince ayrıntısına kadar bildiğinden şüpheleniyorum. Siz ne dersiniz?"

Tam omuz silkti. "Bir geminin batmasını bekliyor olamaz."

"Onu biliyoruz, onu biliyoruz. Gün içinde majestelerinin odasında bulunmadığı birçok zaman vardır ve hırsız bunları dikkatle takip etmiştir. Ancak gemi kazası onun için mükemmel bir fırsattı. Daha iyisi olamazdı. Çok uygun, çok uygun gerçekten. Kurnaz beyinler iş başında Bay Eildor. Politik bir entrikanın tüm izlerini taşıyor. Sanırım bunu siz de düşünmüşsünüzdür. Galler Prensesi tehlikeli entrikaları ile tanınır."

Tam, Townsend'in soygun anında prensin yatağında bulunan markizle ilgili bir şey bilip bilmediğini, biliyorsa ne kadarını bildiğini çok merak ediyordu. Townsend sanki aklından geçenleri okumuşçasına şöyle dediğinde Tam'ın kalbi biraz daha hızlı atmaya başladı.

"Buraya gelişimin başka bir sebebi daha var. Kuzenim, Peter Creeve markisinin yanında çalışıyor ve ben de onu ziyaret etmekten büyük keyif alırım. Özellikle marki ile yıllardır süren yakın arkadaşlığımız sebebiyle, onunla birçok kez Porto şarabı eşliğinde satranç oynamışızdır ve bölgede yapılan yıllık ava davet edilme ayrıcalığım vardır."

Tam, bu aslan kükremesiyle yaptığı böbürlenmeye daha fazla dayanamazdı ama o devam etti. "Beyefendinin evinde suçluları yakalamakta büyük yardımlarım dokunmuştur. Hatta bir keresinde adaletin yerini bulmasını, iki tanesinin asılıp diğerlerine örnek olmasını sağlamıştım," dedi büyük bir tatmin olmuşlukla. "Mükemmel bir beyefendi. Majestelerinin arkadaşı tabii ki, bizi o tanıştırdı. Üçüncü eşi çok tatlı, genç bir bayan. Ama aramızda kalsın biraz yaramaz," dedi işbirlikçi bir göz kırpmayla. Tam bunu pek önemsemedi.

Townsend'e onu nereye götürdüğünü sorarak konuyu değiştirmeyi yeğledi.

"Majestelerinin kaybolan mücevherlerini aramaya ilk başlayacağımız yer, Bay Eildor, bu güzel şehrin varoşları olacak." Pavilion'u gösteren bir işaret yapmak için duraksadı. "Kuruluşundan bu yana yirmi beş yıl geçti ve gün geçtikçe büyüyen günah batağı, o harikulade malikâneyi de batırmaya başladı.

"Sözlerime dikkat edin Bay Eildor, bu sanki doğanın kanunu. Nerede soyluluk varsa orada büyüyen bir yeraltı dünyası vardır. Soylu malikâneler ve saraylar onları, bir köpeğin pireleri cezbettiği gibi cezbeder. Bölgede bütün suç ve yolsuzlukla ilgili soruların şeytanî cevapları onlardadır. Onların çiğnediği yasaklar ve bu konudaki başarıları ışık hızıyla yayılır ve Londra'da pis emellerinde başarı sağlayamayıp daha umut vadeden, daha çekici yerler arayan serseri arkadaşlarını cezbeder."

Denizin tazeleyici rüzgârını arkasına alıp şehre döndü. "Hadi işe koyulalım. Belli yerlerden başlayacağız. Hanlara, hırsızların, dolandırıcıların barındığı evlere bakacağız."

Durup Tam'a göz kırptı. Dostça kolunu sıktı. "Bilginiz olsun diye söylüyorum Bay Eildor, dolandırıcıların barındığı evler, aynı zamanda genelevlerdir," dedi neşeyle gülümserken. Kuzey caddesi boyunca hızla yürürlerken Tam elleri arkasında bağlı, ıslık çalan ve gözleri parlayan Townsend'in karakterinin şehvete düşkün yanını keşfetmişti.

Tam'ın daha önce nefes nefese kaldığı dar yollarda yürürlerken Tam, Bow Street memurunun çok tanıdık bir sima olduğunu anladı. Townsend'in varlığı birçok suç işbirlikçisinin hızla kapalı kapılar ardında yok olmasına sebep oluyordu.

Townsend'in kayıp ya da çalınmış olan şeyi arama metodu Tam'ı gerçekten çok şaşırtmıştı. Dükkân sahipleri ile olan görüşmeleri en ufak bir kurnazlık, ince zekâ ya da ima içermiyordu. Konunun etrafında dönüp, kibar sorular sormaya zahmet etmiyordu. Gayet tehditkâr bir ifadeyle içeri dalıyor, direkt çalıntı mücevherin kendilerine ulaşıp ulaşmadığı sorusunu kükreyerek soruyordu.

Bu yaklaşımla hiçbir yere varamayacaklarını söylemeye gerek bile yoktu. Townsend'in metodu suçlu ya da masum olsun herkesin hemen inkâr etmesine sebep oluyordu. Bu, hiç hoş olmayan, açık açık gözdağı veren soruşturmayla ilgili fark ettiği başka bir nokta ise sadece özel olarak inci kolyeler ya da daha küçük çaplı dükkânlarda kürklü pelerinlerle ilgili yapılmasıydı.

Townsend bu detayları nereden biliyordu? Bu, cinayet konusunda prensin güvenini kazandığını, her şeyi bildiğini gösteriyordu.

Tam'ın altıncı hissi, tehlikede olduğunu söylüyordu. Kendisine söz verilen kesedeki üç beş kuruş hiçbir yere gitmeye yetmezdi ve bu beş parasızlık hesaba katılırsa, Tam'ın burada kapana sıkıştırılmış olduğunu anlamak güç değildi.

Birkaç kez, göz ucuyla yolun diğer tarafında yürüyen bir gölge gördü Tam ve bu huzursuzluğunu daha da arttırdı. İçgüdüsel olarak, ya sadece kendisinin ya da Townsend ile ikisinin takip edildiğini hissediyordu.

Takipçileri hiç de iyi bir oyuncu değildi. Tam hızla başını çevirince gölgelere saklanıp kaybolacak kadar bile hızlı değildi. Uzun ve iri yapılı bir adamdı. Çok hızlı hareket edemeyen bir boksörü andırıyordu.

Tam takip edildiklerinden bahsedince Townsend'in gözleri fal taşı gibi açıldı. Yavaşça arkasına dönüp, boş gözlerle yolun karşısına baktıktan sonra, pek nadir olan kahkahalarından birini atıp Tam'a hayal kurduğunu söyledi.

Tam ikna olmamıştı. Townsend'in gerçeği söyleyip söylemediğini merak ediyordu. Günler geçtikçe huzursuzluğu artıyor, hiç konuşmadığı, Townsend'in uzun ve hararetli konuşmaları sırasında arka planda bir figüran gibi beklediği bu soruşturma gezilerine neden katılmak zorunda bırakıldığını merak ediyordu.

Townsend'in soruşturmalarında, varlığının tamamen gereksiz olduğunu düşünen Tam, bunun başka bir sebebi olduğunu düşündü, çünkü prens ve Bow Street memuru çok korkunç bir ikiliydi. Tam'ı huzursuz eden, prensin Tam'a sadece Townsend gelip soruşturmayı eline alana kadar ona ihtiyacı olduğunu, sonra Brighton'dan ayrılabileceğini söylemiş olmasıydı.

Varlığını hayal ettiği sanılan takipçiye büyük ihtimalle bu efsanevî Edinburg avukatının üstünden gözlerini ayırmaması konusunda sıkı talimat verilmişti. Townsend dinlenmek için sık sık mola veriyor, hanlara girip bir bardak bira ve bir dilim keki mideye indiriyordu. Gemi Sokak'ta dolaşırlarken, Tam'ın mahkûm çocuk Jem'le karşılaştığı ve hancının Tam'ın acil bir görüşme ayarlama isteğini yanlış anladığı hanı seçti.

Şimdi düşünmesi gereken bir sorun daha vardı. Gözleri Jem'i arıyordu ama eğer yüz yüze gelirler ve Jem onu tanırsa, bir açıklama yapması oldukça güç olacaktı. Özellikle Tam, Townsend'in masum ve isteksiz dükkâncılara karşı takındığı tehditkâr ifadeyi gördükten sonra kendisini suçlayacak herhangi bir teorinin ne kadar hoşuna gideceğini ve bir kedinin bir fareyle öldürene kadar oynadığı gibi Tam'la oynayacağını biliyordu.

Neyse ki hancı Eski Gemi Hanı'nda yoktu ve siparişini oldukça pasaklı olmasına rağmen kıçına bir tokat vurup şehvetli bakışlar atan bir kadın aldı. Bu olay hoş karşılanıyordu. Onlara göre iyi bir müşteriye ki bu sözde bir kanun adamıydı, yapılan bu hareket kabul edilebilir bir hareketti. Bu arada, daha huzurlu bir ortamda olsaydı Tam burada zorla alıkonulmasının tadını çıkarabilir, her akşam Pavilion'un konuk evindeki konforlu odasına huzurla dönebilirdi. Manzara harikaydı. Townsend'inkiyle yan yana olan odası o harikulade bahçelere bakıyordu. Her daim emrine amade uşaklar, enfes yemekler vardı. Yedikleri önlerinde yemedikleri arkalarındaydı.

Tam'a göre, yerinin değiştirilme sebebi prensin yatak odasını yenileme işini hemen başlatmak için acele ediyor olmasıydı. Bu, anlayışla karşılanabilirdi. Bu düzenlemenin onu Townsend'in gözetiminde, konforlu bir hapiste tutmak için hayranlık uyandıracak şekilde planlandığını, geleceği ile ilgili son karara varılana kadar böyle kalınacağını anlamıştı. Eğer yemekten sonra hava almak için dışarı yürüyüşe çıkmak istese, Townsend ona eşlik etmekte ısrar ediyordu ve Tam artık 'bir çukurda saplanıp kalma'nın ne anlama geldiğini anlamaya başlamıştı.

Yalnız kalmasına neredeyse hiç izin verilmiyordu. Bir keresinde gece yarısı yatak odasının kapısında bir ses duymuştu. Çıkıp dışarı baktığında, koridorda oturan silahlı bir muhafız olduğunu görmüştü. Bundan Townsend'e bahsedince omzuna dostça vurup, "Çünkü biz önemli konuklarız bayım, majesteleri iyi korunduğumuzdan ve iyi bakıldığımızdan emin olmak istiyor," demişti.

Hâlâ prensin beş parasız misafiri olan Tam, Brighton'ın varoşlarında sürdürdükleri araştırmalarında yaptıkları bütün masrafları Townsend'in kendi kesesinden ödediğini fark etti. Bu gezilerinde yemek içmek için sık sık mola vermeleri gerekiyordu ve bu molalara Townsend'in *Stuart Safiri*'nin geleceği ile ilgili spekülasyonları eşlik ediyordu.

Çok açıktı ki, bilinmeyen bazı sebeplerden dolayı prens, gemi kazasından kurtulan adamın sağ kalmasını istiyordu. Lort Henry ve Percy dışında, markizin öldürülmesiyle ilgili çok şey bilen tek insan olmanın tehlikesinin farkında olan Tam, araba kazasından sağ kurtulmasının istenmediğini ve markizle birlikte ondan da kurtulmanın prensin gizli arzularının ta kendisi olduğunu da biliyordu.

Tam gün geçtikçe anlıyordu ki hayatta kalması fazla uzun sürmeyecekti, çünkü Townsend soruşturmayı kendi tekeline almıştı. Öyle görünüyordu ki eğer Tam iddia ettiği profesyonelliğini kanıtlayıp *Stuart Safiri*'nin izini bulma yolunda özel bir yetenek göstermezse en yakın zamanda yok edilecekti. Zaten çoktan bir girişimde bulunulmuştu. İkincisinde ise dar sokaktan dikkatsizce çıkıp dörtnala gelen atlıdan son anda kenara çekilip kıl payı kurtuldu. Etraftan geçenler çığlıklar attı ama tehlikeden kurtulup Townsend'e baktığında Townsend'in hiç hakaret etmeden öylece durduğunu gördü. "Gördün işte," dedi Tam, "kasten bana çarpmaya çalıştı." Townsend başını sallayıp ekşi bir gülümsemeyle, "Yine hayal görüyorsunuz Bay Eildor. Kazaların ne kadar basit sebeplerle meydana geldiğini herkes bilir. Bu caddeler çok dar ve kalabalık ve korkarım bu genç delikanlılar hızlı atların üzerindeyken yayalara hiç aldırış etmiyorlar," dedi.

Tam onları takip eden biri olduğunu söylediğinde Townsend bunu bir hayal ürünü olarak değerlendirip hiç dikkate almadığı için, Tam'ın katil kılıklı atlı hakkında Townsend'le tartışmaya hiç niyeti yoktu. Bu girişim de başarısız olmuştu ve Tam eğer başına bir kaza daha gelecek olursa, girişimin yine sadece ona yönelik olacağından ve Townsend'in olayda yer almayacağından emindi.

Takipçileri suikast görevini üstlenmiş olabilirdi ve Tam'ın içinde hayatta kalabilmek ve Brighton'dan kaçabilmek için tüm zekâsını kullanması gerektiğine dair bir his vardı. Kaçması ayrı bir dertti zaten. Güneydoğu kıyılarında bir yerlerde demir atmış o mahkûm gemisini nasıl bulacak, kendi zamanına tekrar nasıl dönecekti?

Tam'ın muhafızın koruması altında güvenle uykuya daldığının sanıldığı sırada, yeterince ayık olan prens, Townsend'i yanına çağırıp soruşturmasının nasıl ilerlediği konusunda bilgi almak istemişti, eğer Tam bunu bilseydi kendini mutlaka daha huzursuz hissederdi.

Sadece *Stuart Safiri* değil, aynı zamanda Tam da soruşturma altındaydı. Townsend bocaladığını itiraf etmek zorundaydı. Eildor gizemli bir adamdı ve Townsend Edinburg'daki bazı kanun adamlarından onu araştırmalarını istemişti.

"Bu biraz zaman alacak Majesteleri ama bir sahtekâr, bir casus ya da zatıâlinizin canına kastetme amacıyla suikastçılarla işbirliği içindeki biri olma ihtimaline karşı..." Devamını getirmedi. Aklından Carlton Malikânesi'nde oturan, entrikacı Galler Prensi ile ilgili karanlık düşünceler geçiyordu. "Majestelerinin yararını düşünürsek, onun burada tutulmasını tavsiye ederiz. Gözümüz üzerinde olmalı."

On Beş

O korkunç cinayet hayatına girdiğinden beri prensin Bayan Fitzherbert'in evindeki geceleri korku içinde geçiyordu. Markizin cesedinin hâlâ neden bulunamadığını anlayamıyordu. Henry'nin kaza yaptıkları uçurumun ana yoldan uzak bir yerde olduğu şeklindeki teselli etme girişimleri onu yatıştırmıyordu. Düşünceleri paranoya haline gelmişti. Bir keresinde İngiltere kralı olduğunu hayal etti. Yıllar geçmiş, markizin iskeleti bulunmuş ve o korkunç gerçek, şoke edici skandal açığa çıkmış, tüm halkı duymuştu.

Ölümünün Pavilion'la olan tüm alakasını ortadan kaldırmak ve suçu kendi üzerinden atmak için yaptıkları planlanmış araba kazasının bir sonuca ulaşacağından bile ümidini kesmişti artık. Yatak odasının yenilenmesiyle ilgili alakasını gerektiren detaylarla bile ilgilenemiyordu çünkü o yeri aklına getirmek bile istemiyordu. Ama Steine Malikânesi'nde kalmaya devam ederse bunun halk arasında meraka ve hoş karşılanmayacak dedikodulara yol açacağını da biliyordu.

Markizin ölümünden yaklaşık bir hafta sonra, Henry elinde *Brighton Herald* gazetesi ile koşarak içeri girdi. Gazetede çok nadir heyecan verici bir haber olurdu. Genelde balık ticareti ile ilgili denemelerin ya da Brighton'a gelen yabancı devlet adamlarının haberleri çıkardı. Ama bugünkü sansasyonel haber hepsinin gözlerini yuvalarından fırlattı. Henry okudu:

KORKUNÇ OLAY!
LEWES YOLU YAKINLARINDA
ÇIPLAK KADIN CESEDİ

Dün akşam tavşan avına çıkan Lewes'den bir avcı, köpeğinin heyecanlı davranışları üzerine yola yakın şarampolde çıplak bir kadın cesedi buldu. Etrafa saçılmış araba enkazı parçaları, yalnız başına seyahat eden kadının garip bir kazaya kurban gittiğini gösteriyordu.

Hemen yetkililere haber verildi. Yetkililer arabaya soyguncuların saldırdığını, atları çalıp arabayı şarampole yuvarladıklarını tahmin ediyorlar. Henüz kimliği belirlenemeyen talihsiz kadın, kazada hayatını kaybetti. Kadının çırılçıplak olması, soyguncuların bütün kıyafetlerini ve üzerindeki değerli eşyaları çaldığını gösteriyor. İncelemelerini tamamlayan doktor, kadının birkaç gün önce öldüğünü, şarampolün dibinde bulunan cesedin üzerini çalıların örtmesi sonucu yoldan gelip geçenlerce fark edilmediğini belirtti.

Yetkililer aşağıdaki tarife uyan kayıp bir kadın varsa, hemen kendileriyle irtibata geçilmesi hususunda uyarıyor: Yirmi beş, otuz beş yaş arasında, iri yapılı, güzel, açık tenli bir bayan.

Prens elini havaya kaldırdı. "Ah, gerçekten çok korkunç bir olay," dedi üzüntüyle. Bunu takip eden iç çekişi öfke değil, rahatlamışlık ifade ediyordu. Her şey tam istediği gibi olmuştu. Gazeteyi bir kenara bırakıp Henry'ye gülümsedi, "Artık işimize bakabiliriz," dedi.

Henry babasının bu tepkisine şaşırmış da olsa bunu kendine saklamayı tercih etti. Cevabını öğrenmek istediği bir sürü soru vardı, ama prens bu işin içinde olduğu için tanımadıkları bir kadının başına gelen talihsiz bir kazaymış gibi davranıyorlardı. Detaylar zamanı gelince halka açıklanacaktı. Ancak şehir morgunda kadının kimliği markiz olarak belirlenip, Creeve'deki aile mezarlığında ebedî uykusuna yatırılınca tehlike geçecek, bu konu kapanacaktı. Bu korkunç olayı Pavilion ile bağdaştıracak hiçbir iz olmamasına rağmen Henry, istemeyerek dahil olduğu araba kazasının rezil detaylarını unutamadığı gibi bu nahoş detayları prens gibi görmezden de gelemiyordu. Henry babası önemsemese de hâlâ ciddi tehlikeler olduğunu düşünüyordu. Ne Henry'nin sinirleri soylu babasıyla aynı telden yapılmıştı ne de zihni onunki kadar kolay yatıştırılabilirdi.

Günün ilerleyen saatlerinde gazeteyi okuyan Tam'ın ilk tepkisi, bu korkunç olaya prensin nasıl tepki verdiğini, ileride kaçınılmaz olarak kadının kimliği ortaya çıktığında yayılacak haberlere karşı nasıl bir tavır takınacağını, bir zamanlar metresi olan ve kendi yatağında ölü bulunan kadın ile bu korkunç olayı birbirine bağlamamayı nasıl başaracağını merak etmek olmuştu. Özellikle kadının tamamen çıplak bulunması da

Tam'ın ilgisini çekiyordu. Gazetedeki yazıda kürklü pelerinden ya da cinayet aleti olan inci kolyeden hiç bahsedilmiyordu. Bu durumda çıkarılacak sonuç, bu korkunç olayı ortaya çıkaran isimsiz tavşan avcısının inci kolyenin ve pelerinin değerli olduğunu anladığı, onların kayıp haberinin de atların kayıp haberinin yanında zikredilip, suçun soyguncalara atılacağını düşünerek, onları yürüttüğüydü.

Soygunculardan bahsedilmesi de Tam'ın ilgisini çekmişti. Acaba yetkililer bunu kendileri mi düşünmüş, yoksa birileri mi öyle yazılmasını istemişti? Pelerin ve inci kolyeye sahip çıkacak birinin çıkması ihtimali çok zayıf olduğuna göre, köpekli adam onları sinir sisteminin uğradığı hasara karşı tazminat olarak mı zimmetine geçirmişti? Kuşkusuz o inci kolyeyi satarak, kendisinin ve eğer varsa ailesinin ömürlerinin sonuna kadar rahat yaşamalarına yetecek paraya sahip olacağı düşüncesiyle kendisini teselli etmişti. Tam bu tiyatronun bir sonraki sahnesini merak ederek iç çekti. Acaba ne kadar zaman önce Creeve Malikânesi ayaklanmıştı; garip bir yaşam tarzı olan markizin yokluğu ne zaman anlaşılmış, kocasının dikkatini çekmiş ve önemsenmişti? Daha önemlisi, Townsend'in fark etmemiş gibi yaptığı takipçileri ya da bir başkası, onu sonsuza dek yok etmeden önce Tam, bir yolunu bulup 1811 yılından tüyebilecek miydi? Bu durumda kayıp inci kolye ve pelerin önemini yitirmişti, bu gizemi de çözmesi için onu zorlayamazlardı. Şu an zaten yeterince işi vardı. Bir katilin izini sürüyor, Townsend'in günlük *Stuart Safiri*'ni bulma girişimlerinde yardım için hazır bekliyordu.

Sadece kendisinin görebildiği takipçilerinin niyeti Tam'ı endişelendiren şeylerin en küçüğüydü. Onun yanında, herkesin görebildiği ve oldukça kararlı olan Beau Brummell ve Prenses Charlotte tarafından da takip ediliyordu.

Ne zaman Townsend prensin huzuruna çağrılsa ve Tam ondan kurtulup yarım saatliğine bahçede gezinip güneşli havanın tadını çıkarmak ve rahat nefes almak istese, ya Brummell ya da Prenses Charlotte bir yerlerde pusuya yatmış onu bekliyor oluyor ve hemen yanına koşuyordu.

"Ah, Bay Eildor," dedi Brummell ona doğru el sallayarak. "Bana öğle yemeği sözünüz vardı. Kıymetli vaktinizden bir saatinizi bana ayırma lütfunda bulunursanız, Edinburg'daki hayatınız hakkında daha çok şey öğrenmek beni çok mutlu eder. Acaba hiç Sör Walter Scott ya da ressam Allan Ramsey'le tanışma imkânı yakaladınız mı? Portremi çizmek için çok ısrar etmişti. Ama ne yazık ki bu teklifini geri çevirmek zorunda kaldım çünkü İskoçya'ya seyahat etmek çok yorucu ve havası berbat... çok berbat. Yolları da öyle," diye ekledi göz bebeklerini yukarı kaldırarak. "Ve ne yazık ki Bay Ramsey de beni Londra'da ziyaret edemiyor."

Konuşmaya devam etti. Tam sorguya çekildiğini anladı. Bu sözde samimiyetin ardında Beau Brummell gibi tehlikeli bir düşman yattığını anlamak için fazla zeki olmak gerekmiyordu.

Bayan Fitzherbert'le karşılaşmak daha mutlu ediciydi. Tam, Townsend'in tamamıyla faydasız kayıp safir arama yöntemiyle Brighton'ın varoşlarında şüpheli insanları sorguya çektikleri başka bir yorucu günün ardından yine tükenmiş bir haldeydi. Şimdiye kadar herkesin, eğer hâlâ Londra'ya kaçmamışsa hırsızın bile, alarma geçmiş olduğunu biliyordu.

Ayak ağrısından şikâyet eden Townsend'in ona eşlik etmekte ısrar etmeyeceğini uman Tam, başının ağrıdığını bahane ederek deniz kıyısına kaçtı. Sahilde yüzüne vuran serin deniz melteminin ve o sıcak günü ferahlatan serin rüzgârın tadını çıkararak yürüyordu.

Bir arabadan ona seslenildiğini duydu. Bayan Fitzherbert kafasını pencereden dışarı uzattı. "Bay Eildor, ne kadar hızlı yürüyorsunuz. Ah bu gençlik! Size hiç yetişemeyeceğimizi düşünmeye başlamıştım." Karşısındaki hizmetçisinin yanındaki boş koltuğu göstererek, "Bize katılmak ister misiniz?" diye sordu.

O çekici gülümsemeye karşı koymak imkânsızdı. Geleneksel hal hatır sorma merasiminden sonra, "Notum size ulaştı mı acaba? Sizi, eğer müsaitseniz Cuma günü pikniğe davet etmiştim." Tam başını salladı. Ne Bayan Fitzherbert'ten ne de başkasından bir not almıştı.

Bayan Fitzherbert içini çekti. "Brummell, Pavilion'a George'u ziyarete gidiyordu, notu size ulaştıracağını söylemişti." Tam'ın fikir belirtmeyen kafa sallayışından sonra Bayan Fitzherbert, ona yüzünü ekşiterek baktı. "Bay Brummell unutmuş olmalı ya da daha doğrusu, korkarım prensin herhangi bir şekilde yakınlık duyduğu her kim olursa olsun Bay Brummell tarafından kıskanılıyor, nefret ediliyor ve dışlanıyor."

Tam Eildor'la ilk tanıştıkları gün, Brummell ile aralarında geçen konuşmayı hatırlayıp üzüntü içinde, "Çok yanlış şeylere inanıyor," dedi. "Prensin yakınlık duyduğu insanların altından merdivenleri çekmenin onu George'un gözündeki eski haline getireceğini ya da onu bir basamak daha yükselteceğini düşünmesi hiç de zekice değil."

Yine üzüntüyle başını salladı. "Bu çok saçma. O kadar yıl geçti. Şimdiye kadar fark etmesi gerekirdi. Prensin yakınlık duyduğu birçok insan görmüş olmalı, gelirler ve giderler ve gittiler mi, heyhat, sonsuza dek dönüşü yoktur," diye ekledi. Bu arada gelip geçen metres silsilesini, kendisinin mucizevî bir şekilde hâlâ orada olduğunu düşündü.

Steine'e geldiler. Ayrılırlarken Bayan Fitzherbert, Brummell'in yanıldığından emindi. Bu genç adam hakkındaki spekülasyonları kin ve kıskançlıktan kaynaklanıyordu. İçgüdüsel olarak Tam Eildor'un dürüst olduğunu hissediyordu. İçinde bir kötülük yoktu, sadece alışılmışın dışında, kraliyet camiasında karşılaştığı, zamanın erkeklerinden çok farklı bir adamdı. Yabancıydı ama Avrupa seyahatlerinde tanıştığı erkeklerden de çok farklıydı. Ona güvenebileceğini hissediyordu, bir kere söz verdi mi asla sözünden caymayacağını biliyordu. Kesinlikle Brummell'in Galler Prensesi'nin hizmetinde olduğunu iddia ettiği tehlikeli Jacobite casusuna benzemiyordu. Ah bir emin olabilseydi, hisselerine tamamen güvenebilseydi... Ve George işin içinde ya da tehlikede olmasaydı.

Townsend davet edildiği için Tam'ı yadsıyamazdı ama hemen prense yetiştirmekten de çekinmedi. Prens, sade bir gülümsemeyle, "Bayan Fitzherbert bizim tarafımızda. Her şeyden önce o benim karımdır, bağlılık ve sadakatinden şüphem yoktur. Bunun yanında, Townsend, o aptal değildir. Onun kararlarına güveniyorum. Her zaman öyle yaptım ve bundan sonra da öyle yapacağım."

Prens, Maria'nın da kafasının karıştığını hatırlıyordu. Tam Eildor'da bir kötülük göremiyordu ama iyice sorgulanınca görünmeye çalıştığı kişi olmayabileceğini itiraf etmişti. Ama bunun mutlaka masum bir açıklaması olduğuna inanıyordu. Prens bunları Townsend'le paylaşmamaya karar verdi. Yakında bir şekilde aralarından ayrılacak olan Tam Eildor'u düşünerek kaybedecek vakti yoktu. Markizin cesedi mezara konur konmaz ondan kurtulacaktı.

Tam'ın en büyük sorunu Prenses Charlotte ve ondan nasıl kurtulacağıydı. Hava çok güzeldi. O da aynı Tam gibi, Pavilion'un klastrofobik havasından kurtulmak için, her gün temiz hava hasretiyle kendini bahçeye atıyordu. Uzaktan onu gözetliyor, sonra çığlıklar atıp en asaletsiz, en genç bayanlara yakışmayacak şekilde el sallayarak eteklerini kaldırıp, nefes nefese yanına koşuyordu. Bu saldırı karşısında Tam, olduğu yere mıhlanıp kalıyordu. Onu görmezlikten gelemezdi, arkasını dönüp tam aksi yöne topuklayamazdı. Olduğu yerde kalmalı, beklemeli, selam verip gülümsemeliydi.

Prensesin sohbet konusu ya da koluna yapışıp kalma huyu asla değişmiyordu. "Sizi görmek ne güzel," diyordu içini çekip, "sizi şimdiden benim sevgili, sadık arkadaşım olarak görüyorum Bay Eildor."

(Tam bu fikre nasıl kapıldığını merak ediyordu.)

"Siz çok anlayışlısınız, zamanımızın bu kadar kısa olması, günden güne tükenmesi beni o kadar derin bir kedere boğuyor ki. Hâlâ birbirimize söylemediğimiz, birbirimiz hakkında öğreneceğimiz o kadar çok şey var ki."

Bir sabah *Brighton Herald* gazetesindeki yerel dedikodulara göz gezdirirken, kendisiyle ilgili bir haber dikkatini çekti. Şöyle diyordu:

"Bir önceki sayıda bahsi geçen *Soylu Stuart*'ın yolcusu Edinburg'lu Avukat Bay Eildor, diğer herkesin öldüğü kazanın tek sağ kalanı olarak belirlendi." Prenses bu haberi gördüğünü söyledi. "Gazete tabii ki her gün kütüphanede dolaşıyor. Birçok ziyaretçi bu haberi okudu ve tören başkanı bir gün gelip bizi onurlandırmanızı ve *Soylu Stuart*'ta yaşadığınız zor anları bizimle paylaşmanızı çok istiyor."

Ben hiç istemem diye düşündü Tam. Prenses her sözünden sonra yüzsüzce koluna daha da sıkı sarılıyor, yüzüne sırıtıyor, başı onunkine değiyordu, ama Tam yine cesurca gülümsemeyi başarıyordu.

Gözünün köşesinden görebildiği prensesin, yanağında hissettiği sıcak nefesinden irkilmemeye çalışan Tam, birden Leydi Clifford'un afallamış suratını gördü ve bunların, babasının kulağına gitmemesi için içinden dualar etmeye başladı. Bu, prense Tam Eildor'dan yasalar çerçevesinde kurtulmak için muhteşem bir bahane olabilirdi. Geleceğin İngiltere Kraliçesi olacak soylu bir prensesi baştan çıkarmaya çalışmak büyük bir suçtu.

On Altı

Creeve Malikânesi'nde, Sör Joseph gazeteyi okuyordu. Onun sevgili Sarah'sı, böyle konulardan garip bir şekilde zevk aldığı için bu haber onun ilgisini çeker diye düşünüyordu. Onun gibi kibar bir hanımefendi için talihsiz bir özellikti bu, ama onu içinden kurtardığı durum düşünülürse anlayışla karşılanabilirdi.

Gazeteyi bir kenara bırakıp son günlerde en çok zevk aldığı şey olan konyak şişesine elini uzatırken, Sarah'yı birkaç gündür görmediğini fark etti. Bu pek alışılmadık bir durum değildi. Creeve'nin vârisi olan tek oğulları Timothy doğduğundan beri anlaşmaları böyleydi. Genç ve güzel karısı kendi hayatını yaşamakta özgürdü. Bu onların içinde bulunduğu sosyal sınıftaki evli çiftlerin geleneğiydi ve Sarah bunu hemen gözlemlemiş, kendisi için de geçerli olmasını sağlamıştı.

Sör Joseph isteksizce olsa da bunu kabul etmişti çünkü başka seçeneği yoktu. Sarah üçüncü eşiydi ve ondan önceki ikisinden erkek çocuğu olmamıştı. Önceki marki olan babası tarafından, o on yedi yaşındayken seçilen ilk eşi bir İngiliz kontunun altıncı ve son evlenmemiş kızıydı. Ondan büyüktü ve çok sade, gösterişsiz bir kadındı. Bu bir aşk evliliği değildi. Kadın atları erkeklere tercih eden biriydi ve avlanma alanında at binerken geçirdiği kaza sonucu ölmüştü.

İkinci evliliğinde de şansı yaver gitmemişti. Bu sefer eşini kendi seçmişti. Genç ve varlıklı bir duldu bu. Londra'da bir evi, kırk mil ötede de bir malikânesi vardı. Birkaç düşük vakasından sonra, bir kız çocuk dünyaya getirmeye çalışırken hayatını kaybetmişti. Bebek prematüre idi ve derisi soyulmuş bir tavşandan büyük değildi.

Sör Joseph yıllarca hayal kırıklığını saklamaya çalışmış ama kız ne yazık ki hayatta kalmıştı. Onun ve Londra'da Cehennem Ateşi Kulübünün bir toplantısında tanıştığı üçüncü karısı ateşli Sarah Flint'in başına dert oluyordu.

Artık yaşlanmış, umutsuz bir ihtiyar olmuştu. İki evlilikten sonra, nasıl baba olunduğunu çok iyi bilmesine rağmen, onun durumunda bu olay yatak çarşaflarının altında karanlıkta el yordamıyla bulup yaptığı bir şeydi. Bir fahişeyle en ahlaksız pozisyonları öğreniyordu. Sarah'nın onu baştan çıkarmak için yaptıkları nefesini kesiyordu.

Sonraları Sör Joseph yeni bir duygu geliştirdi: Kıskançlık. Bu Sarah'nın işiydi ama o, Sarah'yı kulüpte başka erkeklerle samimi görmeye dayanamıyordu. Sadece kendisine ait olmasını istiyordu ve ona evlenme teklif etti, hayır, ona evlenmesi için yalvardı. Kulüpte ondan daha genç ve daha yakışıklı bir sürü erkek olduğu için teklifi kabul edilince şoke olmuş, heyecandan delirmişti. Onu eve, Creeve'ye, getirip paketi açtığında Sarah'nın hiç de kolay bir lokma olmadığını anladı. O, Sarah'nın rolünü sadece oğul dünyaya getirmek olarak görüyordu ama sonra arzularının bedelini ödemesi gerektiğini, Timothy doğduktan sonra başka çocukları olmayacağını anladı. Sarah görevini yapmıştı. Artık o evlenmeden önceki günlerindeki hisli kadın yoktu, artık yatakta hiç heyecan vermiyordu. Zaten hanımefendi, önceki iki karısından bile daha az lütfediyordu.

Sör Joseph iç çekti, bahaneler uydurdu. Herkes Creeve'de yolunda gitmeyen bir şeyler olduğunu açıkça bilse de, o umudunu hiçbir zaman yitirmedi. Kısa bir süre sonra Sarah artık bebeği Timothy ile ilgilenmemeye başladı. Bebek bakıcısı ile olan iş bitince Timothy özel öğretmenlerin eline bırakıldı.

İstenmeyen kıza gelince, Sarah "O kız" dediği kıza tahammül edemiyordu ve varlığı her ikisi için de utanç kaynağı haline gelmişti. Zaten Sarah'nın yanında, Sör Joseph onu savunacak tek bir kelime bile etmeye cüret edemezdi. "O kız" bir ay önce Londra'daki büyük annesinin yanına gidince son derece rahatladığını kabul etmeliydi.

Konyak bardağını tekrar doldururken, uşağı çağıran zili çaldı ve Leydi Sarah'nın ona katılmasını istediğini söyledi. Uşak ağır adımlarla çıktı ve sonra geri gelip Leydi Sarah'nın evde olmadığını söyledi.

Sör Joseph buna çok şaşırmıştı. Bu, onun rahatsız edilmek istemediğinde verdiği alışılmış tepkiydi. Biraz kafa karışıklığı ve ısrarın ardından uşak, hanımın gerçekten evde olmadığına ikna etti onu. Sarah evin hiçbir yerinde bulunamamıştı.

Erkeklerin en yumuşak huylusu olan Sör Joseph şimdi kızmaya başlamıştı. Zaten kendi fikri olan birkaç gün önceki maskeli baloya da katılmamıştı. Ama bu ihmalinden dolayı ona kızmak hiç iyi olmazdı. Çünkü cezası zaten istemeyerek gösterdiği yakınlığı tamamen kesmesi olurdu ve bu da gururuna çok ciddi ve acı dolu hasarlar verirdi.

Yorgundu, içini çekip arkasına yaslandı. Eğer Creeve'de olmayacaksa aceleyle yazılmış bir not gönderirdi. Bu, onun görevi olduğu için ya da düşünceli bir insan olduğu için değil, sırf o ısrar ediyor diye yapılan bir şeydi. Kalkıp Sarah'nın koridorun diğer ucundaki odasına gitti. Kapıyı açarak onu kızdırmayı göze alıp içeri girdiğinde, pencere kenarında dikiş diken hizmetçisi Simone'u gördü ve çok şaşırdı. Simone ayağa fırladı, eğilip onu selamladı.

"Neden buradasın Simone? Hanımının yanında olman gerekmez miydi?"

Simone kızardı. "Efendim, Whitdean'da yaşayan halam çok hastaydı ve hanımım onu ziyarete gitmem için izin verdi."

"Bu ne zaman oldu?"

Simone biraz düşündü. "Cuma günüydü, efendim."

"Hanımın nereye gitti?" Genelde Londra'ya giderdi.

"Birghton'a efendim. Arkadaşlarını ziyarete."

Bir hafta önce diye düşündü Sör Joseph. "Bu arkadaşları kim?"

Simone yorgun bir ifadeyle kafasını salladı. "Eğer sizi memnun edecekse efendim, hanımım bana isimlerini söylemez."

Yalandı bu. Leydi Sarah'nın nereye gittiğini ve prens ile olan ilişkisini gayet iyi biliyordu. Ama Sör Joseph'in hassas bir ruhu vardı, kaşlarını çatışı kötüye alametti ve Simone bu konuşmanın ona hanımının

Brighton'daki gizli dairesi hakkındaki gerçeği açığa vurmasına sebep olmasından korkuyordu.

"Ben... sanırım... arkadaşlarıyla oyun masalarını geziyor."

Sör Joseph'in yüzü gittikçe daha da kızarıyordu. Brighton'daki oyun masalarında tam bir hafta... Her zamanki gibi onun parasını çarçur ediyordu. Artık bu gidişata dur demeliydi. Pencerenin pervazında parmaklarını tıkırdatan Sör Joseph, şimdi titreyen Simone'a döndü.

Hizmetçisini neden yanına almamıştı? Kim elbisesinin bağlarını çözecek, onu giydirip soyacaktı? Evlenmeden önceki günlerinden hiç hoş olmayan bir manzara geldi gözlerinin önüne ve hemen yok etti o manzarayı.

"Ne zaman döneceğini söyledi mi?"

Simone kafasını salladı, yere bakıyordu. "Hayır, efendim," diye fısıldadı, "söylemedi."

Bu da yalandı. Aslında Simone maskeli balo olduğu için sabah erkenden geleceğini tahmin ediyordu. Prensle geçirdiği gecelerin sabahında böyle yapardı. Kapalı bir arabayla gelir, Simone'un açık bıraktığı hizmetçilerin bölümündeki kapıdan sessizce içeri girerdi. Tabii ki bütün hizmetçiler, hanımın bütün gece dışarıda olduğunu bilirlerdi. "Azmış bu," diye fısıldaşır, arkasından birbirlerine göz kırparlardı. Ama bu sefer gelip sessizce odasına süzülmemiş, Simone'un onun için hazırladığı banyosunu yapmamıştı ve o zamandan beri de hiç ses soluk yoktu.

Simone biraz endişeleniyordu ama o kadar çok değil. Hanımının Pavilion'u Creeve'deki herhangi bir maskeli baloya tercih etmesini anlayışla karşılıyordu ve sadece kendi işine bakması için hanımı ona iyi para ödüyordu. Simone, hem bir yandan hanımının geleceğin İngiltere Kralıyla bir ilişkisi olmasından gizlice gurur duyuyor, hem de şu Whitdean'daki hasta hala diye uydurduğu sevgilisiyle bir gün daha geçirme şansı yakaladığı için memnun oluyordu.

Çalışma odasına geri dönüp, az önce şöyle bir göz gezdirdiği korkunç olayın detaylarını bir kez daha okuyan Sör Joseph, dördüncü bardak konyağını bir kenara bırakmış, tam uyuklamak üzereydi ki uşak içeri girdi ve beklenmedik bir misafir olduğunu duyurdu. John Townsend.

Sör Joseph gözlerini açtı. Konyağın verdiği sarhoşluktan dolayı güçlükle doğrulup ayağa kalktı.

"Ah, Townsend, hoş geldin. Uzun zamandır görüşemedik. Tabii her zamanki gibi suçluları yakalamakla meşgulsün. Yeğenini görmeye geldin, değil mi? Çok iyi iş çıkarıyor gerçekten, ondaki gelişmelerden çok memnunuz. Haftalığına zam yapmayı düşünüyoruz," dedi gülümseyerek. Ama Townsend gülümsemesine karşılık vermedi. Çok üzgün görünüyordu.

"Kötü haber mi var Townsend, aileden biri mi hasta?"

Townsend derin bir nefes aldı, kafasını sallayıp garip bir ifadeyle, "Efendim, oturun lütfen," dedi.

Yerinde sallanan Sör Joseph sendeleyerek yerine oturdu. "Neler oluyor dostum?" Durdu, gözlerini kısarak Townsend'e baktı. "Krala ya da prense bir şey olmadı, değil mi?" diye fısıldadı.

"İkisi de değil efendim, daha kötü."

"Daha kötü ne olabilir?" deyip endişeyle pencereye doğru baktı. Dışarıdan altı yaşındaki oğlu Timothy'nin öğretmeniyle ve yeni gelen yavru köpekle gürültü içinde oynadığını duyabiliyordu. "İşgal mi var? Aman Tanrım. Fransızlar mı geldi?"

"Hayır efendim. Bir dakika beni dinlemenizi rica edebilir miyim lütfen?"

Sör Joseph arkasına yaslandı. "Tamam devam et. En kötüsü neymiş duyalım bakalım." Timothy'nin ya da prensin başına bir iş gelmesinden daha kötü bir şey olamayacağı için, "Hiçbir şey aklıma gelmese de…" dedi.

"Hayır, efendim, aklınıza gelemez," diye sözünü kesti Townsend. "En acı ve en üzücü haberle geldim buraya." Kafa sallamak için durdu, nasıl devam edeceğini düşünüyordu. "Lewes yolu yakınlarında ölü bulunan kadının cesedi teşhis edilince…"

"Ah, evet," dedi Sör Joseph gazeteyi işaret ederek. "Ben de tam onu okuyordum. Leydi Sarah'ya göstermek istemiştim. Böyle açık saçık sansasyonel haberlerden zevk alma gibi garip bir huyu vardır. Böyle haberler çok olmuyor. Sarah buradaki hayatı sıkıcı buluyor. Soyguncular ve çıplak bir kadın cesedi haberi onu neşelendirirdi."

Townsend beceriksizce yaklaşıp elini Sör Joseph'in omzuna koydu. "Efendim, kendinizi bir şoka hazırlamalısınız."

"Bir şok? Nasıl, neden?"

"Morgda teşhis ettiğim ceset… o… hanımınıza ait."

Sör Joseph inanmayan gözlerle ona baktı, kafası arkaya düştü, gözlerini kapadı, başını çılgınca sallıyordu. "Asla… Asla…"

Townsend kapıyı açıp hizmetçilerden birinin kırılan bileğine bakıp evine gitmeye hazırlanan doktoru içeri çağırdı. Doktor, Bow Street memurunun şoke edici haberinden sonra Sör Joseph'in kötüleşen sağlığıyla ilgilenmeliydi.

Doktor, "Dışarıda bekleyin, Bay Townsend. Beyefendinin size söyleyeceği şeyler olabilir. Ona şimdi bir yatıştırıcı vereceğim. Kalbi böyle bir şoku kaldıramayabilir, biliyorsunuz," dedi.

Bilmiyordu Townsend, ama ahırda yaklaşan Whitehawk yarışları için Creeve atlarını çalıştıran yeğenini ziyaret etme şansı bulduğu için memnundu.

Yarım saat sonra döndüğünde, gitmek üzere olan doktorla karşılaştı. "Şimdi sizi görebilir sanırım Bay Townsend. Onu uzanıp dinlenmeye ikna ettim. Şu an daha sakin ve hanımefendiye ne olduğunu daha detaylı bir şekilde dinlemek için merakla bekliyor."

Townsend yavaşça odaya girdi. İçerde, Sör Joseph kanepeye boylu boyunca uzanmış yatıyordu. "Çok üzgünüm efendim, lütfen taziyelerimi kabul edin."

Sör Joseph sabırsızlandığını gösteren hareketler ve umutla karışık bir ses tonuyla, "Eminsiniz, kesinlikle eminsiniz, değil mi?"

Townsend derin bir nefes aldı. "Ne yazık ki evet efendim. Yıllardır evinizde konuk oldum ve Leydi Sarah'yı yakından tanıma şerefine eriştim." Kafasını salladı, "Çok derin üzüntü içindeyim ve size sadece tüm samimiyetimle hislerinizi paylaştığımı söyleyebilirim."

Sör Joseph bitkinlik içinde başını sallıyordu. "Ulu Tanrım. Maskeli balo için eve dönerken soyguncuların saldırısına uğramış, gazetede yazanlara göre. Bu yüzden gelemedi. Ben de fikrini değiştirdiğini sandım. Böyle şeyleri hep yapardı." Durup yine pencereye baktı.

"O kaza, uçurumdan öyle yuvarlanması... Bütün kıyafetleri, mücevherleri alınmış, çırılçıplak bırakılmış! Ne kadar utanç verici!"

"Gerçekten öyle efendim," dedi Townsend, Sör Joseph devam etti:

"Yani soyguncular, o caniler tekrar başımıza dert açmaya başladılar. Artık bu bölgede onlardan korkmamıza gerek olmadığını sanıyordum. Bir hakim olarak yıllar önce birçoğunun asılmasına ve adaletin yerini bulmasına çok sevinmiştim."

"Yine de efendim," dedi Townsend, "onların soyguncular ya da bir ölüyü soyma fırsatını bile değerlendiren karaktersiz kimseler olduğu, yalnızca bir teori."

Sör Joseph doğruldu, yumruklarını birbirine vurdu.

"O zaman bulunmalı ve asılmalılar, duyuyor musun? Hiçbir açıklama kabul edilemez, kim suçluysa asılarak cezalandırılmalı. Yakalanmalarını sağlayacak bilgiyi getirene, bir ödül... çok büyük bir ödül... vereceğim."

On Yedi

O an markiye sevgili eşini, kardeşi Frederick'e de çok sevdiği yakın bir arkadaşını kaybettiği için samimi baş sağlığı mektupları yazan prensten daha rahatı yoktu dünyada.

Soyguncuların korkuttuğu yolculardan, özellikle zengin olanlardan, sonra, bazı arabalarda koltukların altına gizli bölmeler yapıldığından ve yolcuların özellikle bayanların mücevherlerini buralara koymaları gerektiği konusunda uyarılmaları gerektiğinden bahsedildi. Tabii ki soyguncuların gözünü boyamak için içinde birkaç değersiz madeni paranın bulunduğu "sahte cüzdanlar" hazırlanmalıydı.

Normalde sıkıcı birkaç yerel haber veren gazetedeki korkunç olay ile ilgili haber şehirde ışık hızıyla yayıldı, halkta bir tedirginlik ve bunalım yarattı.

Bu bir sansasyondu, seyahat eden herkesi tehdit eden bir tehlikeydi. Okuma yazma bilmeyenler bile, ki bunlardan çok vardı, olayın doğrusunu öğrenmek için arkadaşlarına ya da komşularına koşuyordu, ama ne yazık ki doğru olandan çok abartılmış versiyonu dinliyorlardı.

Ölünün kimliği belirlenmeden önce, kim olduğu hakkında spekülasyonlar vardı ve şehrin fahişeleri sayılarını kontrol edip eksik var mı diye bakıyorlardı. Kimliğin belirlenememesi otopsi için doktorlara verilmek demekti ve bu çok korkunç bir sondu. Ama daha kötüsü de vardı: "Öldürülmüş" sözü de ağızdan ağza dolaşıyordu.

Prenses Charlotte kadın nüfusun korkularını paylaşmıyordu. Yine kazara olan karşılaşmalarından birinde Tam'ın yolunu kesti. Öyle çevikti ki, Tam bahçeye bakan penceresinin önünde oturup onu beklediğinden ya da o ufukta görünür görünmez haber vermeleri için hizmetçileri nöbete diktiğinden kuşkulanıyordu.

"Sizce de markizin kurban olduğu haber çok heyecan verici –ve rezalet– bir haber değil mi?" dedi gülümseyerek, sonra Tam'ın onun çok duygusuz olduğunu düşünebileceğini fark edip koluna yapıştı ve "Onu hiçbir zaman umursamadım, bu yüzden sahte gözyaşları dökmenin ya da üzgünmüş gibi davranmanın hiç yararı olmaz. Babamı çok kötü etkiliyordu. Mücevherlere –aslında benim hakkım olan mücevherlere– düşkün, açgözlü bir kadındı.

Tam onun markizle ilgili düşüncelerini dinlemek istemiyordu. Kibarlığın el verdiğince hızlı bir şekilde yanından ayrıldı ve en sevdiği yere, huzur dolu sahil kıyısına doğru yola koyuldu. Sahile doğru sürüklenen büyük dalgaları izlerken, hâlâ tetikte olması gerektiğine karar verdi. Düşündüğü kadar gizli kalmamıştı bu olay. Özellikle bu geveze ve patavatsız prensesin dedikoduları markinin kulağına giderse hiç iyi olmazdı.

Townsend bir sürü karışıklık çıkacağını önceden tahmin etmişti. Markiz bir hafta önce ölmüştü. Cesedi kaç gündür bu sıcak havada yerde yatıyordu ve çürümeye başlamıştı. Onlarca küçük hayvan, yağmacı karga ve böcekler cesetle ziyafet çekmiş, durumu daha da kötüleştirmişti.

Markizin toplumdaki konumuna uygun bir cenaze töreni de yapılamazdı. Kraliyet ailesine, markinin evlilik bağıyla bağlı olduğu akrabalarına, her yıl düzenlenen avlanma ve atış talimi partilerinden ve hafta sonu ev toplanmalarından tanıdığı birçok aristokrat sınıf üyesine gönderilecek resmî davetiyelere boş verilmeli, sağlık ve hijyen açısından markiz hemen gömülmeliydi. Çünkü morgun en soğuk yerinde saklansa bile fark edilir derecede çirkin çürük kokuları yükseliyordu havaya.

Ayrıca, başka bir sorun daha vardı. Yıllardır edindiği tecrübeye ve ölüm zamanını tam olarak belirleme konusundaki bilgileriyle övünen Dr. Brooke, ceset üzerinde çok titiz bir inceleme yaptı. Uzmanlığı ona markizin geçirdiği kaza sonucu ölmediğini, başka neyle suçlanırsa suçlansınlar soyguncuların onun ölümüyle suçlanmayacağını söylüyordu. O arabayla yaptığı seyahatten birkaç gün önce ölmüştü. Dahası, birisi tarafından boğazlanmıştı. Boynundaki izler bu işin bir ip ya da benzeri bir şeyle gerçekleştirildiğini gösteriyordu.

Cenaze töreni bir an önce yapılmalı ve kurban rahat uykusuna yatırılmalıydı ama vicdanının sesine kulaklarını tıkayamayan Dr. Brooke bir çözüm bulunması, katilin tutuklanıp yargılanması ve işlediği suçtan dolayı asılması gerektiğini düşünüyordu.

Bu düşüncelerini suçlu ve hırsız avcısı olarak ün yapmış ve ünü Brighton'a kadar ulaşmış ve bu yüzden bu davayla ilgilenip, soruşturmayı yürütecek en yetenekli kişi olan Townsend'e iletti.

Townsend de bunların hepsini Tam'a iletti ve hemen olay yerine gidip ipucu aramalarını önerdi.

"Dr. Brooke bir iki şeyi gerçekten çok iyi biliyor," dedi saygıyla. "Boğmak soyguncuların yapacağı iş değil, çünkü onlar çeviktir. Kurbanlarını boğma yöntemleri arayarak vakit kaybedemezler. Zaten korkuyla yaşadıkları için ip kullandıklarını düşünmek boş inanç olur. Onlar tabancalarıyla işlerini daha hızlı bir şekilde halledebilirler, diyor," dedi. Tam, olayın iç yüzünü biliyordu; bizzat tanık olmuştu ve hiçbir şey bulamayacaklarından emindi ama hiç değilse günlük sıkıcı ve beyhude safir arama çalışmalarından değişik bir şey yapmış olurlardı. Artık Townsend de kabul etmeliydi ki aranacak yer ve sorgulanacak şüpheli kalmamıştı.

Brighton Herald'da yine heyecanlı bir haber vardı. Markizin alçak katilinin bulunması için soruşturma başlatılması konusunda ısrar eden Dr. Brooke, Bow Street memurunu biraz yavaş buluyordu. Kendini markiye tanıttı, bu konuları ona açarak felç inmesi riskini de göze almış oluyordu. Diğer tarafta marki, markizin katilini bulmayı sağlayacak bilgiyi getirecek kimseye başka bir ödül bildirisinin daha asılması için ısrar ediyordu.

Bu prensin huzurunu kaçırıyordu. En çok korktuğu şey gerçeklerin ortaya çıkmasıydı ve bütün kâbusları gelip başına tünüyor, onu rahat bırakmıyordu.

Townsend cenazeye giderken Tam'ın ona eşlik etmesini istedi. Çünkü orada katilin kimliğine dair ipuçları edinebilirdiler. Hani şu katillerin kurbanlarının cenazesine mutlaka geldiği inancı vardır ya, onun üstüne kurulu boş ümitleri vardı Townsend'in.

Tam Townsend'in bu saçma fikirle, kurbanın boğulmuş olduğu gerçeğini nasıl bağdaştırdığını merak ediyor, onun bu cinayete bu kadar kolay çözüm bulabilecekleri konusundaki güvenini paylaşmıyordu.

Lewes'e geldiler. Görkemli kapılardan geçip, kereste çerçeveli, zamanın olgunlaştırdığı o güzel yapıya doğru giden yoldan aşağı indiler. Önlerindeki on altıncı yüzyıl yapımı Creeve Malikânesi'ydi. Evin önünde aile kilisesindeki cenaze töreni için gelen tanıdıkların arabaları dizilmişti.

Tam, siyah bir pelerin giyiyordu. Townsend belki sahip olduğu tek palto olan uzun paltosunu elinde tutuyordu, ama taktığı siyah kravat sayesinde geleneği bozmamış oluyordu.

Kapıda bir uşak tüm ağırbaşlılığıyla elindeki listeyi kontrol ediyordu. İsimleri orada yoktu. Townsend markinin kişisel bir arkadaşı olduğunu açıklamaya çalıştıysa da, belki üzerindeki kıyafetin böyle bir törene uygun olmadığını düşündüğünden, uşak kafasını salladı. İsim yoksa içeri giremezlerdi. Ayrıca özel kilisenin sadece aile fertleri ve yakın dostlara ait olduğunu, bu beyefendilerin bahçedeki diğer insanlarla birlikte bekleyebileceklerini ve markiz aile mezarlığındaki yerine yatırılırken ona olan son görevlerini yerine getirebileceklerini de sözlerine ekledi.

Buna biraz gücenen Townsend, arabaya döndü. Tazelenmeye yani bira ve keke ihtiyacı olduğunu, Lewes'deki Yaşlı Boğa'ya geçebileceklerini söyledi. Dediği yer bir zamanlar, *Erkek Hakları* adlı kitabın yazarı, kendi zamanında vergi memurluğu da yapan reformist yazar Thomas Paine'ye ait bir yapıydı.

Tam Lewes'e yaptığı bu ilk melankolik ziyaretten oldukça etkilenmişti. Burası, garip ve büyüleyici sokakları Sussex'in dağlık alanlarına sınırsız geçiş sağlayan küçük bir kontluk kasabasıydı. Buranın İngiltere tarihindeki kökleri sabah ayrıldığı Brighton'dan daha derindi.

Araba ana yolda sakince ilerlerken Tam, Marine Pavilion'dan oldukça yaşlı olan binaları izledi. Bu arada Townsend büyük bir hevesle Mary Tudor zamanında gömülen Protestan şehitleri mezarlığını gösteriyordu.

Townsend Creeve Malikânesi'ne sık sık gidip geldiği için Lewes hakkında çok şey biliyordu ve tarihinden bir şeyler anlatmaya çok meraklıydı. Normandiyalıların fethinden sonra onlar tarafından inşa edilen kale on dördüncü yüzyılda terk edilmiş ve sonunda, sonraki neslin kalenin taşlarını kendi inşaatlarında kullanması sebebiyle tamamen yok olmuştu.

"Gördüğünüz bütün eski evlerin temelinde Lewes Kalesi'nden bir şeyler vardır," dedi Townsend, on altıncı yüzyıl yapımı kereste çerçeveli Barbican Malikânesi'ni işaret ederek. "Eğer vaktimiz olsaydı size VIII. Henry'nin boşanma anlaşmaları gereğince Cleves'li Anne'e verdiği evi gösterirdim.

"İskoçyalı olduğunuz için sizin bilemeyeceğiniz yerel tarihle ilgili bir konu da buranın vadilerinde 1264'te yapılan Lewes savaşında Kral III. Henry, Simon de Montfort tarafından bozguna uğratılmıştı ve bunu takip eden barış İngiliz parlamentosunun kurulmasına ön ayak olmuştu."

Yaşlı Boğa'da arabayı yolun kenarına bıraktılar. Yolun karşısında St. Michael Kilisesi vardı. "Yakın geçmişte onarımdan geçti ama yapımı on dördüncü yüzyıla dayanır. Çok önemli bir kilisedir. İçinde antik çağdan insanların mezarları vardır. Eğer Creeve'de özel kilise bulunmasaydı, cenaze töreni burada yapılırdı."

Siparişleri hemen servis edildi. Hem ruhu hem vücudu tazelenen Townsend, törene yeteri kadar ara verdiklerine ve hemen geri dönmeleri gerektiğine karar verdi, yoksa törenin en önemli yerini kaçıracaklardı.

Bu sabah Brighton'dan ayrılırlarken parlak gün ışığı ve ufukta birkaç küçük bulut vardı ama handan çıktıklarındaki havaya bakılırsa yaz onları terk etmişti.

Onlar Creeve'ye giden yoldan aşağı inerlerken, insanlar çoktan bahçede toplanmıştı. Uzaktan gelen gök gürültüsü sesleri yaklaşan fırtınanın habercisiydi ve aile mezarlığındaki törenin kısa sürmesine sebep olacak kadar şiddetliye benziyordu. Siyah kadife tabut örtüsüyle kaplı, üzerinde bir de Creeve resmî bayrağı bulunan tabut mezara indirilirken papazın sesi neredeyse hiç duyulmuyordu.

Tam, markinin bir yanında altı yaşlarında bir çocuk, diğer yanında ailenin diğer kadınları gibi yas kıyafetlerine bürünmüş ince bir kız gördü. Şapkasından yüzüne inen siyah tül yüzünü gizliyordu.

Yağmur başlayınca hizmetçiler ellerinde şemsiyelerle hızlıca eve doğru yürümeye başlamış olan misafirlere doğru koşuştular.

Tam ve Townsend çok uygunsuz bir halde bir saçağın altına sığınmışlardı ve markinin yanındaki kız yanlarından geçti. Tam kızın siyah örtünün arkasından onu izleyen gözlerinin farkındaydı ki Townsend, "İşte bu ailesinin utanç kaynağı olan nankör kız. Zavallı babasının kalbini kırdı. Zavallı Leydi Sarah'ya da dostça davrandığı söylenemez," dedi.

Sonra önlerinden hızlıca geçen, yine siyah ama mütevazı giyimli, hizmetçilere öyle uygun olduğu için siyah tül takmayan bir başka kadını göstererek, "Bu da Simone, markizin hizmetçisiydi, hanımına son derece bağlıydı," dedi.

Tam bu kadına ilgiyle baktı. Prensin ölen kadını odasında bulmasından sonra Lort Percy'nin nasıl Simone'u almak için Creeve'ye gönderildiğini ama Simone hasta bir akrabasını ziyarete gittiği için elleri boş, bitkin bir halde geri döndüğünü hatırladı.

Biraz ötede Lort Percy ve Lort Henry birlikte yürüyorlardı. İkisi birbirinden bağımsız gelmişti ve ikisi de ne yazık ki (ama öyle münasipti) majesteleri kral vekili prensi temsil ediyordu. York Dükü Prens Frederick'in Creeve ailesinin yakın dostu olarak törene katılması gerekiyordu ama o da aynı şekilde aniden ortaya çıkan gizemli bir rahatsızlıktan dolayı katılamıyordu.

Lort Henry gibi olayın iç yüzünü bilenler bu rahatsızlıkların vicdan azabıyla ilgili olduğunu biliyordu. İki prensin de merhumeyle olan yakın ilişkisi düşünülürse, acılı kocasıyla yüz yüze gelmek onlar için durumu güçleştirecek olmalıydı.

Çok ıslanıyorlardı ama Townsend arabalarına binip Brighton'a dönmeye isteksiz görünüyordu. Elinde şemsiyeyle onlara doğru koşan hizmetçi, "Marki Hazretleri, siz beyefendilerin diğerlerine katılıp içeride bir bardak şarap almanızı rica ediyor," dedi.

Zaten böyle bir daveti dört gözle bekleyen Townsend çok mutlu oldu. Ama büyük kapıda toplanmış kalabalığa doğru hızla ilerlerken Tam bir ağacın altında bekleyen tanıdık bir yüz gördü. Bir an için düşündü, bu Brighton'da onları takip eden adamdı!

"Bay Townsend! Şuraya bakın. Brighton'da bizi takip eden adam. Burada ne işi var?"

Townsend arkasına döndü, görmeyen gözlerle etrafına bakındı. Güldü. "Bay Eildor, yine hayal görüyorsunuz," dedi.

Townsend'i omuzlarından tutup başını ağaçlara doğru çevirerek, "Orada işte, söylüyorum size. Doğru yöne bakmıyorsunuz. Buraya bakın," dedi.

Ama adam kaybolmuştu.

Şimdi bir değişiklik yapıp anlayışlı olma sırası Townsend'deydi. "Hadi gel evlat," dedi, "üşüdün, ben de öyle. Cenaze törenleri, özellikle böyle havalarda, çok moral bozucu şeylerdir. İçimize bir içki girdi mi kendimize geliriz."

Bu sözlerin Tam'ı yatıştırması gerekiyordu ama aksine içindeki huzursuzluk devam ediyordu. Brighton'da onları takip eden adamı gördüğünden kesinlikle emindi. Ama onları Creeve'ye kadar takip etmesinin altında yatan şeytanî amacı ne olabilirdi?

Creeve'nin içi aynen dışının vadettiği güzellikteydi. On altıncı yüzyıl panelli holü, ağır direklerin taşıdığı görkemli bir çatısı ve bir de halk şairi galerisi vardı. Büyük hünerle oyulmuş iki şöminenin üzerindeki mermer rafların her iki yanında birbirine bakan iki vahşi görünümlü efsanevî kahraman heykeli vardı. Kapılar Sör Joseph'in çalışma odasını ve kütüphaneyi de içine alan daha kullanışlı odalara açılıyordu. Büyük meşe merdiven sizi yukarıdaki yatak odalarına götürüyordu.

İnsanlar salonda etrafa dağılmıştı. Tam pencereden bakınca gördüğü muhteşem manzaradan çok etkilenmişti. Önünde çimenli alçak tepeler, ortada bir süs gölü, sanki eski bir tablo gibi koyun, inek ve kara-ağaçların süslediği bir kır manzarası vardı. Bu evin kökleri çok eskilere dayanıyordu; sanki zamanın etki-lerine karşı koymak için yapılmıştı. Marine Pavilion ile karşılaştırınca onun görkemi bu evin yanında adi ve fani kalıyordu. Sanki kötü bir fırtına onu zayıf te-melinden koparıp İngiliz Kanalına fırlatabilirdi.

Utanç verici kız diye anılan kız Townsend ile konu-şuyordu. Sohbetlerinin konusu Tam'mış gibi ikisi de dönmüş ona bakıyordu. Kız kafasını salladı ve Town-send kibarca eliyle işaret ederek ona yol gösterdi.

Tam'ı takdim edip selamlayarak, "Size Leydi Gem-ma Creeve'yi tanıtmama izin verin," dedi Townsend.

Kız tülünü kaldırdı. Tam kendini çok tanıdık, hat-ta Brighton'da karış karış aradığı bir yüzle karşı karşı-ya buldu.

Jem diye bildiği mahkûm çocuktu bu!

On Sekiz

O şaşkınlık içinde Tam başını eğip onu selamlamayı ve klasik birkaç söz söylemeyi başardı. Sonra kızın şöyle dediğini duydu:

"Bay Eildor'un şarabı yok," Townsend'e dönüp gülümseyerek, "size zahmet olmazsa bayım," dedi.

Townsend masalara doğru gidip onlardan uzaklaşınca Tam'ın kolunu tuttu ve fısıldadı: "Tek kelime bile etme, lütfen, benimle gel."

Sonra etraflarındaki tanıdığı insanlara gülümseyerek Tam'ı onların arasından geçirip kütüphaneye götürdü. Kapıyı sıkıca kapatıp titreyerek kapıya yaslandı.

"Seni burada görmeyi hiç beklemiyordum."

"Ben de seni Jem," dedi Tam sertçe, "bana bu kılık değiştirme hikâyesinin ne olduğunu anlatacak mısın?"

"Çok uzun hikâye Bay Eildor. Creeve'ye gazetede üvey annemin ölüm haberini görünce geldim. Yoksa hiçbir şey beni burada onun saltanatı altında yaşadığım sıkıntılı hayata geri dönmeye ikna edemezdi ama babamın benim desteğime ihtiyacı olabileceğini düşündüm." Durdu, üzüntüyle kafasını sallayıp, "Öyle görünüyor ki yanılmışım. Babamı bana karşı öylesine

doldurmuş, o kadar çok etkilemiş ki bu kadarını ummuyordum. Sanırım Timothy bana ihtiyacı olan..."
–yaklaşan ayak sesleri duydular, "Sonra açıklayacağım," dedi aceleyle. "Saat dokuz sularında yemekten sonra bayanlar dağılınca, gölün sağ tarafındaki taraçada buluşalım." Ayak sesleri uzaklaştı. Gemma, "Şimdilik güvendeyiz," dedi. "Evden kaçma sebebim, eğer belli olmuyorsa, üvey annemin benden nefret etmesi, onun emirlerine uymayı reddettiğimde ya da adaletsizliğini babama şikâyet ettiğimde babama acı çektirmesiydi. "O kız gitmeli!" İçini çekti. "Kapalı kapılar arkasından hep bu cümleyi duydum. Bana hiçbir zaman adımla hitap etmezdi ve en başından beri benden kurtulmaya kararlıydı. Babamın kabul edebileceği en iyi yol bana uygun bir evlilik ayarlamaktı..."

"Evlilik mi? Sen daha çocuksun!" diye sözünü kesti Tam.

Gülümsedi. "Görüntü aldatıcı olabilir, Bay Eildor. O çocuk, yani Jem için görüntüm çok uygundu."

Bu doğruydu. Tam ne kadar dikkatsiz bir aptal olduğunu fark etti. O karmakarışık bukleler içindeki yüzü, üstüne uymayan geniş, kaba gömleğin ve pantolonun içindeki erkeksi vücut şimdi siyah parlak ipek elbise içindeydi. Üzerine oturan elbisesinin modaya uygun dekoltesi küçük göğüslerini açığa çıkarıyordu, onları gördükten sonra bayan olduğundan şüphe etmek aptallık olurdu. Tam büyük göğüsleri pek umursamadığı için oldukça da çekiciydiler.

"On üç ya da on dörtten fazla olamazsın," diye karşı çıktı Tam. Soy sürdürme ile ilgili meseleler söz konusu olunca bu yaşlarda yapılan planmış evliliklerin o çağda gayet normal olduğunu unutuyordu.

Güldü. "Beni şımartıyorsun, Bay Eildor. Neredeyse on sekiz yaşındayım. Evlilik için yeterince olgunum yani. Okuldan tanıdığım bazı kızlar çoktan evlendi, hatta anne oldu."

Tam ona baktı. Küçük, narin bir kızdı. On sekiz yaş için gerçekten küçük görünüyordu.

"Üvey annem bana dul bir adam buldu; yaşlı, korkunç bir adam..."

"Kaç yaşında?" diye sordu, Tam merakla.

"Kırka yakın."

Tam içinden sızlandı. Adamla aralarında on yaştan daha az vardı, ama on dokuzuncu yüzyılda kırk yaşın orta yaş olduğunu hatırladı.

"Tabii ki kabul etmedim. Onu yaşlı ve itici bulmamın yanında reddetmemin asıl sebebi üvey annemle konuşmalarına kulak misafiri olmam ve konuşmalarından üvey annemin bir zamanlar o adamın metresi olduğunu anlamamdı."

Ani bir hareketle tüllü şapkasını çıkarıp kanepenin üzerine fırlattı. "Tüm bu yas tutmalar bir komedi. Hiçbir zaman birbirimizi sevmedik. Londra'ya gittiğinde babamı aldattığını biliyordum. Brighton'da babamın hiç bilmediği bir evi var, orada arkadaşlarını eğlendiriyor. Babam için üzgünüm, özellikle kadının sonu böyle acıklı olduğu için, ama ağlayamam."

Durdu. "O kazayla ilgili olağan dışı ve şüphe uyandırıcı bir şeyler olduğunu hissediyorum. Bence olayın soyguncularla hiç alakası yok. Bize ya da babama anlatılmayan şeyler var."

Çok şey var diye düşündü Tam. Gemma devam etti. "Hizmetçisi Simone göründüğünden çok daha fazlasını biliyor. Çok sıkı fıkıydılar ve eminim şu Brighton'daki gizli yerden ve kumar arkadaşı olduğu söylenen adamlardan haberi vardır. Eminim adamlardan birkaçı şu an burada yas tutuyordur ve Simone'un ödü kopuyordur gerçekler ortaya çıkacak da başı belaya girecek diye. Ama ağzını sıkı tutması için Sarah'nın ona oldukça iyi ödeme yaptığından eminim."

Yine dışarıdan sesler geldi ve konuşmaları kesildi, bu sefer kapı açıldı ve içeri el ele tutuşmuş sinsi bakışlı bir çift girdi; gizli bir yer aradıkları belliydi. Onları görünce biraz utanmış halde çıkıp gittiler. Tam kapı aralığından Townsend ve Lort Henry'nin yaklaştığını gördü.

"Sizinle yakalanmasam iyi olur, Bay Eildor," dedi Gemma koluna dokunarak. "Lütfen, Townsend'e hiçbir şey söylemeyin. Söz verin."

Tam elini tuttu, öptü. "Söz veriyorum. Bu arada bana Tam de, Bay Eildor değil."

Gemma utanarak gülümsedi. "Daha sonra buluştuğumuzda Jem hakkındaki her şeyi anlatacağım. Brighton'da ne kadar kalacaksın?" cevabı beklemeden, "Creeve'ye yine gelmelisin," dedi.

Parmağını dudaklarına koyup kütüphanenin bir koridorla mutfağa bağlanan ikinci kapısından çıktı. O çıkınca diğer kapı açıldı. Lort Henry ve Townsend geldi.

Townsend, "Demek burada saklanıyordunuz, Bay Eildor," dedi, "kitapları çok mu seviyorsunuz? Her yerde sizi aradık. Marki hazretleri geceyi burada geçirmemizi istedi, zaten bu fırtınada Brighton'a dönmek çok zor olurdu. Ahırdan gelen haberlere göre bazı yolları su basmış, bu yüzden arabamızı tehlikeye atamayız. Diğer konuklar da burada kalıyor."

Yanı başındaki Lort Henry gülümsüyordu. "Böyle korkmuş görünmenize gerek yok Bay Eildor, ahırda uyumayacaksınız. En az yirmi tane yatak odası var bu evde."

Tam ve Townsend bakıştılar. Tam bu davetin amacının Sör Joseph'in karısının talihsiz ölümünü nasıl soruşturacakları konusunu tartışmak için onları elinin altında bulundurmak istemesi olduğundan şüpheleniyordu.

Akşam yemeği Leydi Gemma'nın umduğundan çok daha uzun sürdü. Bayanların dağılmaya niyeti yoktu. Zaten dışarıdaki şiddetli fırtına onları engellemişti. Gökyüzü kızgın bir dev gibi gök gürültüsü ve şimşeklerini fırlatıyor, pencereler yağmurla kırbaçlanıyordu. Mumlar eriyip yüzlerce oluktan aşağı süzülüyordu.

Masada, karşıda Lort Henry'nin yanında oturan Gemma hiddetle Tam'a doğru bakıyordu. Göz göze gelince belli belirsiz bir ifadeyle kafasını salladı. Tam, taraçadaki buluşmalarının iptal olduğunu gösteren bu bakışın hemen yanında oturan Townsend tarafından görülmemiş olmasını umuyordu. Bu arada çok komik bir şey daha vardı. Lort Henry Leydi Gemma'dan çok etkilenmişti ve onun her sözüne karışıyor, yorum getiriyordu. O an Lort Henry'nin kalbine girebilseydi muhakkak daha çok ilgisini çekecek şeyler olduğunu görürdü. Henry âşık olmuştu. Hayatında ilk defa, otuzunu geçince rüyalarının kızını bulmuştu. Böyle eşsiz, babasının meclisinde tanıdığı kadınlardan tamamen farklı bir kız bulmak için uzun yıllar boyu beklemişti. Belki onun sekse olan ilgisini söndüren babasının iri göğüslü, peruklu, boyalı, bayağı ve geçkin kadınlara olan ilgisiydi.

Ama şu an, hemen yanında yıllardır beklediği kişi oturuyordu. Onu çok çekici buluyordu. Çok tatlı bir genç kızdı. Kısa kıvırcık saçları ve boyasız olduğu halde çok güzel olan bir yüzü vardı. Alçakgönüllü, oldukça utangaç, ince ve narin, küçük göğüslü, sevimli bir hanımefendiydi.

Henry ona içini dökmek, ona dokunmak, onun olmasını istemek için deliriyordu. Yemek bitmeden çok önce Henry kararını vermişti. Evleneceği kız oydu. Yarın sabah babası Sör Joseph ayılınca ona tek kızıyla evlenmek istediğini söyleyecekti.

Gemma'nın aynı fikirde olmaması rüyalarını bozamazdı çünkü gülümsüyordu ve o kadar nazikti ki. Kabul etmeyeceğinden kuşkulanırsa kendi kendine, yasal olmasa da, geleceğin İngiltere kralının oğlu olduğunu söylüyor, böylece kabul etmemesine ihtimal olmayacağını düşünüyordu.

Onları gözlemleyen Tam, Gemma'nın onu sadece hoş sohbet bir masa arkadaşı olarak gördüğünü düşünüyordu. Belli ki bu delikanlı onun evin yüz karası olduğu yönündeki fısıldaşmalardan habersizdi.

Şarap şişesi masada bir kez daha dolaştırıldıktan sonra ciddiyet yok oldu, fısıldaşmalar yüksek sesli konuşmalara döndü. İnsanların özenle bastırdığı neşeleri kendini açığa vurmaya başladı. Sonra, Sör Joseph sendeleyerek sandalyesinden kalktı ve yere yuvarlandı. Uşağı onu kucaklayıp kaldırdı ve yatağına taşıdı. Bu andan sonra artık ipler tamamen kopmuştu.

"Her gece olan bir şey bu," diye fısıldadı Tam'ın yanında oturan adam.

Sör Joseph gittikten sonra sarhoşların neşesi ve ciddiyetsizliği arttı. Sabahki ciddiyetin yerini neşeli bir uyanış aldı sanki. Daha çok konyak getirildi. Bazı erkekler ki muhtemelen bunlar yakın geçmişte Leydi Sarah'nın lütufta bulunduğu kimselerdi, kadehlerini onun şerefine kaldırıyordu. Hatta bazıları kocasının yokluğundan yararlanıp onu kaybetmekten duydukları derin üzüntüyü müstehcen sözlerle serbestçe dile getiriyordu.

Bu arada alkol tüketimine hoşgörüsü sınırlı olan, sarhoşluğun neredeyse hiç bilinmediği, sarhoş olanlara kötü gözle bakılan bir toplumdan gelen Tam, 1811'deki sınırsız tüketime ayak uyduramazdı.

Böyle sınırlamalardan habersiz olan çakırkeyif Townsend'e gecenin sonunda merdivenleri çıkabilmesi için Tam'ın eşlik etmesi gerekti. Yatak odaları Lort Henry'nin bahsettiği yirmi yatak odasından biri değildi. Uzun bir koridor boyunca yürüdüler, diğerinden daha özensiz yapılmış tahta merdivenden yukarı, çatı katına çıktılar. Burası hizmetçilerin bölümüydü.

Yeterince rahattılar; hiç değilse kendilerine ait bir yatak odaları vardı. Townsend o kadar sarhoştu ki, uzunca bir süre şarkı söyledikten sonra böyle aşağı statüde görülmelerinden dolayı şikâyetlerini de sıralayıp sonunda başını yastığa koydu. Hemen uykuya daldı ama asla sükûnet içinde bir uyku değildi bu, korkunç bir şekilde horulduyordu; eğer Tam tamamen ayık olsaydı bu horultu onun bile uyumasını engellerdi.

Ertesi sabah alışılmadık bir hareketlilikle uyandılar. Saat sabahın altısıydı ve hizmetçiler çoktan kalkmış, o gün yapacakları işlerle meşgul olmaya başlamıştı. Tam'a gelince, çok karışık kâbuslar görmüştü. Uyanır uyanmaz ilk düşündüğü rüyasında mahkûm çocuk Jem'in Leydi Gemma Creeve'ye dönüştüğünü gördüğü oldu. Uyku sersemliğinden çıkıp zorla kendine gelince anladı ki bu bir rüya değildi. Bu gerçekti ve hiç kuşkusuz onu yine görecekti.

Kapı çalındı, hemen aşağıya çalışma odasına inmeleri gerektiği söylendi.

Townsend'in uyanması için Tam'ın onu bayağı bir sarsması gerekti. Güçlükle uyanan Townsend ağır bir baş ağrısı çekiyordu ve gözleri kıpkırmızıydı. Bu şekilde çağrılmaları hiç hoşuna gitmemişti. Sonunda üstünden çıkardığı o uzun paltoyu da içeren elbiselerini tekrar üstüne geçirdi, kılık kıyafet yönünden kendinden daha şık olan Tam ile birlikte aşağı, büyük salona indiler.

Büyük pencerelerin birinden dışarı bakan Townsend, "Bugün hava daha iyi, Brighton'a dönmeliyiz. Majesteleri bizi merak etmiştir. Neler olduğunu tam bir rapor halinde öğrenmek isteyecektir," dedi.

Geniş merdivenin altında Lort Henry bekliyordu. Tamamen ayık görünüyordu. Yüzünde kötü bir şeyleri haber veren üzgün bir ifade vardı.

"Bir sorun mu var?" diye sordu Townsend.

"Evet, ne yazık ki, bir ölü daha..."

"Sör Joseph değil, değil mi?" dedi Townsend, onun aşırı etkilenme huyundan dolayı çıkarılacak doğal sonuçtu bu.

Henry kafasını salladı. "Hayır, Sör Joseph değil, Simone, Leydi Sarah'nın hizmetçisi. Bekçi süs gölünde ölü bulmuş onu. Besbelli intihar, hanımına olan bağlılıktan..."

Henry bu haberi çoktan Percy'ye de vermişti. Percy inanmak istemedi.

"Onu birisi öldürdü çünkü çok şey biliyordu. Markiz ve prens hakkındaki gerçeği biliyordu."

Yalnız olmalarına rağmen Henry elini ağzına kapadı. Bu şekilde konuşmak Creeve'de tehlikeliydi. Her şeyden önce Leydi Sarah sevdiği kızın üvey annesiydi. Böyle bir skandal artık onu endişelendiriyordu.

Percy öfkeyle kafasını salladı. "O kendini göle atmadı, bundan eminim. Konuşmuştuk, buluşacaktık..."

"Nerede?" diye sordu Henry.

Percy bir an için huzursuzlanmıştı. "Gölün yanındaki çardaklardan birinde."

Acaba tartışmışlar mıydı, diye düşündü Henry. Çünkü Whitdean'daki hala hikâyesi Simone'un başka bir âşığı daha olduğunu gösteriyordu. Percy'yi bekleyecek değildi, onunla bir geleceği olmadığını anlamıştı. O bir hizmetçi parçasıydı. Kral vekili olan prensin uşaklarından biriyle birkaç kez yatmıştı ama bundan hiçbir şey çıkmazdı. Adam evliydi, bir kontlukta arka planda tuttuğu bir evi, karısı ve çocukları vardı.

Percy'ye gelince, Simone'un katilini bulmayı çok istese de, Creeve'den kimseyle alakadar görünmeyi, özellikle Sör Joseph'in ilişkilerini öğrenmesini hiç istemiyordu. Meraklı gözlerle onu süzen hizmetçilerin hepsinin Simone ile olan ilişkisini bildiğini biliyordu ama onları pek umursadığı söylenemezdi.

"Burada kalıp bana yardım edecek misin?" diye sordu.

Henry, "Tabii ki edeceğim," dedi. Aslında Percy'nin isteğini kabul etmesinin kendi çıkarlarına uygun sebepleri vardı. Aklı Sör Joseph ile yapacağı konuşmadaydı. Ona resmî olarak Leydi Gemma ile evlenmek istediğini açıklayacak, Brighton'a asil babası ile tanıştırmaya götürmek için izin isteyecekti.

Prens markizin hizmetçisinin öldüğü haberine nasıl tepki verecekti, en ufak bir fikri yoktu. Rahatlardı belki de, kurtulmak için can attığı kâbuslarında gezen biri daha eksilmiş, ölerek onu güvence altına almıştı.

"Kazara göle düşüp boğulmuş olma ihtimali de var Percy, bunu aklımızdan çıkarmamalıyız."

Bu sözler Percy'yi avutmuyordu. Kaba bir kahkaha attı. "Ben öyle düşünmüyorum. Dün cenaze töreninde bulunan, büyük ihtimalle hâlâ bu evin çatısı altında olan biri onu öldürdü. Onu bulacağım ve adalete teslim edeceğim."

Kehanet gibi sözlerdi bunlar, gerçekten.

On Dokuz

Bu arada, Tam ve Townsend görüşme için küçük odada Sör Joseph'le buluştular. Sör Joseph'in de aynı şekilde morali bozuktu ve o da Simone'un ölümünün kaza olmadığına inanıyordu.

"O, çok mantıklı bir kadındı. Hanımıyla bu kadar derin bir duygusal bağ kuracak, onun ölümünden sonra hayatın hiçbir anlam ifade etmeyeceğini düşünüp kendi canına kıyacak biri değildi. Burada bir iki gün daha kalıp bu konuyu araştırmanızı isterim Bay Townsend. Bunu eski karıma borçluyum. Aklımdan Simone'un ölümünün onun öldürülmesiyle bir ilişkisi olabileceğini çıkaramıyorum. Belki Brighton'daki kumar arkadaşlarının onun bilmesini istemediği kadar çok şey biliyordu."

Omuz silkti. "Belki dün gece buradaydılar. Benim çatım altında uyudular. Şimdi de hiçbir şey olmamış gibi buradan sessizce ayrılıyorlar." Pencereden dün geceki fırtınanın hıncını aldığı ve büyük hasar verdiği süs bahçelerine baktı. Akşamdan kalan konukların arabaları birer birer giderken, çakıllı yolda tırıslayan atların sesleri çalındı kulaklarına.

Bakışlarını takip eden Townsend ona umutsuz gözlerle baktı.

"Haklısın Townsend, onlara kalıp sorguya çekilmeleri için ısrar edemem."

Aslında hiçbir şey Townsend'i soylu ailenin uzak akrabalarını ve İngiliz aristokrasisinin üst kademe elemanlarını sorgulamaktan daha mutlu edemezdi, diye içinden geçirdi Tam.

"Bu bazı güçlüklere yol açardı, efendim," dedi Townsend makul bir ifadeyle. Tam'ı göstererek, "Bay Eildor'un da burada kalıp bana yardım etmesini istiyorum. Seçkin bir avukat olarak bu gibi soruşturma işlerinde uzmandır.

Tam *Stuart Safiri*'nin izini sürerken ne kadar faydasız olduğunu düşünüp bu komplimana gülümseyip başını eğerek karşılık verdi. O soruşturmada bir nebze ilerleme kaydedememişlerdi. Townsend'in soruşturma metodu konuştukları bütün dükkân sahiplerinin ve şüpheli şahısların gözünü korkutsa da, Tam olayın gerçekleştiği şartları göz önünde bulundurunca bunu Pavilion'un içinden birinin yaptığına emindi.

Bununla birlikte, Townsend'in kararı hoşuna gitmemiş değildi. Çünkü Leydi Gemma'yı tekrar görme ve Jem'in iki kez yarıda kalan garip hikâyesini dinleme şansı elde edecekti.

Sör Joseph yan taraftaki uşak bekleme odasının ya da büyük kâhya kilerlerinden birinin Townsend'in kullanımına verilmesini emretti. Verilen odada, ana giriş kapısına bakan, dar ve uzun bir pencere vardı. Townsend kendilerine verilen iki sandalyeden birine kurulup yayıldı. Dirseğini yanındaki küçük sehpaya dayayıp tatmin olmuş bir ifadeyle etrafına bakındı.

"Burası tam bizim amacımıza uygun. İşe hemen hizmetlileri sorgulamakla başlamalıyız. Eğer ben bu evlerdeki kuralları biliyorsam, onlar ölen hizmetçi hakkında kendisinin bildiğinden daha çok şey biliyordur."

"Bayım, önce odasına bakmamızı önerebilir miyim?" dedi Tam. "Orada bazı delillere rastlayabiliriz."

"Harika fikir, harika! Siz onu yapın isterseniz, ben de o sırada hizmetçileri sıraya dizeyim," dedi Townsend. Sör Joseph ona uzun bir isim listesi vermişti. "Bu biraz zaman alacak," dedi, içini çekerek.

Tam hole çıkınca, Leydi Gemma'yı görebilme umuduyla etrafına bakındı. Sabahın bu saatinde onu burada göremeyeceğini anlayıp hayal kırıklığına uğradı ve oradan geçen bir hizmetçiyi durdurup Simone'un odasının yerini tarif etmesini istedi.

Bu kez geniş merdivenlerden yukarı çıkmayacaktı. Mutfağa girişi olan dar ve uzun koridorda ilerledi. Tahta merdivenden üst kata çıktılar. Bir kapı açıldı ve burasının Simone'un ikinci derece hizmetli olan Bessie'yle paylaştığı oda olduğu söylendi.

Tam markizin özel hizmetçisinin kendine ait bir odaya sahip olma ayrıcalığına sahip olacağını düşünüyordu. En azından, bu parmaklıklı pencereleri olan saçak altındaki karanlık odadan daha lüks bir oda olabilirdi.

Bu kolay intiharı engellemenin bir yolu muydu diye merak ederken, arkasından bir ses duydu:

"Odamda ne arıyorsunuz bayım?" dedi şişman, önlüklü bir kadın. Bu Bessie'ydi. Tam hemen özür diler bir gülümsemeyle Bay Townsend'in yardımcısı olduğunu açıkladı.

"Şu Bow Street Runners'dan olan adam," dedi Bessie, hor gören burun kıvırmasıyla. "Onu tanıyoruz, efendimizi ziyarete gelir. Ama Simone hakkında bilmek istediği nedir?"

"Tam sabırla biri beklenmedik bir şekilde ölürse, ölümü kendi elinden de olsa, soruşturma yapılması gerektiğini açıkladı.

"Kendi elinden mi? Asla, o asla yapmazdı bunu. Çok bencil biriydi. Bizden daha iyi olduğunu düşünürdü, çünkü hanımın özel hizmetçisiydi."

"Lütfen otur," dedi Tam umutla. Bu konuşma ilginç geçeceğe benziyordu.

"Kendi odamda istediğim gibi otururum, senin iznine gerek yok genç adam," diye püskürdü Bessie ama Tam ona gülümseyince bu söze o kadar da gücenmediğine karar verdi. Aslında bu hoş adamla konuşmaktan oldukça mutluydu. Bu gerçekten hoş bir değişiklikti ve paylaşmak istediği bir iki şikâyeti vardı.

"Simone'u en son ne zaman gördün?"

"Eğer şu yatakta en son ne zaman yattığını soruyorsan, dün gece yatmadı, ondan önceki gece de. Hanımımız evdeyken, Simone onun soyunma odasında uyurdu. Bundan büyük gurur duyardı. Oda tamamen senin olsun Bessie, derdi. Hanımımız benim yakınında olmamı istiyor."

Nefes almak için duraksadı. "Kendini çok fazla düşünür... yani düşünürdü." Sır verecekmiş gibi öne eğilip kafasını salladı. "Şimdi bayım, sorarım sana, kendini göle atacak biri gibi görünüyor mu?"

"Sence ne oldu Bessie?"

Bessie tedirgin görünüyordu. "Henüz kararımı vermedim, ama etrafta kime sorarsanız sorun Matmazel Simone Dupres'in göründüğü kişi olmadığını söyler. Hiçbir şekilde." Kaba bir kahkaha attı. "İlk olarak o bir Fransız değildi. Ben dili bilmem ama 'evet' ve 'hayır' dışında kimse onun Fransızca konuştuğuna şahit olmamıştır. Aşçıbaşı Fransız ve bu olaya çok gülerdi. Paris'te doğmayı geç, Fransa'ya ayak bile basmadığını söylerdi. Aslına bakarsan," utandı, boğazını temizleyip devam etti, "biz onun kuzeyden, Manchester tarafından geldiğini duymuştuk, Simone da gerçek adı değildi zaten," dedi.

"Bu çok ilginç," dedi Tam onu cesaretlendirmek için. İlginçti ama cinayetle alakası yoktu. Britanya'nın her yerinde büyük malikânelerde, Britanya'nın daha mütevazı yerlerinde doğmuş, adlarını Smith ya da Jones'tan daha egzotik adlarla değiştiren "Fransız hanım hizmetçiler" mevcuttu.

"Her yere hanımıyla birlikte mi giderdi?"

Yüzüne baktı. Tam ona tatlı tatlı gülümsüyordu. Gerçekten çok yakışıklı bir adamdı ve züppeye benzer yanı yoktu. Onda anlayışlı olduğunu, empati kurabileceğini gösteren bir şeyler vardı ve bu ona açılabileceğini, tüm dertlerini ona anlatabileceğini hissettiriyordu.

"Hayır gitmezdi. Hepimiz hanımın ve Simone'un kendi hayatlarını yaşadığını biliyorduk. Dahası hanımın Brighton'da arkadaşlarını eğlendirdiği bir yer de vardı. Marki hazretlerinin bundan haberi yoktur. Orada Simone'a ihtiyacı yoktu demek ki, bu da ona kendi kendine geçireceği zaman kazandırıyordu. Hanım öyle istiyor deyip Whitdean'daki adamın yanına giderdi.

"Ne adamı? Bir sevgilisi mi vardı demek istiyorsun?"

Yani sürekli duyduğu gizemli hâlâ bu adamdı.

"Evet, sevgilisi vardı. Evli bir adamdı diye tahmin ediyoruz."

"Hiç buraya, onu ziyarete geldi mi?"

Başını salladı. "Sanmıyorum. En azından sık gelmezdi, ben hiç görmedim kendisini. Ama başka bir şey daha vardı. Simone'un başka bir sevgilisi daha olduğunu biliyoruz." Yine nefes almak için durdu, onu bir kez daha süzdü. Gülüyordu, ne sevimli çocuktu, hoş ve dost canlısıydı, sanki onu yıllardır tanıyordu, güvenilecek biri olduğunu hissediyordu.

"Bir sevgilisi daha vardı; Brighton'dan bir lort. Buraya gelir, onunla çardakta buluşurdu. Cenaze töreninde buradaydı. Hâlâ burada sanırım. Sana adını vermeli miyim bilemiyorum, sorun çıkabilir."

Tam gülümsedi. "Sanırım ben zaten biliyorum," dedi ve parmağını dudağına koyup sus işareti yaptı.

Bessie güldü, şaşırmış görünüyordu. "Çok şey biliyorsun bayım, sana burada Simone'dan bahsediyorum ama eminim sen benden daha çok şey biliyorsundur."

"Belki de öyledir, Bessie, belki de. Bu arada Simone'un eşyalarına bakmam gerekiyor, belki öğrenmemiz gereken başka şeyler de vardır."

Yardıma hazır olan Bessie tahta bir sandığı işaret etti. "Buradaki tek mal varlığı oydu, gardırobum derdi ona. Kilitli tutardı. Anahtarı nereye sakladığını bilmediğimi sanıyordu," diye ekledi.

Parmak uçlarında pencerenin pervazına uzandı, oradan anahtarı bulup Tam'a uzattı. "Bakabilirsin, sorun değil, elbiselerinden başka bir şey bulamazsın.

Orada gizli bir şey yok. Özel mektuplarını ve özel eşyalarını oraya koymazdı."

Tam sandığı açarken o da yanında bekliyordu.

"Dediğim gibi, sadece elbiseler." Doğruydu. Anahtarı geri verirkenki gülümsemesi "aynen dediğin gibiymiş," anlamını taşıyordu. Bessie de haklılığından dolayı gururluydu.

Duvardaki zil tiz bir sesle çaldı. "Ah, Tanrım, bu zil benim için, gitmeliyim." Kapıda durdu, önlüğünü düzeltip Tam'ı selamladı. Sonra cilveli bir gülümsemeyle, "Yardımım dokunduysa memnun olurum bayım," dedi.

Aşağı holde, farklı yaşlarda farklı üniformalar içinde bir dizi hizmetli oturmuş, John Townsend'le görüşme sıralarının gelmesini bekliyordu. Çok genç ve korkmuş görünen bir hizmetçi kız vardı. Bow Street memurunun soruşturma tekniğinden gözü korkmuşa benziyordu. Daha yaşlı, daha tecrübeli bir hizmetçiyle çarpışınca gözyaşlarına boğulmaya hazır gibi görünüyordu.

Tam, sıradakini takip edip içeri girdi. Townsend kafasını sallayıp geldiğini gördüğünü belli etti. Tam bir kez daha gördü ki Townsend'in soruları klasik olsa da tavrı tehdit ediciydi, sesi çok yüksekti, o aslan kükremesiyle karşısındaki insanın ciddi bir sağırlığı varmış gibi bağırıyordu. Tam artık Townsend'in olası şüphelilere uyguladığı metodu çok iyi biliyordu. Brighton'ın arka sokaklarında sıkıcı günler boyu buna şahit olmuştu.

Ne zamandır burada hizmetçisin? Simone ile ilişkin nasıldı? (Çoğu bunun sadece, onu sever miydin, demek olduğunu anlamıyordu.) Simone'un özel hayatı hakkında ne biliyordun? Onu intihara sürükleyecek bir düşmanı ya da onu potansiyel bir cinayet kurbanı olarak görecek birileri var mıydı?

Cevap hiç değişmeyen "hayır"dı ama kalplerine korku salan "cinayet" kelimesiydi. Bir hizmetçi çıkınca Townsend adının yanına bir tik atıyordu ve sonra yenisi geliyordu.

"Şu ana kadar," dedi fısıltıyla, "hiçbirini suçlayacak bir şey bulamadım. Ya çok masumlar, hizmetçi hakkında hiçbir şey bilmiyorlar ya da sessiz kalmaları için düzenlenen bir tezgâha alet oluyorlar," diye ekledi sertçe.

Townsend'in çıkarımlarının doğru olduğu açıktı. Ama Tam kendisinin Bessie'yle daha iyi iş çıkardığı kanaatindeydi. Bessie ona birçok bilgi vermişti. Simone'un kendini onlardan üstün gördüğünü ve öyle davrandığını, kendini onlardan ve onların hizmetçi holündeki aktivitelerinden soyutladığını anlamıştı.

Son hizmetçi de kendi işinin başına döndüğünde öğlen olmuştu. Townsend kalemini fırlattı, bıkkınlık içinde kâğıtlarını topladı.

"Bu zaman kaybıydı. Hepsinin doğruyu söylediğine inanmak güç..." Duvar saati on ikiyi gösterince, cep saatine baktı ve yüzü parladı. "Şimdi öğlen yemeğini yiyebiliriz. Ama korkarım Sör Joseph hayal kırıklığına uğrayacak."

Eğer Townsend yemeği aile fertleriyle yiyeceğini sanıyorsa, hayal kırıklığına uğrayan kendisi olacaktı. Çünkü bir uşak küçük odalarına bir tepsi içinde biftek, patates ve meyveli puding getirdi. Bira sürahisini gören Townsend çok gücenmişti. Çünkü Creeve mahzeninden

Tam'ı mükemmel bir bağın mahsulü olduğuna dair temin ettiği biradan geleceğini umuyordu.

Tam anlayışla kafasını salladı. Townsend yakın aile dostu olmakla övünüyordu ama öyle olmaktan çok uzaktı. Bunun yanında Tam da gizli bir hayal kırıklığı yaşıyordu. Yemek odasında yemek ona Leydi Gemma'yla ya da ona hitap etmeye alıştığı şekliyle, Jem'le tekrar konuşma fırsatı verebilirdi.

Yemeklerini bitirmek üzereydiler ki kapı çalındı ve ölen kadını incelemek üzere çağırılan Dr. Brooke geldi.

"Boğulduğunu bilmek istersiniz diye düşündüm. Buna şüphe yok; ciğerleri suyla doluydu. Ama bu suya itilmediğini ya da kafasının suyun altında tutulmadığı anlamına gelmiyor."

Townsend doktorun kararından hoşnut görünüyordu: "Öğrendiğim bir şey hizmetçilerden hiçbirinin onun Brighton'daki şifalı sulara girmek istediğini duymamış olması. Her türlü suya karşı bir korkusu varmış gibi görünüyor. Bu Fransızların genel bir zayıflığı sanırım," dedi.

Tam ona baktı, Simone'un Manchester'lı olduğundan bahsetmemeye karar verdi. Acaba Lort Percy gömülmesi için gerekli ayarlamaları yapacak mıydı? Bu durumda şüpheli gözüküyordu. Cesedini almaya gelecek bir yakını olup olmadığı konusunda yeterli bilgi vardır umarım diye düşündü. Yoksa tıbbi araştırmalara bağışlanırdı. Çünkü sahipsiz cesetlere uygulanan kural buydu.

Doktor yanlarından ayrılınca Townsend derin bir nefes aldı. "Hâlâ olduğumuz yerde sayıyoruz," diye homurdandı. "Bir dalavereye kurban gitmiş gibi gözüküyor ama katiline bir adım bile yaklaşamadık."

"Dışarıdaki çalışanlar hâlâ duruyor," diye hatırlattı Tam kibarca. Townsend kaşlarını çattı, Tam ekledi, "Zaten dışarıda öldü. Ahırda çalışanlar, bahçıvanlar ve diğerleri hâlâ sorgulanmadı."

Townsend ona keskin ve oldukça kızgın bir bakış attı. Sanki bugünkü soruşturma işinin bitmesini istiyordu. Bitkin bir halde içini çekti. "Sanırım haklısınız, yeğenim Rob ahırda çalışıyor."

Bu bilgiyi biraz isteksiz verdi, diye düşündü Tam; çünkü Townsend'in Creeve Malikânesi'yle gerçek bağı buydu, büyük zevkle övündüğü markinin arkadaşlığı değil.

"Dürüst ve güvenilir bir çocuktur, en azından ondan gerçeği öğrenebiliriz."

Holden geçerlerken Townsend Sör Joseph'in yemek odasından çıkıp çalışma odasına doğru gittiğini gördü. "Onunla konuşmalıyım. Şimdiye dek ne kadar ilerleme kaydettiğimizi öğrenmek isteyecektir. Burada beni bekleyin."

Tam, beklerken duvara sıralanmış geçmiş Creeve'lerin portrelerine bakarak zaman geçirdi. Sonra bir uşak yaklaştı ve bir zarf uzattı. "Bu Bay Townsend için, ona iletir misiniz lütfen?" dedi. Birkaç dakika sonra dönen Townsend zarfı alıp sabırsız bir ifadeyle cebine soktu. Kızarmış yüzü, bütün sözlerden daha yüksek sesle marki hazretleriyle görüşmesinin pek iyi gitmediğini söylüyordu.

Yirmi

Ahırda, Rob amcasını gördüğüne gerçekten çok sevinmiş görünüyordu ve Edinburg'lu bir avukatla tanıştırılmaktan da çok etkilenmiş gibiydi. Ailevî konularla ilgili genel bir hoşbeşten sonra, Rob hizmetçinin gölde boğulduğunu duyunca ne kadar şaşırdıklarını anlattı. Onlara söylenene göre intihar etmişti.

"Sanırım bizim bilmediğimiz ve sizin buraya çağırılmanıza sebep olan bazı şüpheli durumlar var amca," dedi Rob zekice ve hemen ne bildiklerini öğrenmek üzere diğer çocukları çağırmayı önerdi.

"Ben çocukların çoğuna kefil olabilirim. Dün gece hanımın cenaze töreninden arta kalan etler ve bira bize verildi. Ben dahil on kişi iyice sersemleşmiştik ve oldukça sarhoş bir halde yatmaya gittik. Açıkçası amca, içimizden hiçbiri onu fazla tanımazdı. Sadece uzaktan, Leydi Sarah ile yürürken görürdük ya da hanımın atının eyerlenmesiyle ilgili ayarlamaların yapılması için ahıra gönderildiği zamanlarda."

"Simone da onunla birlikte at biner miydi?"

"Hayır, hiç binmezdi, atlardan korkardı biraz."

Townsend biraz önce onlara katılan ve merakla konuşmalarını dinleyen arabacıya, "Peki, hanım

Brighton'a giderken ne yapardı?" diye sordu. "Buradan bir araba almaz mıydı?"

"Buradan almazdı, bayım. Belki atını alırdı."

"Buradan hiç almadı," dedi Rob. Birden Tam'ın gözleri önüne üzerinde sadece kürklü pelerin ve inci kolyesi olduğu halde, Lewes yolunda dörtnala giden markizin görüntüsü geldi. Sonra bu kıyafetin Brighton'daki dairesinde durduğunu, Pavilion'un gizli girişine giden kısa yolda giyildiğini düşündü.

"Marki hazretleri bugünlerde sadece bir tane araba bulunduruyor, çok fazla seyahat etmiyor. Ama Lewes'de araba kiralayan yerler var. Ama oradaki arabalar çoğunlukla zengin hanımlar, yalnız seyahat eden dullar ya da araba ve at almaya gücü yetmeyen köylüler içindir."

Arabacı onlara bahçıvanların orada yaşamadığını, akşam olunca köydeki evlerine gittiklerini ve yaz sabahlarında erkenden gelip işe başladıklarını söyledi.

Townsend şanslıydı. Hizmetçi kızın cesedini bulan bekçi onların ahıra girdiğini görüp gelmiş, kendi hikâyesini Bow Street memuruna anlatmak için sabırsızlıkla bekliyordu.

Adı Peters'tı. Gölde yüzen şeyi ilk gördüğünde eski bir çuval olduğunu sanmıştı. "Ne olduğunu anlayınca afalladım. Evet, genç bayanı hemen tanıdım. Arka tarafta yolun yanındaki kulübemin önünden geçerdi sık sık. Eğer bahçemdeysem birlikte vakit geçirirdik. Çok kibar bir hanımdı."

İçini çekti, donuk gözlerle onlara baktı. "Çok yazık, onun gibi akıllı bir kadının daha yaşanacak çok şey varken kendi canına kıyması çok acı."

O konuşurken Tam onu inceliyordu. Kırk yaşlarında, uzun boylu, beyaz saçlı ve bıyıklı, yakışıklı bir adamdı. Tam, Townsend'in adamın konuşmasının ne kadar düzgün olduğunu fark edip etmediğini merak ediyordu. Daha iyi günler görmüş bir subay havası vardı adamda.

Bir cinayet söz konusu olduğunda katil genelde kurbanın tanıdığı kişiler arasından çıkar, ailesi ya da yakın çevresinden biridir bu. Ya da olayı ortaya çıkaran kişidir. Peters Townsend'in sorularına cevap verirken Tam kararını verdi; baş şüpheli Peters'tı.

"Aslına bakarsanız bayım dün gece çardağın etrafında dolaşan uzun bir adam gördüm, bir yabancı, belki hanımın cenaze törenine katılanlardan biriydi. Görülmek istemiyordu. Köpeklerim onu saklandığı yerden çıkarınca çok bozuldu. Ben pek insan içine çıkmak istemeyen biri olduğunu düşündüm, bilirsiniz üst tabakadan insanlar buna eğilimli olurlar."

İşte iki numaralı şüpheli diye düşündü Tam. İçinde bir huzursuzluk vardı. Acaba bekçinin gördüğü bu uzun yabancı, şu Townsend'in asla göremediği takipçileri olabilir miydi?

Eve geri dönerlerken, Townsend elini cebine atıp unuttuğu zarfı çıkardı, Tam'a uzattı. "Gözlüklerim yanımda değil, bana okuyabilir misin, önemli bir şey olduğunu sanmıyorum," dedi.

Çok kısa bir nottu bu. "Sevgili Bay Townsend, sizi cenaze töreninde gördüm. Uygun olan bir zamanda sizinle konuşmak istiyorum. (imza) Simone Dupres."

Townsend durdu. Yumruklarını birbirine vurdu. "İşte bulduk! Kanıtımız bu. Bu hiç kendini göle atacak kadının yazacağı bir nota benziyor mu?"

Kâğıdı geri veren Tam, bu notun önemini düşünmeye koyuldu. Bunun kazara göle düşen bir kadının yazabileceği bir şey olduğunu söylemeye gerek yoktu.

Başı önünde, elleri her zaman ki gibi arkasında bağlı yürümeye devam eden Townsend Tam'a dönüp, "Bu notun sana nasıl ulaştığını sorabilir miyim?" dedi.

"Siz Sör Joseph'le konuşurken uşaklardan biri getirdi."

"Ha, o zaman," dedi Townsend yüzünü buruşturarak, belli ki bu ona pek hoş olmayan şeyler hatırlatmıştı. "Öncelikle bu notu uşağa ne zaman verdiğini öğrenmeliyiz. Sonra soruşturmamıza kaldığımız yerden devam edebiliriz."

Notun izini sürmek Townsend'in sandığı kadar zor olmadı. Tam uşağı teşhis etti, uşak notun holdeki masaya, sabah postasının arasına bırakıldığını söyledi.

"Bu da açıkça gösteriyor ki, hanımın ölümüyle ilgili bir şeyler biliyordu ve bu yüzden benimle konuşmak istiyordu," dedi Townsend. "Görünüşe göre katili de bunu biliyordu ve ağzını sonsuza dek kapatmanın iyi olacağını düşündü."

Tam bu notta Simone'un tehlikede olduğunu gösteren hiçbir işaret göremiyordu. Simone hava değişikliği yapmak istemiş ve Bow Street memurunun Londra'da güvenilir bağlantıları olduğunu düşünmüş olabilirdi.

Townsend birden durdu, elini cebine attı. "En sevdiğim ipek mendili düşürmüşüm. Ahırda olmalı, sen devam et," dedi ve geldikleri yoldan aceleyle geri döndü.

Tam'ın şansı yaver gidiyordu çünkü tam o sırada patika yolların birinden Leydi Gemma çıkageldi.

"Ben de sizi arıyordum," dedi, "en sonunda buldum."

İşte yanındaydı. Ona bakarken kalbi öyle hızlı çarpıyordu ki elini tutmak için yanıp tutuşuyordu. Bu karşılaşma onu çok mutlu etmişti, sahil kıyısındaki bahçelerde Prenses Charlotte'la yaşadığı karşılaşmalardan çok farklıydı bu.

"Gelin şuradaki çardağa gidelim," dedi, "günün bu saatinde bizi rahatsız eden olmaz."

Çardak çok hoş dizayn edilmişti. İçeride bir masa ve oldukça rahat bir koltuk vardı. Bu gibi buluşmalar için yapıldığı belliydi çünkü istenirse perdeler de çekilebilirdi.

Ciddi bir ifadeyle bakıp yanındaki koltuğu işaret ederek, "Oturun Bay... yani Tam, sen böyle ayaktayken geriliyorum," dedi. "Çok zamanımız yok, bu yüzden Jem'i anlatmaya nerden başlamamı istersin?"

"En başa ne dersin," dedi Tam soğuk bir ifadeyle.

Gemma güldü. "Dün konuşmamız bölünmeden önce de söylediğim gibi Creeve'de hayat katlanılmaz hale gelmişti. Özellikle zorla evlendirilmek üzere olduğum kâbusuna daha fazla dayanamazdım."

Omuz silkti. "Eğer bir gün evleneceksem, evleneceğim kişiyi kendim seçmek isterim. Bu yüzden Londra'ya pek sık görüşmediğimiz büyük annemin yanına gitmeye karar verdim. Büyük annem iyi biridir, doğum günlerimi hiç unutmaz. Bu yüzden beni anlayacağını ve kabul edeceğini düşündüm.

Ne yazık ki, yanlış zamanı seçmiştim. Evde hizmetçi kadın ve kocasından başka kimse yoktu. Büyük annem İtalya'ya gitmişti. Biraz gönülsüzce, o gece orada kalabileceğimi söylediler. Ertesi sabah uyandığımda evde yapayalnızdım. İkisi, bavulum ve tüm paramla birlikte, ortadan kaybolmuştu. Aslına bakarsan ev gözüme çok sade görünmüştü. Sanırım bütün gümüşler ve değerli eşyalar yok olma aşamasındaydı ve ben evi yağmalayan hırsızların işini yarıda kesmiştim."

İçini çekti. "Ne üzerimdeki geceliğimden başka kıyafetim ne de bir sonraki yemeğimi alacak tek kuruş param vardı. Dolaplara baktım, yiyecek hiçbir şey yoktu. Ama bir gömlek ve eski bir pantolon buldum, muhtemelen bahçıvanın oğlunun değersiz diye fırlatıp attığı giysilerdi. Mucizevî bir şekilde üzerime oldular. Böylece şansımı denemek için kendimi Londra sokaklarına attım," dedi acı dolu bir ifadeyle.

Büyük annem dönene kadar erkeklerin yaptığı işlerde karın tokluğuna çalışmayı deneyecektim. Bir erkek olarak üzerinde sadece geceliği olan bir kızdan daha iyi para kazanabileceğimi düşündüm. Gecelikli kızın yapabileceği iş bellidir ve fahişelik yapmak benim hiç hoşuma giden bir alternatif değildi. Bütün gün Covent Bahçesi yakınlarında gezindim, artık açlıktan ölmek üzereydim ve bir tezgâhtan bir dilim ekmek çaldım."

İçini çekti. "Creeve'de kötü şeylerden uzak yaşamıştım hep. Bir dilim ekmek çalmanın doğuracağı sonuçlar hakkında en ufak bir fikrim yoktu. Kadın çok öfkeliydi. Hemen oradan geçen bir memuru çağırdı ve tutuklandım. Beni korkunç bir hapishaneye attılar. Orada mahkûmların sırnaşmalarıyla baş etmek zorunda kaldım. Ertesi gün mahkemeye çıkarıldım ve kolonilere götürülmeye mahkûm edildim.

Bu adaletsizliğe inanamıyordum. Sonrasını biliyorsun. Mahkûm gemisine konuldum. Ellerim ayaklarım zincirlendi. Neyse ki bileklerim çok ince ve onlardan kolaylıkla kurtuldum. Güverteye çıktım. Yüzme bilmiyordum. Umutsuzca bir kaçış yolu bulmaya çalışıyordum ki..." durdu, ona döndü, "sen karşıma çıktın," dedi.

"Devam et," dedi Tam.

Gemma kafasını sallayıp heyecanla, "Dün bana Edinburg'lu bir avukat olduğun söylendi. Biz o hurda gemiden kaçtıktan sonra batan *Soylu Stuart'*tan tek sağ kurtulanmışsın!"

Elini yanağına koyup, kararlı gözlerle Tam'ı inceledi, bir yorum bekliyordu. Göle doğru bakakalmış Tam'dan hiçbir yorum gelmeyince, yumuşak bir sesle, "Ama bu doğru değil, değil mi, Tam Eildor? Herhangi bir gemide yolcu değildin sen. O gemi batarken, sen benim yanımda, o küçük filikanın içindeydin."

Tam inandırıcı ama tarafsız sözler bulmaya çalışıyordu ki Gemma şimdi biraz dikkat ve korku belirtisi taşıyan bir sesle devam etti. "Söyle bana, nasıl yaptın bunu?"

"Neyi?" diye sordu Tam masum olduğunu düşündüğü bir gülümsemeyle.

"Neyi?" diye tekrarladı Gemma sertçe. "Adın gibi biliyorsun. O gemiye nasıl geldin? Nasıl öyle birden ortaya çıkıverdin?"

Korkmuş gözüküyordu, Tam bundan bir şeyler çıkarmaya çalıştı. "Tam olarak ne hatırlıyorsun?"

Kafasını salladı. "Ben saklanıyordum, beni bulmaya güverteye gelen adamları gözetliyordum ve ne yapacağıma karar vermeye çalışıyordum. Güvertenin o kısmında onlardan ve benden başka kimse yoktu. Sonra birden bir şey belirdi." Kaşlarını çattı, "Bir ışık, bir göz kırpması gibi, sonra sen ortaya çıktın, bir köşede oturuyordum. Ben şanslıydım çünkü sen ve botların onları daha çok ilgilendiriyordu."

Bir sessizlik oldu sonra bir şaşkınlık ve hâlâ oldukça korkmuş görünen Gemma, "Nerden geldin ve bunu nasıl yaptın Tam Eildor?" diye sordu.

Tam Gemma'nın elini tuttu, gülümsedi ve "O bir numaraydı, sana sonra her şeyi anlatacağım," dedi.

"Neden şimdi değil?" diye ısrar etti Gemma. "Ve başka bir sürü yer varken neden bir mahkûm gemisi?" diye ekledi elini çekip sabırsız bir ifade takınarak.

"Dinle Gemma, hayatını kurtardım. Bana borçlusun ve senden tek istediğim bana güvenmen. Ama Brighton'da karşılaştığımızda hiç de öyle davranmadın. Saklayacak çok şeyin varmış gibi topuklayıp kaçtın."

"Evet öyleydi. Yine üvey annemin merhametine bırakılmak istemiyordum."

"Brighton'a nasıl gittin o zaman?" diye sordu.

"Ben de aynısını sana soracaktım. Eski Gemi'de o şekilde karşılaşmamız çok ilginç bir tesadüftü, değil mi?"

Çardaktan dışarı bakan Tam, Townsend'in çardağın önünden geçen yoldan yaklaştığını gördü.

"Şu beye bir cinayeti çözmede yardımcı olmam gerekiyor," dedi Tam heyecanla, "korkarım küçük sohbetimiz biraz daha bekleyecek."

"Bana her şeyi anlatmadan Creeve'den gidebileceğini sanma," dedi Gemma. "Ayrıca Brighton'da da arkadaşlarım vardır."

Tam Gemma'nın elini tutup dudaklarına götürdü, öptü. "Seni bir daha görmeden buradan gitmeyi hayal bile edemem sevgili, tatlı Gemma, ayrıca seni küçük Jem'e tercih ederim," dedi.

Gemma kızardı. Tam bahçeye çıkarken arkasından, "Bu arada, Lort Henry Fitzgeorge hakkında ne biliyorsun?" diye sordu.

Tam döndü, "Pek bir şey bilmiyorum. Prensin oğlu, neden sordun?"

Güldü. "Babamdan benimle evlenmek için izin istemiş. Daha dün akşamki yemekte tanışmış olmamıza rağmen."

"Kabul edecek misin peki?" dedi Tam birden, kızgın ve kıskanç bir ifadeyle. Sesindeki telaşı saklayamadığının farkındaydı.

Gemma ona baktı ve sakince gülümsedi. Bu sefer bir kadının nazlanmasından başka bir şey değildi bu. "Henüz düşünecek zamanım olmadı, ama düşüneceğim."

Townsend'e yetişmek için hızla yürüyen Tam, Lort Henry'ye karşı pek de dostça olmayan duygular içindeydi ve Leydi Gemma'nın nasıl zamanın kadınları gibi olacağını çok hızlı öğrendiğine karar verdi.

Yirmi Bir

Tam, Townsend'e doğru koşarken, aklı beyaz elbisesi ve son moda Paisley şalıyla gözlerini kamaştıran Gemma'daydı. Ne kadar tatlıydı, hangi aptal (özellikle kendisini kastediyordu) onun bir erkek çocuğu olduğuna inanırdı?

Kendini kendine şikâyet etmekle o kadar meşguldü ki çardağın etrafında gizli gizli dolaşan Lort Henry'yi fark etmemişti. Gemma'yı bulup babasıyla yaptığı görüşmenin sonuçlarından haberdar etmeyi uman Lort Henry, onu Bay Eildor'la görünce biraz gücenmişti. Ama avukatın Gemma'yla konuşması gereken resmî konular, belki üvey annesinin vasiyetiyle ilgili resmî bir işlem vardır diye kendini teselli etmişti.

Ne var ki dakikalar geçiyordu. Çardaktan gelen gülme sesleri bunun iş üstündeki bir avukatla bir müvekkil ilişkisinden daha samimi bir ilişki olduğunu gösteriyordu. Ayrıca Leydi Sarah'nın cenaze töreninde karşılaşıp tanışmış gibi de değildiler.

Kaşlarını çatarak cep saatine baktı. Huzursuzluk, kıskançlık ve şüphe hisleri artıyordu. Belirsiz mırıltılardan daha fazlasını duymaya çalıştı. Bekletilmek onu sabırsızlandırıyordu çünkü Sör Joseph'le olan görüşmesi umduğundan çok daha başarılı geçmişti.

Kekeleyerek isteğini dile getirmiş ve Gemma'nın babasını çok yumuşak başlı bulmuştu. Yüzü sevinçle parlamıştı ve çok samimi bir şekilde elini sıkmıştı.

"Gemma'ya teklifini yap genç adam, eğer karşı çıkarsa bana bırak," demişti Sör Joseph. Aklı başında hiçbir genç kızın (Ama Gemma'nın öyle olduğu söylenebilir miydi?) böyle bir şansı geri tepeceğini sanmıyordu.

Bunun yanında, ne şekilde olursa olsun, ondan hemen kurtulmak istiyordu. Sarah'nın telkinlerine kendini inandırmıştı. Hiddetlenir, gözyaşları döker, O Kız'ın çok kötü olduğunu söylerdi. Kararını yıllar önce vermişti ve şimdi caymaya niyeti yoktu. Varlığı, onu hiçbir zaman sevmediği için suçluluk duymasına sebep oluyordu. Zihninde kara bir leke gibiydi. Bütün sevgi ve bağlılığı Timothy'ye aitti.

Gemma ona yaklaşınca Timothy çığlıklar atıyordu. O da Sarah'nın etkisi altındaydı sonuçta. Daha dün gece yatmadan önceki duasını edip 'Amen' diye fısıldadıktan sonra, "O Kız ne zaman gidecek baba? Onu hiç sevmiyorum," demişti.

Timothy'nin sözü, üzerine titreyen babası için emirdi. Lort Henry'nin teklifine bu kadar sevinmesinin başka bir sebebi daha vardı. Sör Joseph Prens George'un sevdiği bir tanıdığıydı ve böyle bir birleşmenin sosyal avantajlarını faydalanmayı düşünecek kadar da bencildi. Prensin gayrımeşru oğluyla bile olsa, Westminster Kilisesi'nde yapılacak bir düğün onu dünyanın en mutlu insanı edebilirdi.

Henry kızarmış, hâlâ sonsuz teşekkürlerini kekeler bir halde odadan ayrılınca, Sör Joseph Gemma'yı çağırdı. Sevgi dolu bir gülümsemeyle selamlanan Sör Joseph, Leydi Gemma yanağından öperken irkilmemek ve onu geri itmemek için büyük çaba gösterdi.

İçinden bir ses artık barış ilan etmenin zamanı geldi diyordu ama bir türlü doğru hamleyi yapamıyordu. Ona karşı soğuktu, dantelli kundaklar içinde eline verildiği ilk günden beri böyleydi bu. Ona ne söyleyeceğini, nasıl davranacağını hiç bilememişti. Karısı onu doğururken ölmüştü ve o, hasretini çektiği erkek evlat değildi. Bu yüzden çok kızgındı. Onu hiçbir zaman, Timothy doğmadan önce bile, hiç sevmemişti.

"Lütfen otur Gemma."

Gemma hâlâ gülümseyerek, sevgi dolu gözlerle ona bakmaya devam ediyordu.

"Bizimle ne kadar kalacaksın?"

"Bana ihtiyacınız olduğu sürece baba," dedi Gemma, yumuşak bir sesle.

Sör Joseph biraz utanarak uzaklara baktı. Ona ya da başka hiç kimseye ihtiyacı yoktu. Onun tüm neşesi, tüm hayatı Timothy'ydi.

"Gelecek için bir planın var mı?" diye sordu.

Gemma utandığının farkındaydı, nazikçe, "Aslında hayır," dedi. Bu tam olarak doğru değildi. Gemma babasının, "Seni seviyorum sevgili kızım. Sonsuza kadar bizimle kalmanı, istiyorum, tüm geçmişi unutup yeniden başlayabiliriz," demesini umarak sordu: "Ne kadar kalmamı istersiniz?"

Ama bunun yerine soğuk bir ifadeyle omuz silktiğini gördü. "Ne kadar istersen." Bileklerini ovuyordu. Gemma bu hareketi çocukluğundan hatırlıyordu. Ortada ciddi bir mesele varsa yapardı bunu. Sör Joseph,

"Seni bu kadar acil yanıma çağırıp görüşmek istememin sebebi..." duraksadı, derin bir nefes aldı, "Lort Henry Fitzgeorge'un elini istemesi," dedi.

Şimdi Gemma durmuştu. "Elimi!.." parmaklarına baktı, yumruğunu sıktı. Şaşkınlık içinde tekrarladı: "Elimi?"

"Evet, elini... evlenmek için," dedi kısa kesmek ister gibi. "Aptal kız, anlasana seninle evlenmek istiyor."

Gemma ayağa fırladı. Öfkeyle babasına baktı; adam sanki duygularını aldırmıştı. "Ama... ben onu hiç tanımıyorum... daha dün akşamki yemekte tanıştık... kibarca sohbet ettik!"

"Her ne hakkında konuştuysanız bu onu çok etkilemiş olmalı, seninle evlenmek istediğine göre," dedi. Sakin görünüyordu ama sabrı taşmak üzereydi. Her şeyin bir oyun olmasından korkar gibiydi. Kral vekili prensin oğlunun bu zayıf, gösterişsiz, göğüssüz, toy bir delikanlıyı andıran bu kızla evlenmek istemesi doğru olamayacak kadar güzeldi.

"Evet, ne diyorsun?" diye sordu babası ısrarla.

Gemma başını salladı. "Ne söyleyeceğimi bilmiyorum baba," dedi.

Sör Joseph parmaklarını koltuğunun koluna vurarak soğukkanlılıkla ona bakmaya devam etti. Hangi erkek bu kız kurusuyla yatmak isterdi ki? Bu düşünce ateşli Sarah'sını aklına getirdi, içini çekti. Onun gibisini asla bulamayacaktı.

"En azından biraz minnettarlık göstermelisin," dedi öfkeyle.

Gemma boynu bükük, babasına baktı. "Minnettarlık!.. Ne için?" diye sordu sessizce.

Parmağını salladı babası. "Hem minnet hem de
onur duymalısın. Geleceğin İngiltere kralının oğlu se-
ninle evlenmek istiyor. Bu her kız için yeterli olmalı,
senin için bile," dedi yüzünü ekşiterek.

"Yani en yüksek teklifi verene satılacağım öyle mi?"

Sör Joseph'in sabrı taşmıştı. "Eğer bunu kabul et-
mezsen, seni temin ederim, bir daha asla böyle bir
şans eline geçmez." Kısa bir gülüşün ardından, "Bu
hayatının en büyük fırsatı, ülkenin tüm kadınları pren-
sin oğluyla evlenmek için ağzıyla kuş bile tutar."

"Ki bu hiç hoş bir görüntü olmazdı," dedi Gemma
inceden bir imayla.

Babası ona boş gözlerle baktı. Şimdi şaşırma ve
kızma sırası ondaydı. Sarah haklıydı. Uzaktan onun
sesini duyar gibiydi: "O kız bir aptal olarak doğmuş,
onun için bütün yaptıklarımıza rağmen hâlâ nankör bir
aptal gibi davranıyor," demişti.

"Düşüneceğim baba. Şimdi izninizle çıkabilir mi-
yim?" Kibarlıktan çok alay belirten hızlı bir selamla-
madan sonra çıkıp gitti.

Gemma odasına çıktı. Cenaze töreni akşamı ye-
mekte olanları, Lort Henry ile olan sohbetlerinde il-
ginç bir şey yaşanıp yaşanmadığını hatırlamaya çalış-
tı. Tek hatırladığı uygun yerlerde evet ve hayır dedi-
ğiydi. Çünkü bütün gece boyunca tam karşısındaki
Tam Eildor'u izlemiş, keşke, keşke onun yanında otu-
ruyor olsaydım deyip durmuştu.

Tam Eildor onu mezarı olacak sulardan kurtaran
gizemli, entrikacı adamdı. Cevabını sadece onun vere-
bileceği bir sürü soru vardı Gemma'nın kafasında.
Townsend'le birlikte buradan gider de onu bir daha
hiç göremezsem diye düşünürken, Lort Henry'nin tek

kelimesini bile duymadığı abartılı komplimanlarından
birine daha gülmüştü. Belli ki daha dikkatli davranma-
lıydı. Kibar olayım derken istekli ve eğleniyor gibi gö-
rünmüştü ve bu da onunla evlenmek isteyecek güçlü
erkeksi duygular uyandırmıştı Henry'de. Onu ilk gör-
düğünde zihninde, o eski abartılı portrelerden hatırla-
dığı Galler Prensi genç George'un yüzüydü. Adeta
onun bir kopyasıydı. Biraz dalga geçerek, şaraba ve
kadınlara adanan bir yaşamın orta yaşlarına geldiğinde
onu da şişman ve gutlu biri yapacağını düşünmüştü.

* * *

İçini çekti. O dün geceydi. Bugün dünyası değiş-
mişti. Kalbinin derinliklerine baktığında kime âşık ol-
duğunu görüyordu. Ama imkânsızdı, çok da geçti.
Aralarındaki konuşmayı ve Tam'ın kızarak yaptığı
yorumları hatırlıyordu. Tam'ın gidişini seyrettikten
sonra şalını toplamış, çardaktan çıkmıştı.

Kapıda Lort Henry ile karşılaşmıştı. Onu selamlı-
yor, gülümsüyordu.

Henry o an Gemma'nın görmek istediği son insan-
dı. Kibarca selamlayıp iyi günler diledikten sonra yo-
lundan çekilmesini umuyordu. Ama Henry'nin buna
niyeti yok gibiydi. Gemma'nın soğuk tavırlarının far-
kında bile değildi.

Ertelenmek istemiyordu. Gemma ona yaklaşınca
elini sıkıca tuttu, elleri bu sıcak yaz gününde bile buz
gibi ve nemliydi.

Telaşlanan zavallı Gemma ürpermiş, daha kabul
edilebilir elleri hayal etmişti. Tam'ınkiler mesela, öy-
le sıcak, öyle... her şeydi ki...

Lort Henry parmaklarını okşuyordu. Olağan dışı
bir şeydi bu. "Beni dünyadaki en mutlu erkek yapabi-
lirsiniz," diyordu.

"Sahi mi?" diyebildi Gemma, nefesi kesilerek. Aklına cesaretlenmesini engelleyecek başka bir söz gelmiyordu.

"Babanızla konuştum. Sanırım o da sizinle konuşmuştur. İznini aldım." Tüm bunları çardağın tozlu zemininde diz çöktüğü yerde, bir çırpıda söylemişti. Gemma o beyaz pantolon bir daha asla temizlenmeyecek diye düşünüyordu.

"Lütfen, yalvarırım Leydi Gemma. Karım olacağınızı ve benim dünyadaki en mutlu erkek olacağımı söyleyin."

Gemma yukarıdan onu inceliyordu. Aynı prensin portrelerindeki gibi kahverengi bukleleri vardı. Çirkin değildi ama ancak Mikelanjelo'nun Floransa'daki David heykeli kadar baştan çıkarıcı olabilirdi. Hatta daha az, diye düşündü bir anlık sululukla.

Böyle kendini alçaltması çok komikti. "Lütfen bayım, şuraya oturun, konuşalım," dedi Gemma.

Coşkulu bir köpek yavrusu gibi ayağa zıplayıp Gemma'nın yanındaki koltuğa oturdu. Elleri Gemma'nın şalı altına sakladığı ellerini arıyordu.

Ama bu onu caydırmadı. Onun dünyada gördüğü en güzel kız olduğu gibi bir sürü şey saçmaladı. Doğruydu, daha önce onun gibisini görmemişti. İlk görüşte de âşık olmuştu. Eğer aşkına karşılık vermezse Henry'yi sonsuza kadar kaybederlerdi.

Gemma bu coşkun seli durdurdu. "Lütfen Lort Henry, istirham ederim, sakin olun."

"Sakin mi?" Henry gözlerini kocaman açmış, daha önce bu kelimeyi hiç duymamış gibi ya da Gemma çok kaba, çok çirkin bir şey söylemişçesine ona bakıyordu.

"Evet sakin. Bir evlilik için iki kişi gereklidir ve iki kişinin birlikte karar vermesi. En azından benim fikrimce öyle. Kızların, ailelerinin isteklerine uyup onlar için seçilen kişiyle evlenecekleri düşüncesine ben katılmıyorum," dedi Gemma. Bunu söylerken aklına üvey annesinin onun için bulduğu yaşlı adam gelmişti.

Henry hiçbir şey söylemedi. Şaşkınlık içinde ona bakıyordu. Gözleri bir spanyel[8] gibi yalvaran bakışlar atıyordu.

Gemma bu sessizlikten faydalandı. Her şey Henry'nin kendini alçaltmasından daha iyiydi. "Bir noktayı belirtmek istiyorum bayım, biz henüz birbirimizi hiç tanımıyoruz. Daha yeni tanıştık ve..."

"Babalarımız birbirlerini çok iyi tanıyor..." diye tekrar başladı Henry.

"Bu benim için yeterli değil. Söz konusu taraflar bizleriz, biz birbirimize yabancıyız ve ikimiz arasında bir evliliğin söz konusu olması çok gülünç."

"Gülünç mü?" deyip tekrar yere diz çöktü. "Yalvarırım böyle demeyin. Hiç umut yok mu? Sizin kadar tatlı, nazik biri benim kalbimi kırmak ister mi?

Gemma ona acıyarak baktı. "Lütfen Lort Henry, lütfen diz çökmeyin. Bu çok gülünç ve sizin gibi bir beyefendiye hiç yakışmıyor."

Henry hemen eski yerine döndü.

"Kalplerden bahsediyorsunuz, benim de bir kalbim var, geleceğimi, mutluluğumu o yönlendiriyor," dedi Gemma.

"Sizi mutlu edeceğime söz veriyorum, hem de öyle mutlu edeceğim ki," diye yalvardı, "bundan şüpheniz olmasın."

8 Ç.N. Uzun sarkık kulaklı köpek cinsi.

Bu söze aldırmayan Gemma devam etti. "Gönül rahatlığı içinde hayatımın geri kalanını sizinle geçirmeye karar vermeden önce sizi daha yakından tanımam gerek."

"Yani umut var!" dedi Henry, Gemma'nın dikkatle sakladığı elini tutamadığı için otları kopararak.

Gemma gülümsedi. "Size bunun cevabını ancak birbirimizi daha yakından tanıdığımız zaman verebilirim," dedi.

"O zaman babanızdan sizi, yanınızda uygun bir refakatçiyle birlikte tabii, Brighton'a babam, prens hazretleriyle –sanırım onun gerçek babam olduğunu biliyorsunuzdur– tanıştırmaya götürmek için izin isteyebilir miyim?" dedi biraz utanarak.

Gemma gülümsedi. "Ona ne şüphe bayım, benzerliğiniz ortada," dedi.

Şimdi gülümseme sırası Henry'deydi. Onunla birlikte Brighton'a gelmesi için ikna etmek sandığından daha kolay olmuştu. Bu Gemma'nın da işine geliyordu. Brighton demek Tam Eildor'u yeniden görmek demekti.

"Davetiniz için teşekkür ederim bayım. Kabul etmekten onur duyarım," deyip elini uzattı. Henry elini sıktı ve "Ben gerekli ayarlamaları yapacağım. Pavilion'da kalmanız uygun olmayacağı için belki Bayan Maria Fitzherbert'te kalmak istersiniz."

Bunları söylerken, Pavilion'da yaşanan ahlaksız olaylar gelmişti aklına. Babasının şehvet düşkünlüğü ve özellikle çok yakın geçmişte başlarına gelen ve Gemma'nın üvey annesi olan fahişenin de içinde bulunduğu olay...

"Eğer uygun olursa, tabii ki isterim," dedi Gemma.

"Mükemmel, harika olur. Bu arada rica etsem bana Henry der misin, tüm arkadaşlarım öyle der."

Yirmi İki

Tam Townsend'e yetişti ama sonra Gemma'nın hikâyesini dinlemediğine pişman oldu. Özellikle onu öldürmeye teşebbüs eden kaçakçılardan nasıl kurtulduğunu, hâlâ mahkûm çocuk Jem kılığındayken Brighton'a nasıl geldiğini merak ediyordu. Ama çardaktan çıkması de kendi hatasıydı. Sebebini söylemeye cesaret edemeyeceği bir şekilde, Gemma'nın Lort Henry ile evlenmesi fikri ona çok dokunmuştu ve Gemma'yı hiç de kibar olmayan aksine çok kaba bir tavırla orada bırakıp çıkmıştı.

Townsend geciktiği için özür diliyordu. Yeğeni Rob tartışılacak tüm aile meselelerini o an hatırlamıştı sanki.

Tam bir cevap mırıldandı ama aslında onu dinlemiyordu. Gemma'nın hikâyesinin sonunu dinlediği zaman, kendisinin de 2250 yılından 1811 yılı ağustosuna, bir mahkûm gemisine nasıl geldiğini açıklaması gerekecekti. Onun ya da bir başkasının bunu anlamasını nasıl bekleyebilirdi ki?

"Hâlâ bize anlatılmayan çok şey var ve öyle kalmaya da devam edeceğe benziyor," diyordu Townsend. Tam ona baktı, Simone'un gizemli ölümünden bahsettiğini fark etti. "Ama hiçbir zaman gerçeği öğrenemeyeceğimize göre," diye devam etti, "mümkün olan en yakın zamanda Brighton'a dönmeliyiz. Hatırlarsan, hâlâ izini sürmemiz gereken bir mücevher hırsızı var."

Eve yaklaşırlarken, Tam Gemma'nın hikâyesinin sonunu hiçbir zaman öğrenemeyeceğini düşündü. Macerası sona ermişti, artık evindeydi. Tam'ın bir daha Lewes'e gelip onu görme ihtimali de düşüktü. Zaman yolculuğunun artık sonuna geldiğini hissediyordu. Ama umduğu kadar başarılı gitmemişti. Her şey yarım kalmıştı sanki.

Belki de markizi kimin öldürdüğünü ve *Stuart Safiri*'ni kimin çaldığını asla öğrenemeyecekti. Ama Brighton'dan ayrılması iyi olacaktı çünkü tarihin karakterleriyle duygusal yakınlık içine giriyor, kendi kurallarını çiğniyordu. Yalnız hayatını tehlikeye atmakla kalmıyor, aynı zamanda, neredeyse dört yüzyıl önce ölmüş bir kıza âşık oluyordu.

Sör Joseph onları bekliyordu. Townsend üzüntüyle başını sallayıp soruşturmalarında hiçbir ilerleme kaydedemediklerini, dışarıdaki elemanlarla yaptıkları görüşmelerden de elleri boş döndüklerini anlatırken Tam sessizce onları dinledi. Sonra Townsend'e baktı. Bekçinin önemini gözden kaçırmış olamaz, diye düşündü. Bu sırada Townsend hizmetçi kızın ölmeden önceki akşam ona bıraktığı notu Sör Joseph'e veriyordu.

Sör Joseph kâğıda şöyle bir göz gezdirdi, tekrar Townsend'e uzattı. O da Tam'ın bu kâğıdın Simone'un öldürüldüğüne kanıt olarak gösterilemeyeceği fikrine katılıyordu.

Kafasını salladı. "Bu her şey demek olabilir. Doğal olarak morali çok bozuktu, artık Creeve'de ona ihtiyaç olmadığı için belki Londra'ya geri döneceğini söylemişti. Orada doğru insanlarla bağlantı kurmak için senin yardım edebileceğini düşünmüş olmalı, Townsend."

Bir müddet durdu, sonra devam etti. "Hizmetçileri çok huzursuz eden soruşturmanıza son vermenizi öneriyorum ve olabildiğince çabuk normal hayatımıza dönmemize izin vermenizi."

Tam acaba bazı kıdemli hizmetçiler ki bunlardan birkaçı Bow Street memurunun soru sorma yönteminden dolayı kızmış ve incinmişti, şikâyette mi bulundu diye merak ederken, Sör Joseph ekledi, "Baş hizmetçide Simone'un bu ülkede yaşayan akrabalarının adresleri var, onlar gerekeni yapacaktır. Yani biz olayı trajik bir kaza olarak görüp bu nahoş işi bir kenara bırakabiliriz." Öyle olmasa da, diye düşündü içinden, artık hiç umurunda değildi. Başka skandal istemiyordu. Böyle ölümlerin utanç verici bir yanı da vardı ve aileler için bunlarla yaşamak zordu. Sevgili Sarah'sının garip ve bir o kadar da korkunç olan ölümü, Creeve için kaldırabileceklerinden de fazlaydı. İnsanların hafızasında kara bir leke olarak kalacak ve uzun bir süre dedikodu konusu olacaktı.

Şimdi Bow Street memurundan ve Edinburg'lu avukattan kurtulmak için daha geçerli, daha zorlayıcı bir sebebi vardı: Kızını Lort Henry ile evlenmeye ikna etme olasılığı, hayır, zorunluluğu. Soylularla bağ kurulacak olması bu evliliğe hayatî önem kazandırıyordu. Prensin gözü Creeve Malikânesi sakinleri üzerinde olacaktı ve bu yüzden cinayetler, kazara boğulmalar bir an önce unutulmalıydı.

Araba kazasıyla ilgili bilgi getirene ödül vereceğini ilan ettiği için çoktan pişman olmuştu ve acaba ilanı gazeteden geri çekebilir mi diye merak ediyordu.

* * *

Tam ve Townsend gitmeye hazırlanırken, Brighton'a olan seyahatleri için gerekli ayarlamalar yapılıyordu. Kraliyet ahırından aldıkları arabaları şimdi Creeve ahırlarında hazır bekliyordu. Bir kez daha o yöne doğru yürürlerken Tam fark etti ki uzakta görünen çardak, Gemma'yı gördüğü son yer olacaktı.

Townsend evden ayrıldıklarından beri çok düşünceli ve sessizdi. Her zamanki karakteristik pozunu takınmış, elleri arkasından bağlı, kafası öne eğik hızlıca yürüyordu.

Oldukça duyarlı ve sezgileri kuvvetli olan Tam, Townsend'in huzurunu bozan ama henüz paylaşmaya hazır olmadığı bir sorun olduğunu hissediyordu.

Aniden durdu. "Peters'ı hatırlıyor musun, hani şu bekçi olan adamı?"

Tam ona baktı. Çok geç de olsa Simone'un gölde yüzen cesedini bulan bekçinin olaydaki önemini anlamış mıydı yoksa?

"Sabah ahırdan dönerken rastlamıştım. Majesteleri için bir askı keklik vereceğini söylemişti. Gidip onları almalıyım."

Bu, prensin kilerinin yiyecekle dolup taştığını, sofrasının her öğünde haddinden fazla zengin olduğunu düşünen Tam'a garip gelmişti ama Townsend'e göre ince bir davranıştı. Hemen yön değiştirdi ve bekçinin kulübesine giden yolda hızla ilerlemeye koyuldu.

Ayak sesleri geliyordu, bir çığlık duydu ve Lort Percy ortaya çıktı.

Öfkeliydi. "Sör Joseph sen ve Townsend'in Simone'un ölümüyle ilgili soruşturmayı durdurduğunuzu ve gideceğinizi söyledi. İnanamıyorum!" Altüst olmuş bir halde yumruklarını birbirine vuruyordu. "İkinizin de Simone'un ölümüne bu kadar kayıtsız kalmanıza inanamıyorum."

Townsend itiraz etmek istedi ama Percy onu susturdu. "Ben açıkça görüyorum ki eğer ufacık bir zekânız varsa sizin de görmeniz gerekirdi, Creeve'den biri öldürdü onu."

Tam acaba Percy haklı mı diye düşündü. Başlıca şüpheli olarak onun kişisel tercihi bekçiydi ve acaba onu Percy ile tanıştırmak nasıl olurdu? Townsend'e baktı. Belli ki Simone'un bıraktığı nottan Percy'ye bahsetmeye niyeti yoktu. Bu, bir boğaya tutulan kırmızı pelerin gibi Percy'nin ateşini daha da körüklerdi. Tam Percy'yi gözlemledi. Ne kadar kızgındı, sanki hizmetçinin ölümü aklını başından almıştı; konuyla ilgili yasayı kendi eliyle uygulatmayı bile düşünebilirdi.

Kapıya yaklaştıklarında bekçi yanında iki köpeği ve elinde silahıyla dışarı çıkıyordu. Onları gülümseyerek selamladı ve hemen içeri girip söz verdiği keklikleri getirdi.

Lort Percy arkada kalmıştı, derin derin soluyordu. Townsend onları tanıştırmak üzereydi ki Percy soğuk bir ifadeyle:

"Biz tanıştık," dedi.

İki adam birbirine baktı ve ciddi bir tavırla birbirini selamladı. Aralarında ciddi bir soğukluk vardı, acaba önceki karşılaşmalarında ne yaşandı diye merak etti

Tam. Ahırlara doğru yürürlerken Peters onlara eşlik etti ve Townsend'le sohbet ettiler. Sonra dağlık alana giden bir yola saptı ve onlardan ayrıldı.

"Tuzaklarımı kontrol edicem. Bakalım bi' şey yakalamış mıyım," dedi gülümseyerek veda edip.

Ağaçların arasından geçen çukurlu dar yolda tek sıra halinde yürürlerken, Percy sürekli arkasına dönüp Townsend'e bağırıyor, Creeve'de izini sürmesi gereken bir ölüm vakası varken Brighton'a döndüğü için hakaretler yağdırıyordu. Percy'nin bir tavşanla oynayan tazı gibi olduğunu düşündü Tam, bir türlü yakalarını bırakmıyordu.

Townsend daha fazla tartışmak istemiyordu. Yaşadığı bu moral bozukluğunu anlayışla karşıladığını ve ne hissettiğinin farkında olduğunu ama Lort Percy'nin de Bow Street memurunun onun emrinde olmadığını, sadece bölgedeki en yüksek otoriteye karşı sorumlu olduğunu anlaması gerektiğini söylüyordu.

"Özellikle belirtmek isterim ki bayım, Brighton'da bulunma sebebim *Stuart Safiri*'ni aramaktı. Hiç istemediğim halde, sırf majestelerinin emrine karşı gelmemek için Londra'da baktığım çok önemli ve çok korkunç bir cinayet davasını bırakıp geldim."

Tam dikkat etti de hiç Bay Eildor'un aynı şekilde yarıda kesilen Londra seyahatinden bahsedilmiyordu. Sonra öfkeyle kendisinin o kadar da mühim olmadığını hatırladı. İkisinin arasında, Townsend'in birkaç adım ilerisinde yürürken içinde takip edildiklerine dair bir huzursuzluk vardı.

Bir ayak altında kırılan dal sesi, hiç rüzgâr yokken kımıldayan çalılar, rahatsız edildiği için korkulu bir çığlık atan kuşun havalanması... Tehlike, tehlike diyordu içgüdüleri. Sonra daha kötüsü oldu. Birden bir böcek ordusu tarafından kuşatıldılar. Uzun süre önce ölmüş bir tavşan leşini eşeliyorlardı ve ziyafetlerini yarıda kesen bu insanlara çok kızmıştılar.

Biri, büyük bir kızgınlıkla kendini Tam'ın yüzüne fırlattı.

Tam kafasını eğince bir silah sesi duyuldu.

Acılı bir çığlığın ardından önündeki Percy yere yuvarlandı. Kafasından koyu kırmızı kan süzülüyordu.

Tam geri sıçradı. Arkasında felç inmiş gibi ağzı açık kalakalmış Townsend'i geçti, her zamanki çevikliğiyle sanki ayakları yere değmiyormuş gibi silah sesinin geldiği yöne koştu.

Saniyeler sonra kaçmaya çalışan katil ellerindeydi ve Tam Brighton'da onları takip eden adamın korkudan rengi atmış yüzüyle karşı karşıyaydı.

Adam bir boksör gibi iri yarıydı ama Tam'ın hızı ve çevikliğiyle boy ölçüşemezdi. Tam'ın acımasız ellerinden kurtulmaya çalışırken silahını yere düşürdü. İkisi de silahı almaya çalıştılar ama ağırlığının avantajını kullanan adam Tam'ı itip dengesini kaybettirdi ve onu bir ağacın gövdesine doğru fırlattı.

Tam ağacın gövdesinden kayıp aşağı yığılırken, Townsend ortaya çıktı.

"Ona kim olduğumu söyle İsa aşkına," diye bağırdı adam, "bu aptal herife sizden biri olduğumu söyle."

Bunu duyan Townsend sakince eğildi, çift namlulu silahı yerden kaldırdı, adamın kafasına nişan aldı. Adam çığlık attı. "Seni korkunç canavar, Townsend... sen..." dedi ve kanlı bir ölümle sonsuza kadar susturuldu.

Townsend durdu, sakince arkasına döndü ve ağacın dibinde yatan Tam'a baktı. Sanki bir an için bir kararsızlık yaşadı. Belki bu, Tam'ın da ölüm sahnesi olacaktı. Sonra sakince tabancayı cebine koydu, Tam'a elini uzattı ve ayağa kalkmasına yardım etti.

"Bir şeyin yok değil mi? İyi oldu, asılmaktan kurtuldu. Hadi gel, Lort Percy'ye bakalım."

Hemen yerde yatan Percy'nin yanına koştular. Kafasındaki yara çok fena kanıyordu. Townsend Percy'nin üzerine eğilirken Tam gözleri önündeki sahneye ve biraz önce tanık olduğu infaza dehşet ve tiksinti içinde bakıyordu.

Artık her şey meydana çıkmıştı. Onları takip eden adam Bow Street memurlarından biriydi. Belki gizlice patronu korumak, belki de Tam Eildor'u ortadan kaldırmak için gizlice Brighton'a getirilmişti. Bugün ağaçlıkta asıl hedef Tam'dı ama ziyafetinden alıkonan kızgın bir böcek hayatını kurtarmıştı. Çünkü Percy'yi vuran kurşun aslında onun için atılmıştı, bundan en ufak kuşkusu yoktu.

Henry koşarak geldi. "Ne oldu? Silah sesi duydum, yaralanan biri yok ya?"

Yüzlerindeki ifadeyi sonra yerde kanlar içinde yatan Percy'yi görünce feryat ederek arkadaşının üzerine eğildi. "Bir kaza... aman Allah'ım, onu eve taşımalıyız."

Başka sesler de vardı. Bekçi geldi, o da silah seslerini duymuş, ağaçlıktan çıkan dumanı görmüştü. İki işçi de silah seslerini duymuştu. Henry ve Townsend Percy'yi çardağa taşıdılar. Orada Tam biraz kumaş parçasıyla o şiddetli kan akışını durdurmaya çalışırken adamların biri eve, Dr. Brooke'yi çağırmaya gönderildi.

Sanki doktorun gelmesi saatler aldı. Günlük kontrolünü yapmış, gitmek üzere hazırlanıyordu. Şimdi dar yoldan koşarak geliyor, arkasındaki iki uşak Lort Percy'yi eve taşımak için sedye benzeri bir şey taşıyordu.

Tam hâlâ şoktaydı ve Townsend'in yüzüne bakamıyordu. Şöyle diyordu Townsend Sör Joseph'e:

"Birden bir adam çıktı ortaya," Tam'a bakıp başını eğdi, "gözleri benimkilerden daha genç ve daha keskin olan Bay Eildor dün hanımefendinin cenaze töreninde o adamı gördüğünü düşünüyor. Keşke ben de görmüş olsaydım."

"Peki, kimdi bu adam?" diye sordu Sör Joseph.

Townsend üzüntüyle kafasını salladı. "Hiçbir fikrimiz yok efendim ve artık hiç olmayacak. Büyük ihtimalle buralarda gezinen delinin tekiydi. Belki Lort Percy'ye garezi olan biriydi."

Omuz silkip devam etti. "Şimdi Lort Percy'nin haklı olduğu ortaya çıkıyor. Belki sırnaşmalarına karşı çıktığı için hizmetçiyi de göle o itmiştir." Ellerini açıp, "ama bir delinin karmaşık düşüncelerini kim bilebilir ki? Her neyse efendim, artık korkulacak bir şey yok, yatağınızda rahatça uyuyabilirsiniz. Çünkü adam öldü, ağaçlıkta yatıyor. Ben vurdum," deyip gururla ekledi, "kendi silahıyla. Kaçmaya çalışıyordu. Kanunu onu asma zahmetinden kurtardım ve adalet yerini buldu."

Gerçekten öyle miydi? Tam sessizce bu yalanlar silsilesini dinliyordu. Büyük bir soğukkanlılıkla onu öldürme planının başarısızlıkla sonuçlandığının farkındaydı. Eğer başarılı olsaydı, Townsend adamı kısa bir süre takip eder ama hiçbir zaman yakalayamazdı.

Talihsiz kaza, Bay Eildor öldürüldü, diye haber çıkardı gazetede. Bu habere prens nasıl tepki verirdi acaba? Muhtemelen, asil omuzlarını silker ve buna çok memnun olurdu. Çünkü oğlu olduğu için sonsuz güven duyduğu Henry dışında, geleceği için tehlike oluşturan, markizin ölümüyle ve yüzlerine gözlerine bulaştırdıkları araba kazasıyla ilgili gerçekleri bilenlerin sonuncusu da sonsuza dek susturulmuş olurdu.

Belki aralarında şöyle bir fısıldaşma bile olurdu: "Aferin Townsend, aferin."

Tam sayının gün geçtikçe arttığını fark etti. Üç kere onu öldürmeye teşebbüs etmişler, üçü de başarısız olmuştu. Kuşkusuz yine deneyeceklerdi.

Canına kastedenler başarıya ulaşmadan önce tüm zekâsını kullanıp Brighton'dan kaçmalı ve kendi zamanına dönmeliydi.

Yirmi Üç

Lort Percy üst kata taşındı ve bir yatak odasına yatırıldı. Yanında Dr. Brooke ve etrafta telaşla volta atan Henry vardı.

Yaşanan tüm bu aşağılık olaylardan ve ölümden kıl payı kurtulmuş olmasından dolayı hâlâ şokta olan Tam, dışarıda, koridorda bekliyor, pencereden dışarı bakıyor, Gemma'yı bir kerecik daha görebilmeyi umuyordu. Yarım kalan şeyleri öğrenmek için duyduğu acil gerekliliği tatmin etmek istiyordu. Tam kafasına vurulup ölsün diye denize atıldıktan sonra kaçakçıların botunda neler olmuştu?

Uzun bir süre sonra doktor dışarı çıktı ve kafasını salladı. "Korkarım yapılacak bir şey yok. Kurşun çıkarılamayacak kadar beyne yakın bir yere saplanmış. Kendimizi en kötüye hazırlamalıyız. Yarın sabaha çıkamayabilir," dedi.

Arkasından Henry çıktı ve cam kenarındaki Tam'ın yanına geldi. Dokunulsa ağlayacak haldeydi. "Ölüyor, papaz çağırmamızı istiyor. Bilirsiniz, Roma Katoliğiydi, öyle doğmuş ve vaftiz edilmişti. Ama son yıllarda yoldan çıkmıştı. Saklı tuttuk ama Katolik olması özel uşaklık için yeterli değildi. Özellikle Maria

Fitzherbert ve majesteleri ile ilgili yaygaradan sonra. İnsanlar çok iyi hatırlıyor."

Durdu, sonra ekledi, "Percy sizi görmek istiyor, Bay Eildor."

Tam hayrete düşmüştü. Henry, "İkimize de söyleyecek bir şeyi varmış," dedi.

Odaya girdiler. Perdeler kapalı da olsa Percy'nin ölmek üzere olduğu anlaşılıyordu. Bandajla sarılmış kafası kanlanmış yastıkta hiç hareket etmeden duruyordu.

Belki çok geç kalmışlardı, belki çoktan ölmüştü. Henry de aynı şeyleri düşünüyordu. Derin bir nefes alıp Tam'a baktı sonra yatağa eğildi.

"Buradayız Percy."

Göz kapakları kımıldadı. "Papaz mı? Yanında mı?" diye fısıldadı.

"Papaz yolda. Bay Eildor burada, onu istemiştin ya."

Gözleri kocaman açıldı, tavana kilitlendi. "İyi, itiraf etmem lazım, papaza ihtiyacım var."

"Geliyor Percy, birazdan burada olur."

Tükenmiş bir halde içini çekti. "İyi, acele etsin. Fazla zamanım yok." Henry'nin eline uzandı. "Sen eski dostumsun Henry. Birine söylemeliyim. Bay Eildor hâlâ burada mı? İyi, onun da duymasını istiyorum. Bir tanık lazım."

Durdu, güçsüzdü, bir an hareketsiz kaldı, sanki bütün vücudunu baştan aşağı titreten derin bir nefes aldı ve "Ben çok büyük bir günah işledim Henry," dedi, "o gece Leydi Sarah Creeve'yi ben öldürdüm.

Henry kafasını salladı ve şaşkınlık içinde Tam'a baktı. Percy'nin elini sıkıca tutup yumuşakça, "Hayır, yapmadın ahbap, hayal görüyorsun."

"Hayır, bu doğru Henry, birazdan Yaratıcımın karşısına çıkacağım. Onu ben öldürdüm. Öldürmek istemedim, o sebep oldu. Onu gördüğüm ilk günden beri istiyordum. O da beni seviyormuş gibi davrandı. O gece majesteleri gemi kazasını izlerken, Sarah'nın hemen yanımızdaki odada olduğunu biliyordum."

Kül rengi yüzünde silik bir gülümseme belirdi. "Mükemmel bir fırsattı. Hatırla Henry, sen gemiyi izlerken ben yanından ayrılmış, içeri girmiştim. Odasına gittim, yatakta gülümsüyor, beni bekliyordu. Biz... biz başlayınca ben telaşlandım. Yatak perdeleri çekiliydi. Tam olarak görmedim, ama sanki odada biri daha vardı. Sarah beni itti, bana beceriksiz aptal dedi, hiçbir işe yaramadığımı söyledi. Ben onu... onu tatmin etmeye çalıştım..."

Durdu. "Ama hiç zevk almıyordu. Kalkmak istedi, benden uzaklaşmak istedi. Kızdım, o lanet inci kolyesinden tutup onu tekrar yatağa çektim. Aklımı kaybetmiş gibiydim. Onun beni isteyip istememesi önemli değildi, ona sahip olmalıydım. Sonra kolyesini çok sıkı tuttuğumu fark ettim. Artık nefes almıyordu. Onu boğmuştum. Korkunçtu, bu kâbusla yaşamak korkunçtu."

Percy sözlerini bitirince, son duasını etmek üzere papaz geldi. Henry içeride kaldı, hâlâ Percy'nin elini tutuyordu. Tam dışarıda beklemek üzere çıktı. Ama neyi bekleyecekti, merak ediyordu.

Prensi o kadar huzursuz eden katil sonunda ortaya çıkmıştı. Kendi uşaklarından biriydi bu. Ama *Stuart Safiri* hâlâ gizemini koruyordu. Percy çalmış olamazdı ama ölürken söylediği son sözleri olayı biraz aydınlatacağa benziyordu. Yatak odasında duyduğu sesleri çıkaran her kimse, muhakkak markizin mücevherlere olan zaafını biliyordu ve o gece onu taktığını görmüştü. Prensin yokluğunu fırsat bilip odaya girmiş ve onu çalmıştı.

Şimdiye kadar haklı olduğunu ve Townsend'in Brighton'ın kuytu köşelerinde yaptığı bitmek tükenmek bilmez soruşturmaların zaman kaybı olduğunu görmek Tam'ı o kadar memnun etmiyordu. Hırsızlık da Pavilion'un içinden, prense yakın biri tarafından yapılmıştı.

Pencereden dışarı baktı ve nihayet Gemma'yı gördü. Üzerinde yeşil kadife bir pelerin, Timothy'nin yeni köpeğiyle oynuyor, ona top atıyordu. Onunla konuşmalıydı. O eski gemiye tekrar dönmesine ve Brighton hükümdarlığından çıkmasına sadece o yardım edebilirdi.

Gemma ellerini gözlerine siper edip yukarı, pencereye doğru bakınca Tam el salladı ama Gemma görmedi. Tam hemen yerinden fırlayıp aşağı onu görmeye gitmeyi planlıyordu ki, içeriden biri Gemma'yı çağırdı ve Gemma gözden kayboldu.

Tam Gemma'nın ne kadar güzel olduğunu, onun sanki hayatın ta kendisi olduğunu düşünüyordu. Dönüp içerideki trajik ve gereksiz ölümü saklamak için sıkıca kapatılmış yatak odası kapısına baktı. Dakikaları sayarken bu dünyada pek az insanın hayatını kızgın bir böceğe borçlu olduğunu düşünüyordu. Eğer ağaçlıkta tam o anda yüzüne doğru uçmasaydı şimdi ölüm döşeğinde yatan Percy değil o olacaktı. Bir de korkunç bir kâbus gibi Townsend'in büyük soğukkanlılıkla o adamı vuruşu tekrar tekrar geliyordu gözleri önüne. Adamın kimliğini de çevirdiği gizli işi de yalnız Townsend biliyordu.

Belki Townsend ağacın altında nefesi kesilmiş bir halde yatan Tam'ın adamla aralarında geçenleri duyduğunun farkında değildi. Tam artık bildiği ve tanık olduğu şeylerin onun için ne kadar tehlikeli olduğunun farkındaydı. Ölümü hak edecek kadar çok şey biliyordu ve artık çok temkinli olması, Bow Street memuruna asla arkasını dönmemesi gerekiyordu.

Kapı açıldı, Henry çıktı ve gelip pencere kenarına Tam'ın yanına oturdu. Hiçbir şey söylemedi. Üzüntüyle başını sallıyordu, ağlamak üzereydi. Aşağıda, bahçede gün ışığı azalmış, hava soğumaya başlamıştı. Gemma ve yavru köpek ortadan kaybolmuş, onların yerini ağır gri bir sis tabakası almıştı. Biraz ötedeki süs gölü karanlık ve ürkütücü görünüyordu. Sanki yeni bir trajedi için yeni kurbanlarını bekliyordu.

"O benim arkadaşımdı," dedi Henry, "yıllardır prense birlikte hizmet ettik ama görüyorum ki onu hiç tanımamışım." İçini çekti. "Düğünümde sağdıç olacaktı. Ama şimdi âşık olduğumu, hayallerimin kızını bulduğumu bile bilmiyor."

(Benim hayallerimin de, diye düşündü Tam.)

"Neşe içinde Brighton'a gidip prense müjdeli haberi vermek yerine bu vahim haberi vereceğim. Birinin Surrey'ye gönderilmesi gerek. Eşi ve çocuklarına haber verilmeli. Aile mezarlığına gömülmesi için gerekli ayarlamalar yapılmalı."

Elini yüzüne kapatıp hıçkırıklara boğuldu. "Tanrım, bu korkunç, inanılmaz bir olay. Daha birkaç dakika önce konuşuyorduk. Deli bir adamın, bir yabancının Percy'yi öldürmek için ne gibi bir sebebi olabilir? Townsend Simone'u da onun öldürdüğünü düşünüyor. Böyle bir şeyi neden yapsın ki?"

Tam ona gerçeği –Percy'nin yanlışlıkla öldüğünü– söyleyebilirdi. Ama bu sadece acısını dayanılmaz hale getirirdi. "Percy'nin eşi buna çok üzülecek," dedi Tam.

Henry içini çekti. "Çok uzun sürmez, merak etmeyin. Aralarında gerçek aşk yoktu. İkisi de çok genç yaştayken ailelerinin ayarladığı bir evlilikti. Çocukları da vardı ama Percy hiçbir zaman ona sadık kalmadı. Herkes kendi hayatını yaşıyordu. İçinde yaşadığımız dünyanın kuralları böyle. Zavallı Percy hep seveceği ve sevgisine karşılık bulabileceği birini aramıştı.

Yine içini çekti. "Ama bu yaşam tarzı bana göre değil, hiçbir zaman olmadı. Çok uzun zaman bekledim ve sevdiğime ömür boyu sadık kalacağım. Asla başkası olmayacak."

Bu soylu babanızdan çok farklı bir davranış biçimi olur, bu özelliğin size ondan geçmediği çok açık diyecek oldu Tam, ama Henry'nin Gemma'ya olan aşkını daha fazla dinlemek istemediği için lafı değiştirdi.

"Sizce bunlar doğru mu? Leydi Sarah'nın öldüğü gece neler olduğu hakkında bir fikriniz var mı?"

"Bildiğim tek şey, geminin batışını izlemek için terasa çıktığımızda Percy'nin sadece birkaç dakika durup, sonra iyi hissetmediğini, karnının çok ağrıdığını ve hemen rahatlama odası diye tabir ettiği yere gitmesi gerektiğini söyleyip içeri girdiğiydi. Yarım saat sonra aşağı indiğimde yatağında yatıyordu. Her şey bitti mi diye sorduğunu hatırlıyorum. Ben evet bitti dedim, şimdi daha iyi olup olmadığını sordum. O da daha iyi olduğunu ama geminin batışını izlemek istemediğini söyledi."

Durdu, üzüntü içinde kafasını salladı. "Zavallı Percy, yaptığı şeyden dolayı büyük korku ve vicdan azabı hissediyor olmalıydı."

"Markizin cesedi bulunduğunda ondan hiç şüphelenmediniz."

Acılı bir gülümsemeyle, "Ne ben ne de bir başkası Percy'den şüphelenirdi. Bu işlerde şansı hiç yaver gitmezdi. Her zaman onu sevmeyen birine umutsuzca âşık olurdu."

"Markize karşı da bir şeyler hissettiğini biliyor muydunuz?"

Kaşlarını çattı. "Şimdi düşününce, cazibesine kapılmış gibi görünüyordu ama genelde tüm erkekler öyleydi. Erkekler onun için kolay hedefti, her zaman kendini gözler önüne seren, o biçim bir kadındı. Percy'nin prensin bölgesinde avlanmaya kalkması aklıma en son gelecek şey olurdu. Son günlerde Simone'a karşı davranışları değişmişti. Hanımı gibi o da Percy'yi geri çevirmiş olmalı. Ama kazara da olsa Leydi Sarah'yı öldürdüğüne hâlâ inanamıyorum."

Durdu, büyük bir ciddiyetle Tam'a baktı. "Söz verin yalvarırım, kimseye söylemeyeceğinize dair söz verin, Bay Eildor."

"Bana güvenebilirsiniz bayım."

"Townsend'e bile," diye üsteledi Henry.

Tam ciddiyetle, "Townsend'e bile," dedi. Bow Street memuruna prensin ne kadar güvendiğini merak ediyordu. "Lort Percy ölmüşken ve kendini savunamayacakken adını lekelemenin ne faydası olur?"

Henry gülümsedi. "Siz iyi birisiniz Bay Eildor, çok iyi biri. Sizinle tanıştığım ve elinizi sıkma şerefine eriştiğim için kendimi ayrıcalıklı hissediyorum."

Ciddiyetle el sıkıştılar. Henry, "Babama gerçek söylenecek tabii ki. Percy için üzülecek tabii ama Sarah'nın katili bulunduğu için de rahatlayacak."

Gerçek huzura kavuşmuştu, ölümle sonsuza kadar susturulmuştu. Henry devam etti: "Onu bulduğumuz sabah hayatımın en kötü günüydü, tabii şu ana kadar. Zavallı Percy kusmaya gitmişti ve midesini bulandıran şeyin bir ölü görmek olduğunu sanmıştım."

Papaz odadan çıkınca konuşmaları yarıda kesildi. Arkasından Dr. Brooke ve Sör Joseph çıktı ve Henry ile konuşmaya geldiler.

Temiz havaya ihtiyacı olduğunu hisseden Tam aşağı indi. Dış kapıda kararsızlık içinde durup acaba bu güzel bahçe hâlâ içinde gezinecek kadar güvenli mi diye düşünürken, yabancı olduğu belli olan bir adam çıkageldi. Basamakları çıktı ve Tam'a:

"Affedersiniz bayım, acilen Sör Joseph'le görüşmem gerekiyor," dedi.

"Eğer zili çalarsanız..." derken uşak çoktan gelmişti. Adam Tam'a dikkatle bakıp selam verdi ve içeri girdi. Tam'ı çok kısa bir süre önce bu adamı ya da ona çok benzeyen birini gördüğüne dair garip bir his içinde bırakmıştı. Ama daha bu fikri enine boyuna düşünemeden Henry geldi yanına. Biraz önce ahırda olan Townsend de onlara doğru geliyordu.

Piposunu çıkarıp yakın bir arkadaşını kaybettiği için Henry'ye baş sağlığı dileklerini bildirdi. Tam hiç hareket etmeden onu dinledi. Acaba bu ölümcül kaza amaçlandığı gibi Tam'ın başına gelmiş olsaydı Townsend nasıl tepki verirdi? O zaman merhum Tam Eildor'un Edinburg'daki ya da başka bir yerlerdeki ailesini bulmak ne kadar zor olurdu.

Tam'a dönen Townsend, "Tüm hazırlıklar yapıldı," dedi, "daha fazla gecikmemeliyiz. Arabacıya arabayı getirmesini söyledim, eğer hazırsanız gidebiliriz."

"Yapacak çok işim var," dedi Henry, "olanları derhal majestelerine ve Percy'nin ailesine haber vermemiz gerek." Yaklaşan arabaya bakarak, "Eğer uygunsa ve arabada iki kişilik daha yer varsa biz de sizinle gelebilir miyiz?" diye sordu. Ön kapıda, arkasında küçük bir çanta taşıyan bir uşakla beliren Gemma'yı işaret etti. "Leydi Gemma kısa bir ziyaret için Brighton'a gidiyor. Majestelerinin konuğu olacak." Yüzü gururla parladı. "Bayan Fitzherbert'te kalacak."

Gemma arabaya binmesine yardım eden Henry'ye kibarca gülümsedi. Tam ve Townsend'in karşısındaki koltuğa oturdular. Gemma her ikisini de kibar bir baş hareketi ve bir gülümsemeyle selamladıktan sonra tüm dikkatini pencereden dışarıyı seyretmeye verdi.

Sessiz bir yolculuk olacağa benziyordu; kimse kibarca sohbet etme havasında değildi. Henry sürekli sevgi dolu bakışlar atıyordu Gemma'ya ama pek eşdeğer karşılıklar almıyordu.

Gemma ayrılırken babasıyla yaptığı konuşmayı hatırladı. Babası tüm açık sözlülüğüyle, eğer Lort Henry Fitzgeorge'un teklifini kabul etmezse Creeve'ye dönmesinin hiç hoş karşılanmayacağını söylemişti. Bununla birlikte, Londra'ya gidip büyük annesiyle kalmasına izin verirdi. Bu da geleceğiyle ilgili ne karar verirse versin artık onu ilgilendirmediğini gösteriyordu.

Bu acımasız sözlerle şoke olan Gemma, babasının onu kibarca reddettiğini, bıraktığını anladı. Ama onun tüm kalbiyle onaylayacağı doğru kararı verirse yuvasına gönül rahatlığıyla geri dönebilirdi. O zaman Creeve'den gelin gidebilirdi ve geçmişteki tüm acılar unutulurdu.

Tam'a gelince, o, bu zihni meşgul halinin Gemma'yı her zamankinden daha tatlı hale getirdiğini düşünüyordu. Beklenmedik varlığı ona sadece sevinç verebilirdi. Bir daha Lewes'e ayak basması mümkün olmayacağı için onunla Brighton'da yeniden karşılaşma imkânı doğması hayal edebileceğinden daha güzel bir olaydı.

Yirmi Dört

Brighton'a yarım mil uzaklıktaydılar ki yola düşmüş bir ağaç yollarını kesti. Arabacı sahil kıyısından geçen daha dolambaçlı bir yoldan gitmek zorunda kaldı.

Tam Pavilion'da onları hangi sürprizlerin beklediğini merak ederken, Henry Gemma'ya, "Şu ilerideki Steine Malikânesi, Bayan Fitzherbert'le tanışmak için mükemmel bir fırsat olacak bu. Kendisi çok sevdiğim bir arkadaşımdır," dedi.

Gemma solgun bir ifadeyle gülümsedi. Eve yaklaştıklarında dışarı çıkmaya hazırlanan Bayan Fitzherbert göründü kapıda. Arabada Henry'yi görünce neşeyle gülümsedi. Henry inin[ce] onu sevgiyle kucakladı ve yanağından öptü.

Henry onu bir kenara çekip Gemma'yı gösterdikten sonra aralarında fısıltı şeklinde bir konuşma geçti çünkü Gemma'nın onun evinde kalıp kalamayacağını sorma fırsatı olmamıştı Henry'nin. Bir anlık duraksamadan sonra beklediği cevabı aldı. Prens o gece Pavilion'da kalmıştı.

Tam Gemma'nın arabadan inmesine yardım ettikten sonra Bayan Fitzherbert'in yüzündeki meraklı ifade dikkatini çekti. Gemma ile tanıştırıldığı için çok mutluydu. Gemma eteğini kaldırıp onu kibarca selamladı.

"Leydi Gemma, Henry'nin arkadaşlarının her zaman başımın üstünde yeri vardır."

Çok temkinli ve çok politik bir söz diye düşündü Tam. Arabaları hareket etmek üzereydi ki Bayan Fitzherbert içeride Tam'ın olduğunu fark etti.

"Bay Eildor, sizi tekrar görmek ne kadar güzel, bize katılmaz mısınız?"

Henry'ye dönüp, "Dışarıdaki işim önemsizdi tatlım, sadece biraz deniz havası alacaktım. Gitmeden önce Bay Eildor'un da bize eşlik etmesini gerçekten çok isterim," dedi, o neşeli gülümsemelerinden biriyle.

Tam böyle sıcak bir davet karşısında arabadan inip kendisine uzatılan eli öpme şerefinden mahrum bırakamazdı kendisini. Sadece onunla yeniden görüşmenin tadını çıkarmayacaktı Tam, aynı zamanda en ufak bir uyarı yapılmadan kendisine misafir getirilen Leydi Gemma'ya nasıl davranacağı konusundaki merakını da giderecekti.

Tam, "Siz devam edebilirsiniz arabacı bey," dedi.

Bu büyüleyici karşılaşmanın sessiz bir tanığı olan Townsend kuşkusuz onlarla seyahat eden bir uşak sanılmıştı ve kendisine pek önem verilmemişti. Adam yerine konmadığını görünce kafasını arabadan uzatıp sertçe, "Madam, şu an için Bay Eildor'u mazur görün," dedi. "O ve benim Pavilion'da bekletilemeyecek kadar acil işlerimiz var."

Tam'a kafa sallayan Henry, "Biraz sonra ben de size katılacağım," dedi. Yüz ifadesi değişmiş sevincin yerini hüzün almıştı. Yakın arkadaşının ölümünü bildirmesi gerektiğini hatırlayınca tüm neşesi kaçmıştı.

Bayan Fitzherbert Tam'a gülümsedi. "Sözünüzü unutmayın Bay Eildor."

Unutmayacağını temin eden Tam arabaya dönüp Henry ve Bayan Fitzherbert'in kol kola içeri girişlerini seyrederken umarım bu sözü tutabilirim diye düşünüyordu.

Bu sahnede Tam'ın ilgisini çeken bir şeyler vardı. Aralarındaki samimiyet birden Tam'a Bayan Fitzherbert'in iç çekerek söylediği sözleri hatırlattı. Acaba Lort Henry "hiçbir zaman resmî olarak tanınmayacak" çocuklarından biri miydi?

Önlerinde Pavilion uzanıyordu. Creeve'de yaşadıkları iki zorlu günden sonra Pavilion'un görkemi her zamankinden daha fani gözüküyordu. Arabacı onları konuk dairelerinin girişinde bırakınca Townsend, "Majesteleriyle görüşmem gereken konular var, daha sonra soruşturmamıza kaldığımız yerden devam ederiz," dedi. Bu tam olarak Bayan Fitzherbert'e söylediği bahane değil diye düşündü Tam kızarak. Prensle olan toplantıya Tam katılmayacaktı, bu Tam'ın üzerinden gözlerini ayırmamak için yapılmış bir numaraydı.

Soruşturmaya gelince, Townsend'in altına bakmadığı taş kalmamıştı, aklında daha başka nerelere bakmayı planlıyordu acaba? Tam, Townsend Creeve'de yaşananları prense anlatırken onları dinlemeyi çok isterdi doğrusu.

Acaba Lort Percy'nin ölümünün hangi versiyonu anlatılacaktı prense? En azından bu Henry'yi prense o yürek parçalayıcı haberi verme işinden kurtaracaktı. Yine markizin ölümüyle ilgili gerçeğin Townsend'e anlatılıp anlatılmadığını merak etti. Bütün tanıklar yok ediliyordu. Lort Percy'nin ölümü başarısız bir girişimin sonucuydu çünkü asıl kurban Tam Eildor'du.

Yatak odasına giderken kendine biraz zaman ayırabilmeyi umuyordu. Yatağa serilmiş tertemiz keten çarşaflarla buluşmaya can atıyordu.

Ama öyle olmayacaktı. Kapıyı açtı, yatağa serilmiş olan Charlotte'tu.

"Burada ne işiniz var, Prenses?" O kızgınlıkla gülümsemek, selam vermek gibi adetleri bile unutmuştu.

"Sevgili Bay Eildor, penceremden arabanızın geldiğini gördüm ve size hoş geldiniz demek istedim."

"Lütfen kalkın, Prenses," dedi Tam kısa ve hissizce. Her şeyden öte bu yorucu kızı eğlendiremeyecek kadar yorgundu.

Charlotte geriye yaslandı. "Bizi kimse rahatsız etmez. Dadım öğlen uykusunda. Uykusu ağırdır. Saat dörde kadar kalkmaz!.."

Tam, bu teminat veren sözleri sabırsızlık içinde yarıda kesti. "Burada kalamazsınız, lütfen gidin, Prenses." Ama o bunu yapmak yerine yatağa iyice yerleşti. "Kimse bizi rahatsız etmez," diye tekrarladı yumuşak bir sesle. "Bu fırsatı yakalamak için uzun zamandır bekliyordum. Neden kalamazmışım?"

"Kalamazsınız çünkü ben öyle diyorum, belki unutmuşsunuzdur diye söylüyorum, siz prensin kızısınız."

Charlotte kaba bir kahkaha attı. "Ah, şu mesele. O, haftanın her günü yatağına başka kadın alıyor, kimse fark etmiyor. Burada genel kural bu."

Tam bu konuyu tartışmak için hazırlıklı değildi. Korku içindeydi çünkü her an kapı çalınabilir, Townsend geri dönebilir ve böyle bir sahneye tanık olmak Bow Street memuru kadar şüpheci olmayan birine bile bütün yanlış izlenimleri verebilirdi.

Ona sert sert baktı. "Benim genel kuralım bu değil, Prenses, bunun yanında siz daha çocuksunuz."

Bu söz Charlotte'un öfkeyle doğrulmasına sebep oldu. "Ben... bir... çocuk... değilim. İstersen kendi gözlerinle gör," dedi ve hiddetle elbisesinin önünü yırttı.

Hemen gözlerini bu dolgun göğüslerden başka yöne çeviren Tam, korku içinde fark etti ki Charlotte'un üzerinde geceliğinden başka hiçbir şey yoktu. Hem de öğlen saat ikide! Acaba Pavilion'da öğle uykusuna yatarken tüm elbiselerini çıkarmak da mı adetti?

"Ben bir kadınım," dedi Charlotte, sanki hâlâ kuşku duyulabilirmiş gibi.

"Görebiliyorum," dedi Tam soğuk bir ifadeyle. "Şimdi üşütmemek için üzerinizi örtün."

"Beni çekici bulmuyor musun?" diye üsteledi Charlotte.

Dürüst olmak gerekirse, bulmuyordu. Tombul elleri ve ayakları ile kocaman bir gövdesi olan küçük ahmak bir kız hiçbir zaman onun zevklerine hitap etmemişti. Özellikle Gemma Creeve'nin beynine kazınan narin vücudunu gördükten sonra bu imkânsızdı.

"Doğru adam karşınıza çıktığında yeterince iyi iş çıkaracaksınız," dedi.

"Hayır, hayır!" diye bağırdı, eğer ayakları yere basıyor olsaydı, onları öfkeyle yere vururdu.

Bu şekilde hiçbir yere varamayacağının ve ondan hemen kurtulması gerektiğinin farkında olan Tam, onun suyuna gitmeye karar verdi ve yatağın ondan olabildiğince uzak bir köşesine oturdu.

"Şimdi beni dinleyin," dedi biraz sert bir ifadeyle. "Evlenmek zorundasınız, bunu biliyorsunuz."

"Evlilikten nefret ediyorum, ben annem ve babam gibi olmayacağım. Onun yerine sıkılınca başımdan atabileceğim bir sürü sevgilim olacak."

"Bir gün benden de sıkılacağınıza göre," dedi Tam yumuşakça.

Heyecanla kafasını salladı. "Senden asla sıkılmam. Seni sonsuza dek yanımda tutmak istiyorum."

"Çok iyisiniz, Prenses, arkadaşınız olmak bana onur verir."

"Kraliçe olduğum zaman bile."

"Kraliçe olduğunuz zaman bile."

Tam ayağa kalktı, "O zaman anlaştık. Şimdi rica etsem dadınız uyanıp alarma geçmeden kendi odanıza gider misiniz?"

Charlotte ona kuşkuyla baktı. "Arkadaşım olacağına söz ver."

"Öyle olacağımı söyledim."

Charlotte yataktan kalkarken Tam kapının arkasında daha önce orada olmayan bir ceketin asılı olduğunu gördü.

Charlotte'a baktı. Birden üzerinde sadece bu şeffaf gecelik varken Pavilion'da misafir dairelerine asla geçemeyeceğini fark etti. Tanınmamak için bu uzun ceketi giymiş olmalıydı.

Fiziksel kuralların el verdiğince uzak durarak ceketi giymesine yardım ederken birden beyninde şimşek çaktı; markizin öldürüldüğü gece ile ilgili çok önemli bir durumdu bu. Beyninin arkasında bir yerlere depo ettiği çok önemli bir bilgi ortaya çıktı.

"Leydi Clifford'dan kaçmayı nasıl başardınız?" diye sordu.

"Uyuyordu dedim ya."

"Şimdiyi kastetmiyorum, Prenses. Bu ceketi bundan önce en son giydiğiniz zamanı kastediyorum."

"Ödünç aldım," dedi dikkatsizce. "Hiç göze çarpmıyor. Pavilion'un etrafında dolaşan o kadar çok muhafız var ki kimse onlara dönüp ikinci kez bakmıyor. Özellikle yeterince uzun olduğum için bu şekilde etrafta rahatça dolaşabiliyorum. Mükemmel bir gizlenme yöntemi değil mi?"

"Prenses ben bugün, benim odama gelişinizi kastetmiyorum. Soylu babanızın odasından *Stuart Safiri*'nin çalındığı akşamdan bahsediyorum. Gemi kazasından kurtulduğum geceden.

Onun için kurduğu tuzağı çok geç fark eden Charlotte kekelemeye başladı. "Ben... ben... neden... neden bahsettiğinizi anlamıyorum Bay Eildor," dedi ama yüzünün değişen rengi yalanını ele veriyordu.

"Bence anlıyorsunuz. Doğruyu söylemek gerekirse görevdeki muhafızlar zaten sizi görmüş."

"Yoo hayır!" diye cıyakladı. "Babama söylemediler, değil mi?"

"Hayır, bana da safirin kayboluşuyla ilgili soruşturma yaparken söylediler."

Şimdi korkmuş görünen Charlotte telaşla sordu, "Ne söylediler?"

"Sadece prensin dairesiyle ilgili bir sorunu halletmeye çalışan oğlan kıyafetleri içinde bir muhafız gördüklerini."

"Ama beni tanımamışlar!" dedi gülerek. "İçim rahatladı."

"Acaba farkında mısınız, Prenses," dedi Tam sertçe, "hakkında konuştuğumuz kayıp safirin Bay Townsend'in Londra'dan kalkıp buraya gelmesinin sebebi olduğunun?"

"Öyle mi gerçekten?" dedi ilgisizce. "Bilmiyordum, kimse bana bir şey söylemedi. Sık sık babamı ziyarete gelir."

"Ama şimdi bütün Brighton arayıp taramak için burada ve ben de ona eşlik etmek zorundayım."

Charlotte kıkırdadı, elini ağzına kapattı. Sonra bu konuşmanın gerektirdiği ciddiyeti takınıp savunmaya geçti. "O benimdi. Babam Dragon askerleri benim emrime verileceği zaman takmam için onu bana vereceğine söz vermişti. Sonra o... o iğrenç kadın akşam yemeklerinde buraya gelmeye başladı ve babam sözünde durmadı. Onu o kocaman göğsünde gururla sergiliyordu, ne yüzsüzlük! Bana çok kaba davranıyordu. Bana asla soylu bir prensese göstermesi gereken saygıyı göstermedi, küçük aptal bir çocuk muamelesi yaptı. O gece de onu takıyordu..." durdu.

"Devam et," dedi Tam.

Omuz silkti. "Babamın odasında uyuduğunu tahmin ettim. Onları yukarıda gemiyi izlerken bıraktığımda babamın saatlerce orada kalacağını biliyordum. Geldim, muhafızların odasından bir ceket aldım ve koridordan sessizce babamın odasına doğru süzüldüm. Muhafızlara duvardaki şamdanlıkları kontrol ettiğim gibi bir şeyler mırıldandım. Zekice değil mi?"

"Çok zekice," dedi Tam, öyle demesi beklendiği için. "Devam et, devam."

"Kapıyı açtım, yatak perdeleri çekiliydi. Kadının uyuduğunu sanıyordum ama yataktan gıcırtılar ve derin nefes alma sesleri geliyordu. O iğrenç parfümünün kokusu da burnumdaydı. Mücevherler pencere tarafındaki komodinin üzerindeydi ve sadece safirimi görebilecek kadar gün ışığı vardı. Onu kaptığım gibi sessizce dışarı çıktım. Geldiğim yoldan geri döndüm. Muhafızlar kart oynuyordu, gittiğimi fark etmediler bile.

Ama Lort Percy seni duymuştu, diye düşündü Tam ve perdelerin arkasındaki sevişmeyi yarıda bölen o ses, Leydi Sarah Creeve'nin hayatına mal olmuştu.

"Bir daha buraya gelemeyeceği için çok memnunum," diye devam etti Charlotte. "Aslında evine giderken öldürüldüğü için hiç de üzgün değilim. Bunu hak etmişti. Açgözlü ve korkunç bir kadındı."

"Safir şimdi nerede?"

Charlotte kurnaz bir bakış attı ve yumuşak bir sesle, "Söylersem bana ne verirsin?" dedi.

"Safir benim malım olmadığı için size hiçbir şey vermem ve onu hemen babanıza verirseniz çok iyi olur. Babanız kaybolduğu için çılgına dönmüş durumda biliyorsunuz. Anladığım kadarıyla, safir taç giyme töreninde kullanılan tacın bir parçası..."

Charlotte'un bir an için asılan yüzü sonra birden parladı. "Nerede olduğunu söylersem bana bir öpücük verir misin?"

"Olabilir," dedi Tam isteksizce. "Sadece bir öpücük."

Charlotte yaklaştı, kendini Tam'a yapıştırdı. Gözlerini kapayıp dudaklarını uzattı. Tam dudaklarını kibarca onunkilerin üzerine koyunca, Charlotte Tam'ın dudaklarını açmaya zorlayarak ona sıkıca sarıldı.

Kurtulmaya çalışan Tam, eliyle ağzını silme arzusuna karşı koymaya çalışıyordu. Elleriyle Charlotte'un yüzünü tuttu ve kibarca geri itti.

"Sadece bir öpücük dedim, Prenses, yüzümü yıkamanızı istemedim."

Charlotte içini çekti. Tam'a asılıp "Ama seni seviyorum, seni seviyorum!" dedi.

"Sevdiğinizi sanıyorsunuz, ama anlamalısınız, ben buradan gideceğim, belki yarın..."

"Hayır, o kadar erken gitmeyin, lütfen," diye yalvardı.

"Evet, Prenses bu doğru. Bu yüzden aşkınızı benimle harcamamalısınız. Bir gün size layık bir prens bulacaksınız."

Kafasını sallayan Charlotte gözyaşlarına boğulmaya hazır gibi görünüyordu. "Hayır, asla."

Dışarıda, koridorda sesler vardı, Tam'ın ifadesi dondu. "Gitmelisiniz."

"Lütfen, giderken beni de götür."

Ayak sesleri kesilmişti. Tam Charlotte'u kollarından tuttu. "Prenses, siz bir gün İngiltere kraliçesi olacaksınız, bense hiç kimse değilim."

"Edinburg'lu bir avukatsın."

Tam kafasını salladı. "Onun hiçbir önemi yok. Ben sıradan biriyim. Hakkımda hiçbir şey bilmiyorsunuz. Lütfen mantıklı olun, birbirimize âşık olmuş olsak bile, bu imkânsız."

"Peki, babam ve Bayan Fitzherbert için ne söyleyeceksiniz?" diye üsteledi Charlotte.

"Evet, o sana ders olmalı. Parlamentoyla hiç alakası olmayan bu konuya halkınızın nasıl bir gözle bakacağını tahmin edebiliyor musunuz?"

"Bu riski göze alırdım. Sen beni sevsen her şeyi riske atmayı göze alırdım."

"Belki yapardın, ama ben asılma, yerlerde sürüklenme ve parçalara ayrılma riskini göze almaya hazır değilim."

"Ama..."

"Prenses, gitmelisiniz, hemen. Bana verdiğiniz sözü hatırlayın, bir öpücük sonra bana safiri nereye sakladığınızı gösterecektiniz."

Chalotte dudaklarını sarkıttı. "Bir öpücük daha, sonra göstereceğim."

"Pekâlâ," dedi. Onu nazikçe öperken ayak seslerinin geri döndüğünü duydu.

Suyuna gitmek zorundaydı. Safiri bulmaya bu kadar yaklaşmışken dadısı onu aramaya çıkar ve ikisini baş başa, burada Tam'ın odasında üzerinde sadece geceliğiyle yakalarsa ne olurdu?

Böyle adamların Londra kalesindeki zindanlara hapsedildiğinden ve ömürlerinin sonuna kadar orada unutulduklarından emindi. Bunları düşününce terlemeye başladı. Charlotte yine öpücüğü uzatmaya çalışıyor, kendini Tam'a bastırıyordu.

Tam son çare olarak öksürük tutmuş gibi yaptı. Bırakması için zorladı ve sonunda tekrar nefes alabildi. "Prenses, mümkünse, safirin nerede olduğunu söyler misiniz artık?"

Charlotte elini ceketinin cebinin derinliklerine soktu. "İşte burada, ne kadar tatlı değil mi?" dedi gülerek. "Her yere yanımda taşıyorum."

"Görebilir miyim?"

Tam safiri ondan aldı. Koyu mavi, bir minyatürden ya da bir bayanın madalyonundan daha büyük olmayan bir taştı bu.

"Bunun başımıza ne belalar açtığını hiç bilmiyorsunuz," dedi. "Townsend ile soylu babanızın emrinde bunu aramak için geçirdiğimiz onca yorucu saat, onca gün, bütün kuyumcu dükkânlarını, hırsız inlerini altüst etmemiz, Brighton'ı bir uçtan diğerine araştırmamız... Çok yaramazsınız, Prenses."

Omuz silkti. "Bilmiyordum, üzgünüm."

Tam ona inanıyordu. Babasının kafasında onca şey varken safirin kaybolduğunu ona söylememesi hiç de şaşılacak bir şey değildi. Metresi yatağında öldürülmüştü ve olayla alakasının anlaşılmayacağı şekilde cesetten kurtulması gerekiyordu.

"Benimle hiç konuşmaz biliyorsun," dedi üzülerek. "Beni hep kendinden uzak tutmaya çalışır, eğer söylenecek bir şey varsa bunu bana mesajcılarla ya da Leydi Clifford'la iletir."

Tam'ın kızgınlığı Charlotte'un yalnızlığına ve reddedilmişliğine duyduğu ani merhametle uçup gitti. Safiri çalmıştı çünkü onu, ailesi tarafından çok sevilen bir kızın ona düşkün olan babasının elinden çekip alabileceği gibi alamayacağını biliyordu.

"Benim için bir şey yapar mısınız?" diye sordu Tam.

"Ne istersen," dedi Charlotte umutla, "ne istersen."

"Yeniden babanızın sevgisini kazanmak, ona sizin mükemmel, gurur duyacağı zeki kızı olduğunuzu düşündürmek istiyor musunuz?" diye sordu ama prens hakkında çok az şey bildiği için biraz bol keseden attığını fark etti Tam.

"Gerçekten öyle hissedebileceğini mi düşünüyorsun?" dedi Charlotte. Babasını hiçbir zaman sevmeyecek olsa da umut dolu gibi gözüküyordu. Onun için artık geçti ama bunun ona sağlayacağı faydaları düşününce hoşuna gitmişti bu konu.

"Dediğim gibi safir kaybolduğu için çılgına dönmüştü, eğer biri –özellikle siz– onu bulacak olursa, o kadar minnettar olur ki, eminim o kişiye ne isterse bahşeder."

"Safirin bende kalmasına izin verir mi demek istiyorsun?" dedi merakla.

"Zaten taç giyme töreninden sonra sizin olacağına göre, eminim resmî olarak ihtiyaç duyulana kadar ona sizin göz kulak olmanıza müsaade eder."

Charlotte kaşlarını çattı, ufak bir heyecan basması yaşadıktan sonra, "Ama onu benim aldığımı itiraf edersem çok kızar," dedi telaşla.

"Bunun farkındayım. Bence siz... belki onu bulmuşsunuzdur... bir yerlerde. Bahçede ya da daha iyisi yenilettirdiği yatak odasında parkelerin arasına sıkışmış halde bulmuşsunuzdur. Eğer onca zamandır orada olduğunu düşünürse, orası baktığı ilk yer olsa da kızmayı aklına getiremeyecek kadar rahatlayacaktır."

Charlotte'un yüzü parladı. "Çok üzgünüm," diye tekrar etti. "Townsend umurumda değil. Onu pek sevmem. O önemli değil. Ama senin başına açtığım belalar için, tüm şehirde onu aramak zorunda bıraktığım için gerçekten özür dilerim." Parmak uçları üzerinde Tam'ın yanağına bir öpücük kondurdu, dışarı çıktı.

Stuart Safiri gizemi de çözülmüştü ama Tam hiç de o kadar mutlu hissetmiyordu. Sadece derin bir üzüntü vardı. Eğer Charlotte dolaylı olarak iki ölüme sebebiyet verdiğini bilseydi kim bilir ne kadar çok şaşırırdı. Safiri çalması Percy'nin ölümüyle sonuçlanan bir dizi olaya sebep olmuştu.

O gece prensin yatak odasında olup Percy'nin beceriksiz sevişmesini yarıda kesmeseydi, şu an Leydi Sarah Creeve hâlâ yaşıyor olurdu.

Yirmi Beş

Pencere kenarına giden Tam dışarıda Leydi Gemma'yı gördü. Dikkatini çekmek için şiddetle pencereye vurdu.

Arkasına dönen Gemma kafasını salladı, Tam'ın ağzıyla "Bekle!" işareti yapmasına rağmen aceleyle yoluna devam etti. Çileden çıkan Tam hızla ön kapıdan dışarı koştu ve bahçede bir yabancıyla koyu bir muhabbet içinde Pavilion'a doğru yürüyen Townsend'i neredeyse devirecekti.

Aceleyle özür diledi. Bu arada Townsend'in yanındaki adamın Creeve Malikânesi'nden çıkarken merdivenlerde gördüğü adam olduğunu fark etti. Bu kadar çabuk Brighton'a gelebildiğine göre çok önemli bir meselesi ve çok hızlı bir atı olmalı diye düşündü Tam. Gemma'nın peşinden paldır küldür koşarken bunları düşünüyordu.

Onunla konuşmalıydı ve artık birilerinin onları görmesi umurunda değildi. Artık *Stuart Safiri* bulunmuş, markizin ölümü çözüme kavuşmuştu ve Tam çanların artık onun ölümü için çaldığının farkındaydı. Artık gözden çıkartılabilirdi. Pavilion'un görkemli duvarları arkasında infazcısının silahı nişan almış hazırda bekliyordu.

Gemma çok hızlı yürüyordu. Ona yetişmişti ama o yavaşlamak yerine neredeyse onu görmezden gelerek hızlanmıştı. Sonra kızgın bir bakış attı. "Misafirin gitti demek."

Tam şaşkınlıkla ona baktı, kafasını salladı. Prensesin onun yanına geldiğini nereden biliyordu? Merakını gidermek için daha fazla bekleyemedi.

"Henry beni babasıyla tanıştırmaya götürdü. Görüşmemiz çok kısa sürdü. Majestelerinin benden pek etkilendiğini söyleyemeyeceğim. Kibar davrandı ama Henry ile yalnız konuşmak istediğini söyledi. Benim çıkmama izin verildi. Henry çok utanıyordu. Ben de koridorda bir sürü meraklı bakış altında beklemek yerine seni aramaya karar verdim."

Tam gülümsedi. "Buna çok memnun oldum."

Ama gülümsemesine karşılık alamadı. Gemma, "Kapının önünde sesler duydum, biri genç bir bayana aitti. İşin uzun sürer diye beklemek istemedim ve tabii istenmeyen varlığımın seni rahatsız etmesini. Şimdi izin verirsen..." dedi soğukça.

Yanında yürümeye devam eden Tam kolundan sıkıca tuttu onu durdurmak için. "Hayır, izin vermiyorum. Gemma lütfen, lütfen dinle!" diyordu Tam ama zaten kızmaya ne hakkı var ki diye düşünüyordu. Lort Henry ile evlenecekti.

Tek koltuklu üstü kapalı çardaklardan birine geldiler. Bu sıkıcı öğlen vaktinde bahçe terk edilmiş gibiydi, sadece denizden gelen serin rüzgâr vardı. "Hadi gel oturalım. Sadece bir dakikalığına," diye yalvardı Tam. Gemma karşı çıkmadı. Şimdi biraz sakinleşmiş gibiydi.

"Nedir tüm bu olanlar, Tam?"

"İstediğini sorabilirsin. Ben takip ediliyorum, acımasızca."

Gemma buna sinirlendi. "Seni temin ederim ben etmiyorum," dedi öfkeyle.

"Keşke sen olsaydın, Gemma," dedi Tam ve sevgiyle gülümsedi. "Şimdi lütfen dinler misin? Prenses Charlotte, o küçük aptal, aklınca bana âşık olduğunu sanıyor. Kafamı dinlemek, biraz huzur ve sükûnet bulmak için odama gittiğimde onu orada buldum, beni bekliyordu. Hiç kaçamayacağım galiba..."

"Senin için ne kadar üzücü," dedi Gemma alay ederek ve ayağa kalktı. "Sana bir dakika bile mani olmak istemem. Zira ben soylu bir prensesle rekabet edemem."

Tam ayağa kalktı, kollarından tutup rüzgâra sırtını vererek fısıldadı. "Bir kere daha söylesene. Rekabet etmek mi istiyorsun?"

Gemma kızardı. Tam'ın garip pırıltıları olan gözlerine ağlamaklı bakıyordu. "Tabii ki hayır Tam," dedi sertçe. "Sadece dilim sürçtü. Ben... ben sadece... arkadaş olduğumuzu sanıyordum," diye ekledi ama bunun bahanelerin en saçması olduğunu kendi de biliyordu.

"Evet, biz arkadaşız ve sen Lort Henry ile evleneceksin," dedi Tam ciddi bir ifadeyle.

"Öyle mi yapacağım? O zaman sen benden daha çok şey biliyorsun. Henüz teklifini kabul etmediğimi belirtmeliyim. Hâlâ kararımı vermedim."

"O zaman burada, Brighton'da prensin konuğu olarak Pavilion'da ne işin var?"

"Bu bir bahane, herhangi bir bahaneydi korkarım, Creeve'den uzaklaşmak için yani."

"Bu doğru mu?"

Yine onun gözlerine baktı, kafasını salladı. "Hayır değil Tam Eildor, o sadece bir parçasıydı. Seni tekrar görmek istedim. Bu harika bir fırsattı. Asla başka bir fırsat daha bulamazdım. Bunu biliyordum," dedi üzüntüyle.

Parmağını Tam'ın göğsüne saplayıp, "Bir de senin hakkındaki gerçekleri öğrenmek istiyorum. O gün gemide birden sihirli bir şekilde ortaya çıkman hakkındaki. Bununla ilgili sorular zihnimi meşgul ediyor ve bir türlü işin içinden çıkamıyorum."

Tam güldü. "Ben de gerçekleri öğrenmek istiyorum. Kaçakçıların elinden nasıl kurtulduğunu ve Eski Gemi Hanı'na nasıl geldiğini." Oturağı gösterdi. "O zaman oturalım ve bu defa havanın bizim tarafımızda olması ve kimsenin bizi rahatsız etmemesi için dua edelim. Bu son şansımız olabilir," diye ekledi sertçe. Elini tutup devam etti. "Önce sen başla, Gemma."

Derin bir nefes alan Gemma, "Kaçakçıların botuna alınınca beklenmedik bir şey oldu ve şansım döndü. Liderleri yabancı değildi. Neredeyse doğduğumdan beri tanıyordum onu. Creeve'ye sık sık gelen babamın da sevdiği biriydi. Babama gümrüksüz Fransız konyağı ve şarabı getirirdi. Bana da danteller ve Fransız bebekleri getirirdi. Onun mükemmel biri olduğunu düşünürdüm.

"Şimdi başka bir işe yaramıştı. Körfezdeki adamlarının ellerini, yakaladıkları güzel balığın –öyle söylüyorlardı– yani güzel oğlan çocuğunun üzerinden çekebildi. Ben senin öldüğünü düşünmüştüm, suya batmıştın çünkü," dedi üzüntüyle ve devam etti. "Leydi

Gemma Creeve'nin suyun içinde erkek kıyafetleriyle ne yaptığını soracak kadar kibardılar ve eve geri gitmek istediğimi sandılar. Ama sonra ben yaşlı Davy Jones'a –evet gerçek adı buydu ya da öyle olduğunu söylüyordu– acıklı hikâyemi ve kötü kalpli üvey annemden nasıl kaçtığımı anlattım. Kaçakçılar bile Leydi Sarah hakkında çok şey duymuşa benziyordu. Bir daha asla eve dönmeyeceğimi ve yeterince para kazanır kazanmaz hayalimi gerçekleştirmek –bir aktris olmak– için Londra'ya gideceğimi söyledim. Bay Sheridan'la tanışmıştım ve oyunlarından birinde rol vereceğinden emindim. Yaşlı Davy bana hemen para teklif etti ama kabul etmedim. Onun sadakasını kabul etmeye niyetim yoktu. Hayatımda ilk kazandığım parayı kendi alın terimle kazanmalıydım. Biraz düşündü, beni süzdü. Bir süreliğine onlardan biri olup Fransa'ya gidip gelebilirdim. Bunun çok kazançlı olacağını anlattı."

Durdu. "Ne kazandıkları hakkında bir fikrin var mı?"

Tam hayır anlamında kafasını salladı. Gemma devam etti. "Bir günde yarım gine kazanıyorlar. Yeme içme masraflarını ve karada gezmek için kullandıkları atın giderlerini çıkarınca. Ayrıca çaydan da gelir sağlıyorlar, ağırlığı on üç pound yani bu bir çantanın yarısı ediyor. Toplam kazançları bir seferde yirmi dört ya da yirmi beş şiling ediyor ve bazen haftada iki sefer yapıyorlar."

Yine durdu. Kaşlarını çattı. "Hesaplamanı artık kendin yaparsın Tam, benim yaptığım gibi. Çok cazip bir teklifti. Gerçi dükkân sahipleri ve işçiler yılda yirmi pound kazanacak kadar şanslı, işten çıkarıldıklarında da kilise cemaatinden bağış alıyorlar."

"Bu işin iyi tarafı," dedi Tam. "Ya yakalanırlarsa ne oluyor?"

Gemma'nın tüyleri ürperdi. "Ölüme mahkûm ediliyorlar ve herkese ibret olsun diye meydanda zincirlerle asılıyorlar. Zaten iş çok hoşuma gitmemişti ve ufak bir sorun daha vardı. Beni deniz tutuyordu, bunu o hurda gemide fark etmiştim. Fırtınalı bir kanal yolculuğunda kime ne faydam dokunabilirdi ki? Ama aklıma koymuştum, sadece bir başarılı yolculuk yeterli olacaktı.

Beni kıyıya bıraktıkları gece Fransa'ya dönüyorlardı. Tekliflerini düşüneceğime söz verdim ve beni Eski Gemi'ye bıraktılar. Orada şans eseri hancı eskiden Creeve ahırlarında çalışmış bir adam çıktı. Yani şansım yine yaver gitmişti. Yine tanıdıkların arasındaydım.

Gazetede Sarah'nın ölüm haberini görünce, babama bir şans daha vermeye karar verdim. Teselliye ihtiyacı olacaktı. Beni özlediğini ve tekrar evde görmek isteyeceğini umuyordum. Bir insan ne kadar yanılabilir," dedi acıyla.

"Benden neden kaçtın?"

"Sen Eski Gemi'ye gelince, önce hayalet gördüğümü sandım. Kaçakçılar da ben de senin öldüğünü sanıyorduk. Seni sağ salim görünce, bana kızmış olabileceğini, tüm olanlardan yani kafana vurulup denize atılmandan beni sorumlu tutabileceğini düşündüm. Korkmuştum..."

"Benden mi korktun, hayatını kurtarmışken?" dedi tam şaşkınlık içinde.

"Tek kelimeyle, evet. Başka bir sebebi daha vardı. Gemideki gizemli ortaya çıkışını düşündükçe bunun benim anlayışımın ötesinde bir şey olduğuna karar verdim. Bir hileydi belki ama uğursuz, korkutucu bir şeydi." Durdu, tatlı tatlı gülümsedi. "Ama senin bana anlatacağın şey de zaten bu değil mi?" Tam'ın isteksiz ifadesini görünce, "Gerçeği istiyorum, Tam Eildor," diye devam etti. "Sen bir sihirbaz ya da bir simyacı falan mısın? Ya da onun gibi bir şey?"

Tam kafasını salladı. "Keşke açıklamak o kadar kolay olsaydı."

Gemma Tam'ın kolunu tuttu. "Her ne olursa olsun, lütfen, lütfen Tam, bilmek zorundayım." Durdu. "Şeytan değilsin, değil mi?"

Tam kahkahayı bastı. Kafasını eğdi. "Bak istersen, boynuzlarım yok, toynaklarım da."

"Bir meleksin o zaman," dedi Gemma ciddi bir ifadeyle.

"Melek mi, ben mi? Benim sevgili Gemma'm, beni gözünde çok büyütüyorsun. Esefle çenesine dokunup, "Sen hiç tıraş olması gereken bir melek gördün mü?"

Bunu görmezden gelip karşı çıkan bir ifadeyle, "Bazen dünyaya geldiklerini duymuştum," dedi Gemma.

"Evet, pekâlâ, ben hiç onlardan biriyle karşılaşmadım. Bu yüzden listenden o ihtimali silebilirsin," dedi Tam. Tekrar Gemma'nın elini alıp, "Sevgili Gemma, sana anlatabildiğim kadarını anlatacağım, ama senden bana inanmanı bekleyemem."

"Sen bir kere dene," dedi Gemma ciddi bir ifadeyle. "Görüp dokunamadığım ama inançlarım gereği varlığına inandığım birçok şey var, melekler gibi, ölümden sonra dirilip ebedî bir hayat yaşayacağımız gibi."

Tam ona Tanrı ile ilgili bir şey sormamasını umut ediyordu çünkü 2250 yılında bile, bilim adamlarının tüm çalışmalarına rağmen özellikle o gizemli konuda bir uzlaşma sağlanmış değildi.

"Geçmişin var olduğuna da inanıyorsun o zaman, peki ya gelecek? Dünyanın bundan yüzyıllar sonra da var olmaya devam edeceğine inanıyor musun?"

"Öyle umuyorum."

"Bu dünyanın, şu an içinde bulunduğumuz yerin bundan diyelim ki dört yüzyıl sonra nasıl bir yer olacağını tahmin ediyorsun?"

Gemma kaşlarını çatıp İngiliz kanalına uzanan uzak ufka doğru baktı. "Birçok yeni şey icat edileceğini tahmin ediyorum, bize söylenene göre bilim henüz başlangıçtaymış."

"Sana desem ki, arabalar atlar olmadan çalışabilecek, tren denilen araçlar rayların üzerinde bütün şehir boyunca yol alacak, insanları şehirden şehre, enine boyuna ülkelerin her yerine taşıyabilecek." Durdu, gökyüzünü işaret ederek, "Yukarıda, gökyüzünde kuş gibi uçan makinelerin olacağını, diğer ülkelerdeki ve gezegenlerdeki insanlarla ekranlar aracılığıyla kendi evlerindeyken konuşabileceğimizi söylesem. Geleceğin insanlarının sadece bu muhteşem icatları yapmakla kalmayıp, dünyanın ötesine, uzaya ve zamana hakim olacağını, böylece istediği geçmiş zamana gidebileceğini söylesem. Dünyada tek bir ortak dil olacağını ve herkesin birbirini anlayabileceğini söylesem, bana inanır mıydın?" Onun bunun doğumda çocuğun beynine konan bir mikroçip sayesinde gerçekleştiğine inanmasını bekleyemezdi.

Gemma sabırla dinlemişti. Şimdi sakince, "Yani cevabın bu Tam. Tüm bunları bana anlatıyorsun çünkü sen gelecekten geliyorsun," dedi.

"Bana inanıyor musun?" Tam açıklayamayacağından korktuğu şeyleri onun korkusuzca, soruşturmadan kabullenmesine çok şaşırmıştı.

"Bu kadar önemli bir konuda bana yalan söyleyeceğini sanmıyorum," dedi Gemma. "Zaten bu, bizim gibi bir insan olmana rağmen bu kadar değişik olmanı da açıklıyor. Senin gibi biriyle daha önce hiç karşılaşmamıştım, Bayan Fitzherbert de öyle düşünüyor. O da benim gibi çok meraklı. Senden çok etkilenmiş ama adın geçince o da aynı şeyi söyledi.

Gülümseyerek devam etti. "Anlat bana Tam, seni buraya getiren ne?"

Olabildiğince kısa ve öz anlatmak isteyen, her an rahatsız edilebileceklerinin de farkında olan Tam, ona zaman yolculuğu için prensin hükmettiği Brighton'ı seçişini ve nasıl yüzyılların oluşturduğu kıyı aşınması sonucu yanlış yere, o gemiye iniş yaptığını anlattı. Kendi zamanına geri dönebilmesi için tam olarak iniş yaptığı noktaya gitmesinin ne kadar hayatî önem taşıdığını söyledi.

Nefes almak için durdu ve bir yorum bekledi. Ama Gemma sadece kafa salladı.

Hemen geri dönmeliyim Gemma. Buradaki zamanım azalıyor. Detaylarla canını sıkmayacağım. Bay Townsend'e soruşturmasında yardım ediyordum. Üvey annenin katilinin ve Pavilion'da gerçekleşen soygunun failinin peşindeydik.

"İkisini de aynı kişinin mi yaptığını düşünüyorsun?"

Prenses Charlotte'un itirafını hatırlayan Tam, "Belki de burnumu çok fazla sokuyorum çünkü birçok kez beni öldürme girişiminde bulundular," dedi.

"Ah, Tam," dedi Gemma, elini sıkıca tutarak, "ne kadar korkunç. Londra'ya gitmen için gereken parayı bulabilirim..."

Tam bunu nasıl yapacağını sormadı. "Londra'ya gitmek istemiyorum. Mahkûm gemisinin demirlediği yerin olabildiğince yakınına gitmeliyim. Ancak oradan kendi zamanıma dönebilirim."

Gemma kaşlarını çatıyordu, bir an için durdu, sonra, "Şu seni öldürme girişimleri, onların Simone ya da Percy'nin ölümüyle bir bağlantısı var mı?" diye sordu zekice.

"Percy yanlışlıkla öldürüldü. Ona atılan kurşunun hedefi bendim aslında." Gerçeğin bu kısmını ona söylemek zorundaydı. Gemma içini çekti ve elini daha sıkı tuttu.

"Görüyorsun ki gitmem şart ve bu dünyada bana yardım edebilecek tek kişi sensin. Belki kaçakçı arkadaşlarını beni o eski gemiye götürmeleri için ikna edebiliriz. Hava kararınca güverteye tırmanır, tam o noktayı bulur..."

"Sonra aynı geldiğinde olduğu gibi birden ortadan kaybolursun." Şüpheli gözüküyordu. "Tüm bunları ayarlamak biraz zor olacak Tam. Hana mesaj bırakmak dışında yaşlı Davy'ye nasıl ulaşabileceğimi bile bilmiyorum. Bunun yanında, beni orada göremeyince Creeve'deki eski yaşantıma geri döndüğümü sanmışlardır. Ben onlara katılıp katılmama konusunda karar vermeye çalışırken onların orada durup beni beklemelerini bekleyemezdim." Durdu. "Başka hiçbir yolu yok mu?" diye sordu.

Bunun üzerine Tam gömleğinin kolunu yukarı kıvırdı ve ona bileğindeki yıldız şeklindeki mikroçipi gösterdi.

"Acil durumlarda bunu kullanabilirim. Sadece bir kere, ikimiz denizdeyken kullanmayı denemiştim, karada farklı çalışabilir, bilemiyorum..."

"Oh Tam, dene şunu ve beni de seninle götür."

"Yapamam Gemma."

Gemma içini çekti, "Beni istemiyor musun?" dedi.

"Bence sen bunun cevabını biliyorsun Gemma. Birlikte geçirdiğimiz bu kısacık zaman dilimine rağmen, kısaca diyebilirim ki, seni seviyorum Gemma. Eğer öğrenmek istediğin buysa. Ama 1811 yılından geleceğe birini ya da bir şeyi götürmemin imkânı yok."

Gemma bunun doğru olduğunu biliyordu. Tam'a doğru uzandı. Yanağından öptü. "Seni seviyorum Tam. Dahası, sanırım seni hep seveceğim," dedi üzülerek.

Tam bunu zaten biliyordu. Bir an için ikisi de birbirinin ruhlarının derinliklerini gördü; orada hiç sır yoktu.

"Senin gibi biriyle yeniden karşılaşmamın imkânı yok."

Bu itiraflar Tam'ı sevindirmemişti. Artık Lort Henry'yi kıskanmıyordu. Gemma'nın hayatlarının kesiştiği bu kısa süreyi unutup çok mutlu olmasını her şeyden çok istiyordu. Ama onu geleceğe götüremeyeceği gibi onun geleceğini etkilemesi de imkânsızdı.

"Yaşlı Davy'ye güvenemeyiz. Eğer ona gerçeği anlatırsak deli olduğunu düşünür. Kaçakçılar ne kadar mantıklı olsalar da denizcilerin denizlerle ilgili batıl saçmalıklarına inanırlar."

Biraz düşündü. "Başka bir yolu daha var. Senden sonra Henry ve ben ayrıldık. O babasını görmeye gitti, ben de sana Bayan Fitzherbert'in arkadaşlarıyla sahilde piknik yapmayı planladığını söylemeye geliyordum. Henry ve ben onlara katılmaya karar verdik. Bayan Fitzherbert tesadüfen seninle tekrar karşılaşınca, belki senin de bize katılmak isteyeceğini düşündü."

Güldü ve ona sevgiyle baktı. "Lütfen evet de."

Tam havanın kararmaya başladığını fark etti

Gemma'ya bakarken zaman su gibi akıp geçiyordu ve belki de bu son konuşmaları olacaktı.

Gemma sanki aklından geçenleri okumuş gibi birden, "Sevgili olma şansımız olmadığı için çok mutluyum aslında Tam. Seninle sevişip, bir saatliğine senin olduktan sonra hayatımın geri kalanını sensiz geçirmenin üzüntüsüne dayanamazdım. Seni hiçbir zaman unutmayacağım için de, ben ve başka herhangi bir adamın arasında hep senin hayaletin dururdu."

Güneş yine ortaya çıkmıştı ve bahçelerde yürüyüşe çıkan insanlar vardı. Tam birden acaba Charlotte safiri babasına verdi mi diye merak etti. Prens markizi Percy'nin öldürdüğünü öğrendi mi, iki gizem de çözülmüş olacak ve Tam'ın ölüm çanları daha hızlı çalacak, infazı derhal gerçekleştirilecekti.

Tam artık gözden çıkarılabilirdi, hemen yok edilmeliydi.

Çardağa yaklaşan ayak sesleri ve gürültüler vardı. Gemma, "Steine Malikânesi'ne geri dönmeliyim, Henry beni arar," dedi.

Belki son vedaları olan bu anda Tam Gemma'yı kollarına aldı. Öpüştüler, ama derinden ya da tutkuyla değil, birbirini seven iki arkadaş gibi. Bırakınca Gemma güldü. "En azından sen gerçeksin Tam Eildor," dedi.

"Yeteri kadar gerçeğim," dedi Tam ve içinden kalbim kırılacak kadar gerçeğim diye geçirdi. Böyle birkaç dakika daha geçirirlerse Tam Gemma'nın zamanında kalacaktı. Daha önce hiç böyle güçlü duygular hissetmemişti. Ama potansiyel tehlikelerin de farkındaydı.

Steine Malikânesi'ne giden kısa yolu birlikte yürüdüler. Gemma eğilip onu selamladı ve kibar yabancılar gibi ayrıldılar.

Tam döndü, hızlıca Pavilion'a doğru yürüdü. Onsuz dünya birden bomboş göründü. Bu acı o kadar büyüktü ki bir daha zaman yolculuğuna çıkarsa duygularını geride bırakıp sadece araştırıcı bir makine olarak geçiş yapmanın yolu varsa öyle yapacaktı.

1811'de bulunduklarından hoşlanmamıştı. Ne kadar çabuk geleceğe dönerse o kadar iyiydi. Gemma'ya gelince, onu unutacak, Lort Henry ile evlenecekti. Belki tarih kitapları bile bundan bahsediyordu ama Tam bunu okumaya dayanamazdı.

Bahçeden Henry'nin geldiğini gördü. Telaşlı ve zihni meşgul görünüyordu. Tam'a selam verip, "Gemma'yı arıyorum, gördünüz mü onu?" diye sordu.

"Sanırım biraz önce gördüğüm Steine Malikânesi'ne giden kişi oydu," dedi. Yalandı bu tabii ama aşkzede Henry'nin çardaktaki uzun süren baş başa sohbetlerine nasıl tepki vereceğini kestiremiyordu.

Henry kafa salladı, tam yürümeye devam edecekken hızlıca döndü ve "Kendinize çok dikkat edin Bay Eildor. Bay Townsend ile işiniz bittiyse, size mümkün olduğunca çabuk Londra seyahatinize devam etmenizi tavsiye ederim," dedi.

Cevap beklemeden kısa bir selam verdi ve aceleyle yoluna devam etti.

Tam onun gidişini izledi. Bunlar kıskanç bir âşığın sözleri miydi? Henry bir şeylerden şüphelenmiş ve rekabetten kurtulmak mı istemişti? Yoksa daha yardımseverdi de bazı şeyler biliyor ve kaçıp canını kurtarması için onu uyarmaya mı çalışıyordu?

Yirmi Altı

Evet, gerçekten onu uyarmaya çalışıyordu.

Henry'nin babasıyla görüşmesi pek iyi gitmemişti. Henry'ye ve ne yazık ki Gemma'ya da oldukça açıktı ki, ne kadar kibar davransa da Prens Henry'nin bu ani evlilik kararı için seçtiği eşten hiç hoşlanmamıştı. Böyle kupkuru bir kız, sade, üzerinde ne bir gram et ne de büyük göğüsleri olan gösterişsiz bir kız ona uygun değildi. Yatakta kemik torbasıyla sevişiyor gibi olacaktı.

Gemma yanlarından ayrıldığında Henry neredeyse babasının düşüncelerini okuyordu. Bu arada Townsend erken davranmış Percy'nin ölümüyle ilgili üzücü haberleri veriyordu babasına, ama özenle düzeltilmiş Townsend versiyonunu.

"Bir takipçi diyorsun Townsend," dedi prens, "ne kadar garip, iyice sorguya çekilmeli."

Townsend adamı olay yerinde vurduğu için bunun imkânsız olması prensi pek memnun etmedi. Bu ayrıntılı anlatımı dinleyen prens araya girdi: "Ne büyük talihsizlik. Önemli bilgiler taşıyor olabilirdi." Townsend'e sert bir bakış attı ve ciddiyetle, "Belki bu bir kazaydı Townsend, ne dersin? Belki de yanlış kişiyi öldürdü."

Townsend aldığı rahat nefesi güçlükle saklayıp, "Majesteleri öyle diyorsa, olabilir," diye belli belirsiz cevapladı. Birbirlerine attıkları bakışlar ve prensin kafa sallayışı Eildor'un yok edilmesi gerektiğini ve bu iş için Townsend'in görevlendirildiğini gösteriyordu.

Safir ortaya çıkıp markizin katili yakalandı mı doğru zaman gelmiş demekti.

Prens sadık uşağının ölümünden büyük üzüntü duyuyordu. Hızlı bir mesajcıyı hemen yola koyup, Percy'nin prensin hayatında bir kez gördüğü ailesine haber göndermek gerekiyordu. Prensin sözlerini saygıyla dinleyen Townsend, bir tanık daha sonsuza dek susturulduğu ve sarayla ilgili bir skandal önlendiği için prensin gizli bir rahatlama içinde olduğunu hissetti.

Henry ve Gemma'nın gelmesiyle konuşmaları yarıda kesilmişti. Kısa bir tanışma merasiminden sonra hemen ardından Townsend ve Gemma dışarı çıkarılmıştı.

Kapı Gemma'nın ardından kapanınca, Henry Gemma'nın babası üzerinde umduğu etkiyi bırakmadığının farkındaydı. Ama bu konu beklemeliydi. Başka sorunlar vardı. Prens, "Percy için gerçekten çok üzüldük," dedi. "Çok büyük talihsizlik. Onu üzülerek yad edeceğiz."

"O benim en iyi arkadaşımdı, efendimiz..." diye söze başladı Henry.

"Öyle öyle kuşkusuz, sen de onu çok özleyeceksin. Aklında onun boşalan yerini doldurabilecek uygun biri var mı? Eminim doğru özelliklere sahip birçok insan vardır." Prensin tavrı bu konunun acil olduğunu gösteriyordu. Henry kibarca aranan kişinin geçmişi ve yetiştirilme tarzı ile ilgili istenen özellikleri dinlerken, Percy'nin güvenilir ve sadık bir uşak olarak geçirdiği onca yıla insanlığa sığmayacak bir şekilde hiç saygı gösterilmediğini gördü ve kulaklarına inanamadı.

"Bu konuyu düşünmeye zamanım hatta niyetim bile olmadı. Bağışlayın efendimiz ama her şey üst üste geldi. Leydi Sarah'nın cenazesi ve benim Leydi Gemma ile karşılaşmam... Daha birkaç saat önce Sör Joseph'e onunla evlenmek istediğimi söylemiştim ki... Percy..." duygularına hakim olamıyor, sesi gitgide azalıyordu.

"Cidden öyle, cidden öyle." Cenazeden bahsedilmesi prense markizin katilinin kimliğinin hâlâ ortaya çıkmadığını hatırlattı.

Kaşlarını çattı. "Hiçbir ilerleme kaydedilmiyor, ne o yönde, ne kayıp safirimizin bulunması yönünde. Townsend bizi hayal kırıklığına uğrattı, hem de oldukça derinden, şimdiye kadar her şeyi çözebileceğini umuyordum." Üzülerek başını salladı, "Ona olan güvenimiz tamamen yok oldu."

Henry olayların üzerinden daha sadece bir hafta geçtiğini ve böyle şeylerin zaman alacağını söylemeye gerek duymadı.

"Percy'yi öldüren adamın aradığımız adam olmadığından emin misin Henry?" diye sordu prens umutla.

Townsend adamı infaz etmekte biraz aceleci davranmıştı. Eğer sağ olsaydı idam edilmeden önce bazı şeyleri itiraf etmesi sağlanabilirdi.

"Eminim efendimiz."

Prens Henry'ye baktı ve Henry ne kadar moral bozucu olsa da gerçekleri ona anlatması gerektiğini anladı.

"Percy itiraf etti, efendimiz, ölmeden önce." Durdu, derin bir nefes aldı. "Leydi Sarah'yı öldürdüğünü itiraf etti."

Duyduklarına inanamayan prensin gözleri fal taşı gibi açıldı ve hemen koltuğuna oturdu.

"O... NE YAPTI?!"

"Leydi Sarah'yı inci kolyesiyle boğmuş, kazaymış."

"Kaza mı? Böyle bir şey nasıl kaza olabilir?

Açıklamak gerçekten çok zor olacaktı ve utanç verici. "Korkarım efendimiz, siz yokken... o gece... Leydi Sarah... şey... onu..." Durdu, huzursuzluk içinde babasının bir tepki vermesini bekledi.

Prens, "Onu ...? Şimdi anlaşıldı," dedi.

Henry çaktırmadan rahat bir nefes aldı. En azından o kelimeleri söylemek zorunda kalmamıştı.

Prens sabırsızlıkla, "Safiri aldığını da itiraf etti mi?" diye sordu.

"Hayır, efendimiz, etmedi."

Prens omuz silkti. "Ne yazık." Yüzünü ekşiterek güldü. "Percy ve Leydi Sarah ha? Percy'nin içinde böyle kötü niyetler olduğunu asla tahmin edemezdik Henry. Prensin bölgesinde avlanmak ha? Tanrı biliyor, çok ağır bir şekilde cezalandırılırdı, çok ağır."

"Cezasını buldu, efendimiz," dedi Henry ve olabildiğince kısa bir şekilde Percy'nin itirafını anlattı. İnce ayrıntısına girmeden, Percy'nin odaya başka birinin daha girdiğinden şüphelendiğini söyledi.

Prens hızla kafasını kaldırdı. "İşte! Kuşkusuz mücevher hırsızı. Percy'nin o an çok meşgul olması ne büyük talihsizlik. O haini engelleyebilirdi. Böylece bizi –ve Townsend'i– bir sürü beladan ve zaman harcamaktan kurtarırdı."

Durup derin bir nefes aldı. "Yani cinayeti çözdük ama kayıp safire bir adım bile yaklaşamadık." Yine içini çekti. "Yanınızda başka kimler vardı?"

"Sadece ben ve Bay Eildor. Sonra papaz geldi."

"Bay Eildor ha?"

"Percy bir tanık istedi efendimiz, Bay Eildor'a güveniyordu."

Prens kızmış görünüyordu. Townsend haklıydı. Percy'nin ölüm döşeğindeki itiraflarından haberi yoktu ve safiri bulmayı da başaramamıştı ama Bow Street memuru Bay Eildor konusunda haklıydı. Bu adam çok şey biliyordu. Hayatta kalmasına mani olacak kadar çok şey. Gönderilmeliydi.

Henry'ye baktı ve sanki şaka yapıyor gibi, "Şu adam Percy yerine Bay Eildor'u öldürseydi," dedi, "şu an yaşadığımız sorunların hiçbirini yaşamazdık değil mi? Ne dersin?"

Henry kafasını salladı. "Nasıl yani, efendimiz?"

"Çok açık Henry. Eğer o ölseydi şimdi bir sürü nahoş tedbir almak zorunda kalmazdık."

Henry şaşkınlıkla ona baktı. Bu acımasız sözleri yanlış anlamıyordu. "Niyetiniz efendimiz..." dedi ama sözünü bitiremedi çünkü o an her şeyi anladı. Tam Eildor sıradaki kurbandı ve Townsend aynen Percy'nin tanınmayan katilinin alnına dayadığı gibi Tam'ın alnına da dayayacaktı silahını ve onu öldürecekti.

Düşünceleri engel tanımadan, yüksek sesle ağzından çıkıverdi. "Ölmesi gereken aslında Percy değil Bay Eildor'du, değil mi efendimiz?"

Prens gözlerini ondan kaçırıp camdan dışarı baktı. "Niyetin öyle olduğunu sanıyoruz. Silah sana da doğrultulabilirdi Henry. Bu takipçi bizce, ki böyle düşünmek için sebeplerimiz var, Townsend'in kendi adamlarındandı. Londra'dan onunla beraber gözünü bazı şeylerin üzerinden ayırmamak için gelmişti.

Henry geri adım attı. "Efendimiz, bu çok korkunç."

Ölen arkadaşını düşünürken aklına prensin metresinin cesedinden kurtulmak için yapılan araba kazası geldi. Soyguncu kılığına girmiş dört muhafız onun fikriydi ama Eildor'un ölümünü istememişti.

"Efendimiz ona söz verdiğiniz gibi, Londra'ya gidemez mi?" diye yalvardı.

Prens alaylı bir gülümsemeyle kaşlarını kaldırdı. "Devlet düşmanlarına karşı çok yufka yüreklisin Henry."

"Bunun için kanıtınız var mı, efendimiz?" diye sordu Henry sertçe.

Prens omuz silkti. "Brummell'in Edinburg'daki araştırmalarının Eildor'un aleyhine bir şeyler ortaya çıkarması ya da Townsend'in bağımsız araştırmalarının onun bir casus olduğunu ortaya çıkarması an meselesi."

"Casus mu? Asla... böyle bir şeye asla inanmam," dedi Henry öfkeyle.

Prens hoşgörüyle gülümsedi. Oğluna alay eder gibi parmağını sallayarak, "Demin de dediğim gibi, bugünlerde çok yufka yüreklisin Henry. Bizi şaşırtıyorsun. Ama aşk, evet onu suçlamak lazım. Özellikle ilk aşk yapar bunu insana."

Henry babasının yüzüne düşen gölgenin, Bayan Fitzherbert evlenme teklifini reddedince onu intihar etmekle tehdit ederken kullandığı ifadenin aynısı olup olmadığını merak etti. Duygusal şantajdı bu ama başarılı olmuştu.

"Aşk insana her şeyin yolunda gittiğini, dünyadaki herkesin onun dostu olduğunu düşünmesine sebep olur. Ama büyük krallıkların hükümdarları yufka yürekli olamaz. Eğer kafalarımızı omuzlarımız üzerinde tutmak ve insanlarımızı mutlu etmek istiyorsak böyle rahat davranamayız."

Henry'nin bunları hazmetmesi için bir dakika bekledi. Sonra, ifadesiz yüzüne bakıp, "Bay Eildor devlet için, İngiltere için ve bizim için bir tehlike, bunu göremiyor musun benim sevgili oğlum?" dedi sabırla. "Eğer o gece burada yaşanan... şey... skandalla ilgili konuşmasına izin verilirse birçok masum için oldukça nahoş durumlar ortaya çıkmaz mı?"

Kaşlarını çattı. Kardeşi Frederick, kendisinin metresinin gizli âşığı olduğunu öğrenirse ne tepki verir diye düşünüyordu. Daha kötüsü, zaten onu sevmeyen ailesinin gözünden iyice düşerdi.

Ürpertisini bastırıp devam etti. "Bu bilgi yanlış ellere geçerse çok tehlikeli sonuçlar doğurabilir, bizi yerimizden edebilir, tüm hükümeti sarsabilir."

Henry inatla Eildor'un ölümüne karşı çıksa da, babası kararlıydı, içini çekerek Henry'nin koluna dokundu. "Bu İngiltere için en iyisi evlat, sık sık bu konudaki üzüntümüzü dile getiriyoruz ama keşke seni resmiyette oğlumuz olarak tanıyabilseydik ve tahtın vârisi ilan edebilseydik."

Henry tüm hayatı boyunca bu kararı sessizce kabullenmişti ve bu sözler onu hiç rahatsız etmiyordu. İzin istedi ve Gemma'yı aramaya çıktı.

Yirmi Yedi

Steine Malikânesi'ne doğru yürüyen Henry, hayatının bir dönüm noktasında olduğunun farkındaydı. Tam Eildor geldiğinden beri yani iki gündür yaşananlar prensin özel uşaklarından biri olarak kalmak istemediğini fark etmesini sağlamıştı.

Prensin Percy'nin ölümünü hiç önemsememesi, yılların arkadaşlığını hiçe sayıp hemen yerini dolduracak birilerini aramaya kalkması bardağı taşıran son damlaydı.

Babası birkaç yıl içinde kral olacaktı ve Buckingham Sarayı'nın yerini alan Pavilion'daki ahlak dışı, savurgan hayat Henry'ye göre değildi.

Gemma'yla tanışması hayata bakış açısını dramatik bir şekilde değiştirmişti. Saray hayatından bıktığını anlamıştı. Uzun bir bekleyişin ardından, hayatında ilk kez sonsuza dek sürecek bir aşk bulduğuna inanıyordu. Bunu, Pavilion'da ve içinde yaşadığı toplumda sürüp giden çılgın ilişkilere yeğlerdi.

Onun bir eşe ihtiyacı vardı.

* * *

Gemma ve Bayan Fitzherbert'i pencere kenarında oturmuş, derin bir sohbete dalmış halde buldu. Çok rahat görünüyorlardı; yıllardır sık sık buluşan eski dostlar gibiydiler.

Gemma utanarak Henry'ye baktı. "Sana anlatacak çok şeyim var."

"Kararını verdin," dedi Henry merak ve heyecanla.

Gemma kafasını sallayıp güldü. "Henüz değil Henry, lütfen bana biraz zaman ver." Maria'ya doğru çaresiz bir bakış attı. O gülümsüyordu.

"Düşünülecek çok şey var Henry."

Henry, "O zaman söyle ona lütfen, çok iyi bir adamım ben."

Gemma güldü. "Gerek yok. Zaten sabahtan beri sana övgüler yağdırıyor," deyip hemen konuyu değiştirerek, "Bana anlatacağın şey neymiş?" dedi.

Maria, "Ben çıkayım mı," deyip ayağa kalktı.

"Hayır kal, seni de ilgilendiriyor," dedi Henry koluna dokunup sevgiyle gülümserken. "Ama eminim bu Gemma'nın karar vermesine yardımcı olacak." Derin bir nefes aldı. "Saraydan ayrılmaya karar verdim. On iki yıldır bu görevdeyim, artık Percy de olmadığına göre işleri yeni atanacak yabancıyla paylaşmam gerekecek ve ben bunu istemiyorum. Artık kendime ait bir yerim olmasına karar verdim." Durdu, Maria'ya baktı. "Bildiğin gibi Batı Sussex'de küçük bir çiftliğim var. Yirmi beşinci doğum günümde babam hediye etmişti. Sanırım, beni hiçbir zaman tanıyamayacağı için bir özür hediyesiydi."

Gemma aralarındaki derin ve birbirini anlayan bakışmaları gördü. Sonra Henry ona döndü, elini tuttu, "Orada bir köy beyi olarak yaşamak istiyorum. Yerel politikaya el atmayı, belki topraklarımdaki kiracılarla örnek bir köy oluşturmayı düşünüyorum."

"Bravo," diye fısıldadı Maria. "Çok akıllıca bir seçim. Zaten sen hiçbir zaman bir saraylı gibi olmadın sevgili Henry. Her zaman çok dürüsttün."

Henry kafa salladı ve tekrar Gemma'ya döndü. "Sen ne diyorsun?"

Gemma gülümsedi. "Bence de akıllıca bir seçim."

Ona da kafa salladı Henry. "Tanrıdan tek dileğim, beni seven ve hayatımı benimle paylaşacak bir eştir," dedi nazikçe.

Gemma heyecanla ona baktı. "Bir keresinde seninle evlenmeyi kabul edersem, ne istersem yapacağını söylemiştin."

Henry'nin gözleri umutla doluydu. "Sözüm hâlâ geçerli," dedi.

Gemma kaşlarını çattı. "Bu biraz garip bir istek gibi görünebilir. Hayatı tehlikede olan biri var..."

"Kanuna karşı gelmemi mi istiyorsun?" dedi Henry sertçe.

"Hayır, bu insan için kanuni bir şey yok, sadece onu öldürmek isteyen insanlar var." Durdu, "Ne yazık ki bizim tanıdığımız insanlar."

Henry kuşkulu görünüyordu. Sonra Gemma, "Henry, Bay Eildor'un buradan güvenle gitmesine yardım eder misin? Çok az zamanı var."

Henry biraz şaşkınlıkla ona baktı. "Sen nereden biliyorsun? Ben bile daha biraz önce prensle konuşunca onun hayatının tehlikede olduğunu anladım."

Gemma zaten açık olanı sorma gereği duymadı. Prens nasıl bu işin içinde olmazdı ki?

"Bir yol var," dedi Maria. "Birkaç saat sonrası için bir gezi planladım. Kıyıda küçük bir koyda arkadaşlarla buluşup, ay ışığında piknik yapacağız. Bay Eildor'u da götürürüz. Bu kimseye garip gelmez, sonra da onu Londra arabasına bindiririz. Yokluğu fark edilene kadar o güvenli bir uzaklığa gitmiş olur ve sonra İskoçya'ya dönmek için kendi planını yapar."

Üçü de bunun mükemmel bir plan olduğuna karar verdi; düşünebilecekleri en az dikkat çekecek plan buydu. Ama Tam'ın umutsuz ve eşi benzeri olmayan durumu hakkındaki gerçekleri bilen Gemma, sadece denize yakın olmanın Tam'ın acil çıkışını mümkün kılabileceğini biliyordu.

Henry hemen gidip Tam'ı bulmaya ve planlarını ona anlatmaya karar verdi. Derin düşüncelerle Pavilion'un yakınlarına gelince, birinin ona seslendiğini duydu. Townsend yanında bir yabancıyla hızla ona doğru geliyordu. Brighton yerlilerinden olan Bay Watkins'i ona tanıttı.

"Lordumuza hikâyenizi anlatın bayım."

Bay Watkins Henry'yi selamladı. Kendisi mütevazı bir bakkaldı. Pavilion'un soylu üyelerinden biriyle konuşmak dilinin tutulmasına sebep olmuş gibiydi; 'ımlar' ve 'eeler' ile dolu hikâyesi zaman alacağa benziyordu. Townsend sabırlı bir adam değildi ve sürekli onu hızlandırmak için araya giriyordu.

Sonra çileden çıktı ve Bay Watkins'i bir kenara itti. "Özür dilerim bayım, izninizle," dedi, sonra Henry'ye dönüp, "Olay şu bayım. Bay Watkins evvelki gece Lewes yolunda bir araba durdurmuş. Biraz şamatalı bir gecenin ardından arkadaşları onu yanlış yönlendirmiş ve Brighton'a giden kestirme yol olduğunu sandığı bir yola girmiş..."

Henry korkuyla dinliyordu. Olayda geçen araba çok tanıdıktı.

"Bay Watkins bunları Sör Joseph'e iletmiş ve o da olayı soruşturmam için onu bana göndermiş. Bildiğiniz gibi büyük bir ödül söz konusu."

"Öyle," dedi Henry belli belirsiz. "O zaman ben size engel olmayayım."

Townsend ona kurnaz bir bakış attı. "Sadece ilginizi çekeceğini düşünmüştüm. Sör Joseph ile bağlantılar vesaire söz konusu olduğu için."

Tüm bunlar Henry'ye Townsend'in araba kazasıyla ilgili tüm detayları ve Henry'nin olayda rol oynadığını bildiğini gösteriyordu. Townsend devam etti. "Bu konu majestelerinin de ilgisini çekecektir. Kendisi marki hazretlerinin yakın arkadaşı ve adaletin yerini bulmasını da çok istiyor. Bununla birlikte, şu an yemek yiyor ve rahatsız edilmek istemiyor. Bu durumda lordumuzun ona bu haberleri iletebileceğini..."

Henry daha fazla bekleyemezdi. Aslında içinden gelmese de ileteceğine dair teminat verip, izin istedi ve Tam'ı aramaya gitti. Konuk dairelerindeki odası boştu ve yatağın üzerinde bıraktığı ödünç kıyafetler çoktan gittiğini gösteriyordu.

Aceleyle tekrar Steine Malikânesi'ne doğru koştu. Uşağa, "Bay Eildor burada mı?" diye sordu.

Uşak, Bay Eildor'un beş dakika önce geldiğini ve küçük salonda madamın onu kabul etmesini beklediğini söyledi.

"Benim geldiğimi bildirmenize gerek yok," dedi Henry ve holden geçip salona gelince, Tam'ı pencereden dışarı bakarken buldu. "Tanrı'ya şükür zamanında geldim." Kapıyı kapattı. "Çok kritik bir durumdayız,

Bay Eildor. Biraz önce Brighton'dan Bay Watkins diye biriyle tanıştım..."

Bay Watkins'in Lewes yolunda yaşadıklarını anlatmak için yanına yaklaşırken, ona ümitsizlik içinde bakıyordu. "Daha kötüsü de var. Bay Watkins Sör Joseph'i görüp ödülünü istemek için Creeve Malikânesi'ne gelince merdivenlerde sizi görmüş ve tanımış." Durup nefes aldı sonra alaylı bir gülümsemeyle, "Neyse ki gözlerine kadar sarılı olan arabacının o an hikâyesini dinleyen adam olduğunu anlamadı. Ama arabanın içinde bir de hanım olduğunu gördüğünü söyledi. Çok sessizmiş, gözleri kapalı, solgun ve hasta görünümlü biriymiş. Seyahatlerini böldüğü için dilediği özrü duymazdan gelmiş, uyuduğu için sanmış ama sonradan fark etmiş ki ölü olduğu için cevap vermemiş!"

Bu gerçekten kötü haberdi, büyük şanssızlıktı. "Bu bilgiye Sör Joseph nasıl tepki vermiş?" diye sordu Tam.

"Çok ciddiye almış. Ona, vadettiği ödülün yarısını vermiş, sonra soruşturmayı başlatması talimatıyla Bay Townsend'i bulmaya göndermiş. Anlattıkları kanıtlanır ve markizin katilinin bulunmasını sağlarsa ödülün geri kalanını da alabileceğini söylemiş. Bu talimatlara uyması tavsiye edilen Bay Watkins Townsend'in majestelerinin emri altında çalıştığını ve onu Pavilion'da bulabileceğini öğrenmiş. Onlarla karşılaştığımda Pavilion'a gidiyorlardı."

Elini Tam'ın kolunun üzerine koydu. "Bay Eildor, siz teşhis edildiniz. Kısa bir süre sonra Townsend peşinize düşecek. Artık burada daha fazla kalmanız delilik olur. Büyük tehlike içindeyiz."

Tam gülümsedi. "Siz değilsiniz bayım. Arabacının kimliğini açıklamam söz konusu bile değil. Size söz veriyorum."

Henry kafasını salladı. "Ben sizi düşünüyorum. Burayı hemen terk etmelisiniz. Bizimle Bayan Fitzherbert'in arabasında gelin. Hiçbir şekilde konuk dairesine geri dönmeyin. Sizi ararken benim baktığım ilk yer orasıydı, kuşkusuz Townsend orada pusuya yatıp sizi bekleyecektir."

Tam mahkûm gemisine iniş yaptığında üzerinde olan gömlek ve pantolonu giymek için daha fazla bekleyememişti. Onların üzerine ödünç aldığı pelerini ve altına da yine ödünç aldığı ayakkabıları giymişti, daha sonra çıkaracaktı; onları geleceğe götüremezdi.

Henry, "Gitmeye hazır olana kadar burada kalmalısınız. Burada güvende olacaksınız. Eğer Townsend sizi aramaya gelirse, uşaklar onu koya yönlendirecek. Neyse ki majesteleri bu konuda Townsend'le ya da bir başkasıyla, yarın sabaha kadar hiçbir koşulda görüşmez," dedi alaylı bir ifadeyle.

Kısa bir süre sonra, Townsend kızgınlık içinde Henry'nin sözlerinin doğruluğunu anladı. Tam'ı bulmaya çalışırken çok yorulmuştu. Odasında yoktu ama yatağın üzerindeki kıyafetleri çok uzakta olmadığını gösteriyordu. Bir an için düşündü ve araba kazasıyla ilgili son gelişmelerin prense anlatılmasının şart olduğunu hissetti. Ama prensin çok önemli konuklarla yemekte olduğu ve hiçbir koşulda rahatsız edilmemesini emrettiğini öğrendi. Konunun önemini ne kadar vurgulamaya çalışsa da boşunaydı. İçeriden prensin yüksek sesle attığı kahkahaları duymak daha da sinir bozucuydu. İçinden küfürler ederek yasayı kendisi uygulamaya karar verdi. Bunu daha önce de birçok kez hem de başarıyla yapmıştı.

Onu tanıyan iki özel korumayı çağırıp Pavilion'da acilen yakalanması majesteleri için hayatî önem taşıyan bir suçlu olduğunu söyledi. Ona şüpheyle baktılar, kafalarını sallayıp emirleri yalnızca prensin kendisinden alabileceklerini söylediler.

Bunun üzerine Townsend onlara suçlunun kaçırılmaması konusunda çok ciddi olduğu bir hırsız olduğunu, bir şeyler ters gider de sözüne uymayan olursa tüm suçu işlemiş kabul edileceğini söyledi. Bununla birlikte eğer onu yakalamayı başarırlarsa onları en iyi şekilde ödüllendireceğini de belirttiğini söyledi. Ama yine de onları etkileyemedi ve hayal kırıklığına uğradı. Sadece bir Bow Street memuru olan bu adam kimdi ki onlara emir versindi?

Bekleme odasında sabırla ama titreyerek bekleyen Bay Watkins sonunda, zamanı gelince ödülünün verileceği vaatleriyle gönderildi.

Townsend onun gidişini üzülerek izledi. Ne büyük fırsat kaçmıştı! Onunla Tam Eildor'u yüzleştirmesine izin verilseydi, prensin karşısına çıkarılsaydı ve dramatik bir şekilde arabanın içindeki adam olarak kimliği halka açıklansaydı ve Creeve markizinin katili olarak parmaklıkların arkasına atılsaydı ne olurdu sanki!

Ne büyük sansasyon, ne büyük zafer olurdu!

Tabii ki, Townsend prensin bunun doğru olmadığını bildiğinin farkındaydı. Ama bir günah keçisi bulmalıydı. Belki Eildor'un hapisten kaçmasına izin verilirdi. Sonra da kuralları çiğnediği için vurulur böylece sonsuza kadar susturulmuş olurdu.

Pavilion'dan çıkıp giderken, yemek odasından kulağına gelen müzik ve eğlencenin sesi Townsend'in sinirlerine hiç iyi gelmiyordu.

Önündeki devasa yemek masasını paylaştığı önemli konuklarına bakan prensin eğlenmek için mükemmel sebepleri vardı. Tablo ve mobilya danışmanı, kraliyet koleksiyonuna yeni eklemeler yapmak için Rembrand'tan aldığı önerilerle kuşanmış halde Fransa'dan henüz dönmüştü.

Konukları arasında bir zamanlar prensin metresi olan Leydi Hereford'un oğlu Lort Yarmouth da vardı. Leydi Hereford, orta yaşlı, güzelliği pek de övülemeyecek geçkin bir kadındı ve saraydaki varlığı uzun süre karikatüristler için iyi malzeme olmuştu. Bununla birlikte, Yarmouth yanında Parisli, genç ve son derece hoş bir kontes getirmişti. Ne yazık ki kontes çok kısa süreliğine buradaydı ama masada karşısında oturan ve ona manalı bakışlar atan prens, bu bir ya da iki gecelik ziyaretinde oldukça uzun yol katedeceklerini düşünüyordu. Belki başka bir zafer daha kazanacaktı prens. Yeni yatak odası henüz tamamıyla zevkine uygun olarak dekore edilmemiş olsa da ani kullanıma hazırdı.

Prens, masada kendisinden olabildiğince uzağa oturmuş olan ve o uzak köşesinden ona sert bakışlar atan Başbakan Perceval'ın getirdiği önemli konuları umursamıyordu. Başbakan onu hemen Londra'ya dönmesi için zorluyordu. 1810'daki hükümetin yaptıklarının faturası parlamentonun sakin işleyişini tehdit ediyor, yalnız Whig'leri ya da Tory'leri destekleyenler arasında değil kendi kardeşleri arasında bile hararetli tartışmalar oluyordu.

Bu gece, hemen yanında en güzel elbisesi içinde gururla oturan kızı Prenses Charlotte, prensin moralinin iyi olmasının sebeplerinden biriydi. Bu, ikisi arasındaki huzursuz ilişkinin farkında olan prensin yakın arkadaşları için sürpriz olmuştu. Prensesin resmî olmayan yemeklerde bile yemek masasına oturtulmadığını bilen hizmetçiler dahi şaşkınlık içindeydi.

Yirmi Sekiz

Sadece bir saat önce, Prenses Charlotte her yerde babasını aradı, sonunda Başbakan Perceval ile tartışması gereken resmî belgelere kaşlarını çatarak göz gezdiren prensi çalışma odasında buldu, çılgınca kapıyı çalıp içeri girdi.

Prens kafasını kâğıtlardan kaldırdı, geleni görünce içi sıkıldı. Prenses ne istiyordu? Ve istediği şey biraz bekleyemez miydi?

"Baba... yani efendim... çok... çok önemli bir durum... söz konusu." Babasının karşısında her zaman bu çocukça kekeleme ortaya çıkardı. Belki doğumundan beri dışlanması ve hiç sevilmemesinden kaynaklanıyordu bu.

"Baba... ben... ben bunu buldum," dedi ve titreyen eliyle *Stuart Safiri*'ni babasının önündeki masanın üzerine koydu.

Prens bir zafer çığlığıyla safiri aldı. Safiri elinde tutuyor olsa da gözlerine inanamıyordu. "Nereden geldi bu?"

"Sizin... sizin yatak odanızdan baba, aşağı taşıdığınız yatak odasından."

Her zaman yaptığı gibi ona bağırmayacağını fark eden Charlotte gevşedi, "Baba, aslında o benim çok hoşuma gitti... acaba diyordum..."

Prens sabırsızlanarak elini kaldırdı. "Tamam, tamam, ne istersen alabilirsin," dedi. "Ama önce anlat bana, nereden aldın bunu?" diye sordu, sonra birden kaşları çatıldı. "Kim verdi bunu sana?"

"Kimse vermedi baba. Ben... ben eski odanızda etrafa bakınıp belki orada bir süreliğine ben kalırım diye düşünüyordum. Sonra şalımı düşürdüm. Onu almak için eğilince, yerde, parkelerin arasına sıkışmış parlak bir şey gördüm. İşte oradaki buydu." Durdu, gözlerini kocaman açıp masum kız bakışı attı. "Kayıp olduğunu bilmiyordum baba. Eğer bilseydim çok üzülürdüm." Derin bir nefes aldı. "Her zaman onu bana vereceğinizi söylerdiniz," dedi onu suçlar gibi. Ne var ki babası artık onu dinlemiyordu. Rahatlık çökmüştü üzerine. Şimdi her şey yoluna girmişti, krallığı kurtulmuştu; artık temelinden sarsılmıyordu.

Ne gündü ama! Markizin katili ortaya çıkmıştı. Zavallı Percy. Kayıp *Stuart Safiri* bulunmuştu. Üstelik gecenin ilerleyen saatlerinde, eğer onu eğlendirecek kadar ayık kalabilirse Fransız kontes de onu bekliyor olacaktı.

Neşesi son haddindeydi ve sonunda artık Bay Eildor'dan kurtulabileceğini fark etti. Townsend'e bu işi halletmesini söylemeliydi. Artık safir de bulunduğuna göre Townsend de derhal Londra'ya geri dönebilirdi.

Evet, gerçekten, yarın sabah ilk işi Townsend'i çağırmak ve artık ona ihtiyaç kalmadığını söylemek olacaktı. İçten bir teşekkür ve yaşadığı zorluklar için de az bir miktar para yeterli olurdu.

Ama bu gece daha önemli konular vardı.

Prens, Charlotte'a karşı ani bir minnettarlıktan kaynaklanan bir sıcaklık hissetti ve ona gülümsedi. "Teşekkür ederim sevgili kızım. Seninle tanıştırmak istediğimiz genç bir adam var. Saxe-Coburg-Saalsfeld'den Prens Leopold kısa bir süreliğine Londra'ya geliyor. Bu arada, belki bu akşam yemekte bize katılmak istersin. Önemli konuklarımızla ilgileneceğimiz küçük bir tecrübe olacak..."

Herhangi bir genç prens Charlotte'un hiç umurunda değildi ama babasının ziyafetlerinden birine davet edilmek harikaydı! Charlotte masanın etrafını dolanıp babasına koştu.

"Oh, teşekkür ederim baba, çok teşekkür ederim."

Prens bir an için onu öpeceğini sanıp dehşete kapıldı ama neyse ki sadece sarıldı.

Townsend biraz zorlansa da Pavilion'daki araştırmasını tamamladı. Görevdeki muhafızların hepsine sormuş ve hepsinden Bay Eildor'u görmedikleri yanıtını almıştı.

O binada olmadığı kesindi, olsa muhafızlar onu mutlaka tanırdı. Yalnız Bay Eildor'un değil Townsend'in bile kraliyet dairelerine elini kolunu sallayarak giremeyeceğini söylediler ona sertçe.

Townsend konuk dairelerine bakmış mıydı?

Bakmıştı, hatta tüm bahçeyi baştan sona aramıştı, o zaman bu Eildor nerede saklanıyor olabilirdi? Ne parası ne de arkadaşı vardı, Brighton'da dolaşıyor olamazdı.

Sonra birden Townsend'e ani bir ilham geldi. Creeve'den döndüklerinde Lort Henry ve Leydi Gemma ile olan konuşmasını hatırlayıp Eildor'un Bayan Fitzherbert'in evinde olabileceğini düşündü.

Hızla Steine Malikânesi'ne gitti ama geç kalmıştı. Uşak, ona Bayan Fitzherbert'in dışarıda olduğunu söyledi. Yarım saat önce arabasıyla gitmişti. Uşak madamın nereye gittiğini de konuklarının kim olduğunu da bilmiyordu. Bay Townsend eğer bir mesajı varsa bırakabilirdi.

Merdivenlerden inerken Townsend o arabanın taşıdığı hayatî önemin farkına vardı. Eildor çoktan Brighton'ın dışına çıkmış, Londra arabasına binmeye hazırlanıyordur. Steine Malikânesi'nin önünde durup şimdi ne yapacağını düşünürken, sahilden gelip Pavilion'a doğru giden bir atlı gördü.

Şans eseri bu onu çok iyi tanıyan Dragon askerlerinden biriydi. Askerin dikkatini kendi yönüne çekmeyi başaran Townsend, ona tehlikeli bir suçlunun peşinde olduğunu ve atını ödünç alıp alamayacağını sordu. Adam biraz tereddüt etti ama sonra Townsend bunun acil bir görev olduğunu ve majestelerinin güvenliği için hayatî önem taşıdığını söyleyip ısrar etti. Biraz isteksiz de olsa kabul etti adam ve bunun çok hızlı bir at olduğunu söyleyip attan indi.

Townsend'in gidişini izleyip, Pavilion'a doğru yürümeye başlayan asker tüm bu karmaşanın ne olduğunu merak ediyordu. Çünkü ne o ne de arkadaşlarına soylu efendilerinin tehlikede olduğuna dair hiçbir haber gelmemişti.

Townsend neşe içindeydi. Hızlı bir atın üzerindeydi ve herhangi bir arabayı kolaylıkla yakalayabilirdi. Şimdi Eildor'un gideceği yerin dört-beş mil ötedeki araba durakları olduğuna emindi. Orada pusuya yatar ve Eildor'u yakalardı. *Stuart Safiri*'ni bulmayı başaramamıştı, eğer tek başına Creeve markizinin katilini yakalarsa ve bu, halka duyurulursa önceki başarısızlığı unutulur ve affedilirdi.

Eğer Eildor kaçmaya çalışırken vurulursa bu prensi tehdit edecek herhangi bir skandalı önlemek için en akıllıca ve en kabul edilebilir çözüm olurdu.

Bayan Fitzherbert'in arabası duraklara yaklaşınca Tam bunun artık gerçekten hikâyesinin sonu olduğunu anladı. Tam bir sessizlik içinde yolculuk etmişlerdi, zihinleri meşguldü ve gergindiler. Tam, Maria Fitzherbert'in ortada bunun hoş bir ay ışığı pikniği olmasına izin vermeyecek kadar karışık bir durum olduğunu bildiğinden bile şüpheleniyordu.

Arabadan inen Tam, araba durağının tepede, denizi gören bir yerde olduğunu görünce rahatladı. Diğerlerinin arkasından garajdan içeri girerken kararını verdi. Şansını denemeli, kolundaki mikroçipe güvenmeli ve onu güvenle kendi zamanına götüreceğine, onu geçmişle gelecek arasında bir çıkmazda, zor durumda bırakmayacağına inanmalıydı.

Bu kalabalık garajda uzun uzadıya veda edemeyeceğinin, Gemma'nın elini tutup yanağından öpemeyeceğinin farkındaydı. Özür diledi, Henry'nin araba için verdiği demir paraları Gemma'nın el çantasının içine attı ve Londra arabasının durağında toplanan başka yolcular da olduğu için dışarı bir göz atıp geleceğini söyledi.

Etrafa bakınıyormuş gibi yaparak tek başına tepenin ucuna kadar gitti. Uzaktan korna ve at nalı sesleri duydu. Bu, Londra arabasının birazdan geleceğini haber veriyordu.

Döndü, pencereden Gemma'yı gördüğünü sandı. Veda için elini kaldırdığı an birinin ona seslendiğini duydu.

"Bay Eildor!"

Bu, at üzerindeki Townsend'di.

"Sizinle konuşmalıyım, bayım, sadece bir dakika, lütfen."

Buraya kadardı. "Elveda Brighton. Elveda Gemma, benim sevgili Gemma'm, hep mutlu ol," diye fısıldadı.

Townsend attan inmişti. "Kaçamazsın Bay Eildor, seni yakaladım!" dedi zafer kazanmışçasına.

Bir ses duydu, etrafındaki hava emiliyormuş gibi bir titreme oldu ve biraz önce Eildor'un durduğu yere bakınca, oranın bomboş olduğunu gördü.

Boş mu? Lanet adam kaçmıştı. Dik yoldan aşağı atlayıp taşlı sahile doğru kaçmıştı.

"Geri gel! Yakalayacağım seni," diye bağırdı.

Uçurumun kenarına koştu, silahı ateş etmeye hazırdı ama Eildor'dan eser yoktu. Başka yaşayan herhangi bir nesneden bile eser yoktu. Sahil gözün görebildiği yere kadar bomboştu. Ufukta mavi bir çizgi vardı ve deniz çekilmişti.

Yoksa Eildor hızla yanından geçip arabaya mı binmişti? Onu görmemesi imkânsızdı. Geri atına doğru yürürken ayağı bir şeye takıldı, neredeyse düşecekti. Bunlar siyah bir pelerin ve bir çift ayakkabıydı. Tam Eildor'un varlığına dair tek kanıt bunlardı.

Townsend birden kendini hasta gibi hissetti. Bu bir büyücü hilesinden başka bir şey olamazdı, hayatında hiç havaya karışan bir insan görmemişti çünkü. Ama bunları prense nasıl açıklayacaktı? Ya da kendisine?

Ayrılmak üzere olan arabaya bir göz attı. Yolcular arasında Eildor yoktu.

Emin olmak için içeri de bakmak istedi. Bayan Fitzherbert, Lort Henry ve Leydi Gemma'nın biraz dinlenmek için oturdukları masaya gitti. Yanlarına yaklaşıp onları selamladı ve doğrudan "Bay Eildor sizinle değil mi?" diye sordu.

Birkaç dakika önce Londra arabasına binmek için onlardan ayrıldığını söylediler. Bu üç işbirlikçi gülüyor, Townsend'le alay ediyorlardı.

Lanet olsun onlara, lanet olsun. Bir pint bira ve bir dilim kek sipariş edip başka bir masaya gitti ve orada oturup olanlara mantıklı bir açıklama getirmeye çalıştı.

Eildor'un onun gözünden kaçması, arabada gizlenmiş olması mümkün müydü? Londra'ya çıplak ayakla gidiyor olmasına imkân yoktu. Pelerinini kazara düşürmüş olabilirdi ama o güzel ayakkabıları kazara bırakmış olamazdı. Bunların bir açıklaması olmalıydı.

Üç işbirlikçi ona sırtını dönmüştü. Lort Henry, Bayan Fitzherbert'le sohbet ediyor, Leydi Gemma pencereden dışarı bakıyordu.

Arabanın gittiğini duydular. "Güven içinde buradan uzaklaştı herhalde, değil mi?" diye sordu Henry.

"Mükemmel bir şekilde," dedi gerçekleri bilen Gemma. O, Tam'ın uçurumun kenarında gözden kaybolduğunu görmüştü. Gözyaşlarına engel olmaya çalışıyor, Henry'ye gülümsüyordu. Bir gün ona tüm gerçekleri anlatması gerektiğini fark etmişti.

Ama tabii ki, evlenene kadar olmazdı.

Son Söz

Bu kitapta anlatılan olaylar tamamen hayal ürünü olup tarihsel karakterler, biyografik hikâyelerine dayanarak özgürce kullanılmıştır.

Kral vekili Prens, "deli" Kral III. George'un 1821'deki ölümünden sonra IV. George olarak tahta geçti. Sefahate dayalı hayatında yemek, şarap ve kadın düşkünlüğü 1830 Haziranındaki ölümüne dek sürdü.

Maria Fitzherbert, prens tarafından terk edildi, 1837'deki ölümüne dek Brighton'da yaşamaya devam etti. Naaşı St. John Katolik Kilisesi'ne defnedildi.

John Townsend, Bow Street memurlarının en tanınmışıydı. Otuz dört yıl boyunca hırsız peşinde koştu, renkli kariyerine İngiltere Bankasında ve özel davalara bakarak devam ettirdi.

Beau Brummell sonunda 1813'te prensin gözünden tamamen düştü, alacaklılarından kaçıp Calais'e gitti. Savurganlık ve kumar borçları içinde geçirdiği ömründen sonra 1840'ta yoksulların konulduğu bir akıl hastanesinde öldü.

Prenses Charlotte sonunda gerçek aşkı buldu. 1816'da, yirmi yaşındayken, Saxe-Coburg-Saalfeld'den Prens Leopold ile evlendi. Bir nesil sonra yeğenleri

Albert ve Victoria'nın mutluluğuna ön ayak olan bir mutluluk ve aşk yaşadılar. 1817'de ölü doğan oğlunu doğururken üzücü bir şekilde hayata gözlerini kapadı.

Stuart Safiri bugün hâlâ kraliçenin tacında bulunmaktadır. Charlotte'un acılı kocası onu, Charlotte'un kısacık hayatında ona hiç hissettirmediği merhameti hissederek Brighton'ın geri kalan halkıyla yas tutan prense vermişti.

Bununla birlikte eğer Charlotte ve oğlu hayatta kalsaydı, George'lar bizi yönetmeye devam ederdi ve biz Victoria zamanını hiç yaşamazdık.